D1458769

Ne pars pas sans moi

GILLY MACMILLAN

Ne pars pas sans moi

Traduit de l'anglais par Christel Paris

Titre original : *Burnt paper sky*
Publié par Piatkus, Grande-Bretagne

Édition du Club France Loisirs,
avec l'autorisation des Éditions Les Escales.

Éditions France Loisirs,
123, boulevard de Grenelle, Paris.
www.franceloisirs.com

ISBN : 978-2-298-10333-5

À ma famille

NOTE DE L'AUTEUR

Au cours des recherches que j'ai faites pour écrire ce roman, j'ai trouvé un grand nombre de sites Internet et d'articles qui m'ont fourni une documentation très précieuse. Mais, bien que certaines de ces sources soient citées comme matériel de référence à la fin du livre, *Ne pars pas sans moi* est une œuvre de fiction. Tous les personnages, les faits, les blogs, les commentaires en ligne et pseudonymes de leurs auteurs, les articles de journaux, les adresses électroniques et plusieurs sites Internet sont entièrement inventés. Par conséquent, toute ressemblance avec des personnes existantes ou ayant existé, des sites Internet, des adresses électroniques, des commentaires en ligne, des articles de journaux et des blogs existants est purement fortuite.

Les erreurs pouvant apparaître dans l'évocation des procédures policières sont de mon fait et je prie les deux policiers à la retraite qui m'ont gentiment donné des conseils de bien vouloir m'en excuser. J'ai essayé de décrire la ville de Bristol avec autant de réalisme que possible ; cependant, le terrain de jeu près de l'aire de stationnement aux abords de la forêt de Leigh Woods n'existe pas, et la description de l'intérieur du commissariat de Kenneth Steele House n'est que le fruit de mon imagination.

Si tout le reste est incertain
sur ce tas de fumier puant qu'est la terre,
l'amour maternel ne l'est pas.

James Joyce *Dedalus ou*
Portrait de l'artiste en jeune homme
(traduit de l'anglais
par Ludmila Savistsky,
Éd. Gallimard, 1943)

Dans la nuit véritablement noire de l'âme,
il est toujours, jour après jour, trois heures du matin.

F. Scott Fitzgerald *La Fêlure*
(traduit de l'anglais
par Dominique Aury
et Suzanne Mayoux,
Éd. Gallimard, 1963)

PROLOGUE

Novembre 2013 – un an après

RACHEL

Aux yeux des autres, nous sommes rarement ce que nous croyons être.

Quand nous rencontrons quelqu'un pour la première fois, nous avons beau faire de notre mieux pour nous montrer sous notre meilleur jour, le risque de donner une fausse impression de qui nous sommes existe toujours.

C'est l'un des pièges de la vie.

J'y ai beaucoup pensé depuis la disparition de mon fils et, chaque fois, j'en arrive à cette question : si nous ne sommes pas la personne que nous croyons être, qu'en est-il des autres ? Comment pouvons-nous être sûrs de qui ils sont réellement ? Et qu'en est-il de nos certitudes à leur sujet puisqu'ils peuvent se tromper aussi facilement sur notre compte ?

On voit bien où toutes ces réflexions peuvent me mener.

Devons-nous nous fier à une personne et la croire, uniquement parce qu'il s'agit d'une figure d'autorité ou qu'elle fait partie de notre famille ? Les amitiés, les relations que nous avons construites, l'ont-elles été sur de bonnes bases ?

Quand je suis d'humeur pensive, je me demande dans quelle mesure ma vie aurait été différente si je m'étais posé toutes ces questions avant la disparition de Ben. Quand je suis déprimée, je culpabilise de ne pas l'avoir fait, et mon cerveau tourne en rond, ces pensées me taraudent, comme une punition, pendant plusieurs jours.

L'année dernière, le lendemain de la disparition de Ben, j'ai participé à une conférence de presse diffusée à la télévision. Mon rôle était de demander qu'on nous aide dans nos recherches. La police m'avait donné un texte à lire. J'étais convaincue que les gens qui regarderaient l'émission comprendraient immédiatement qui j'étais, qu'ils verraient que j'étais la mère d'un enfant qui avait disparu et que je n'avais qu'une priorité : le retrouver.

La plupart des gens, en tout cas ceux qu'on a le plus entendus, ont pensé le contraire. On m'a accusée de choses horribles. Je n'ai pas compris pourquoi jusqu'à ce que je visionne la conférence de presse – il était déjà bien trop tard pour limiter les dégâts, mais les raisons en étaient évidentes.

J'avais l'air d'une proie.

Non pas une proie sur laquelle on s'attendrit, par exemple une antilope aux yeux écarquillés de frayeur, chancelante sur ces pattes graciles. Plutôt un gibier de chasse à courre, traqué, proche de la fin. Je donnais à voir un visage déformé par l'émotion, le front couvert de sang à cause de ma blessure, un corps empli de chagrin, secoué de tremblements ; j'avais une voix éraillée, la bouche desséchée. Si j'avais pu croire, auparavant, que me montrer telle que j'étais, sans chercher à maquiller mes émotions, aussi brutes soient-elles, pouvait susciter de la sympathie à mon égard et encourager les gens à m'aider à chercher Ben, je m'étais trompée.

Ils ont vu en moi un monstre de foire. Je leur faisais peur car j'étais quelqu'un à qui le pire arrivait, et, telle une meute de chiens, ils se sont acharnés contre moi.

J'ai, depuis, été invitée à plusieurs reprises à la télévision. Il est vrai que l'affaire a fait beaucoup de bruit. J'ai toujours refusé. Chat échaudé craint l'eau froide.

Ce qui ne m'empêche pas d'imaginer comment se passerait l'interview. Je visualise un plateau d'enregistrement confortable, et un journaliste à l'air gentil, qui dirait : « Parlez-nous un peu de vous, Rachel. » Détendu, il s'enfonce dans son fauteuil, installé près du mien, comme si nous nous étions rencontrés dans un pub pour simplement bavarder. L'expression de son visage est celle de quelqu'un qui observerait la préparation d'un cocktail concocté spécialement pour lui – ou, si vous préférez, d'une crème glacée. Nous discutons et il prend le temps de me faire sortir de ma coquille ; il me laisse parler et raconter ma propre version de l'histoire. J'ai l'air sensée. Je me contrôle. Je suis conforme à l'image que l'on a d'une mère convenable. Je réfléchis avant de répondre. Je ne cherche pas à provoquer. À aucun moment je ne laisse échapper les pensées qui me passent par la tête et qui pourraient éveiller de la méfiance à mon égard. Je ne perds pas les pédales.

Ce fantasme peut parfois m'occuper pendant de longues minutes. Le résultat est toujours le même :

l'interview se déroule vraiment bien, voire parfaitement et, surtout, le journaliste ne me pose pas la question que je déteste le plus. Cette question, un nombre surprenant de gens me la posent. Ils l'expriment ainsi : « Juste avant que Ben disparaisse, n'avez-vous pas eu l'intuition que quelque chose de terrible allait lui arriver ? »

Je déteste cette question car elle sous-entend une sorte de manquement à mon devoir de mère. Elle sous-entend que si j'avais été une mère plus sensible, une meilleure mère, j'aurais senti que mon enfant était en danger – ou j'aurais *dû* le sentir. Ce que je réponds ? Je me contente de dire : « Non ».

La réponse est simple ; et pourtant, le plus souvent, les gens me regardent d'un air interrogateur, les sourcils froncés de cette façon particulière qui exprime plus le désir d'obtenir des détails croustillants sur une situation délicate que l'empathie. Des fronts plissés et des yeux inquisiteurs me demandent : « Vraiment ? Vous êtes sûre ? Comment est-ce possible ? »

Je ne me justifie jamais. Ils n'ont pas besoin d'en savoir davantage.

Je n'en dis pas plus car ma confiance envers les autres a été minée par ce qui s'est passé, évidemment. Le doute s'est insinué dans nombre de mes relations, comme le feraient de petits éclats de verre brisé invisibles à l'œil nu mais susceptibles de vous blesser alors même que vous pensiez avoir tout bien balayé.

Il ne reste que très peu de gens sur lesquels je peux compter désormais, ils sont mes points d'ancrage. Ils savent tout de mon histoire.

Une part de moi aimerait parler de ce qui s'est passé à d'autres personnes, mais seulement si j'avais la certitude de pouvoir être entendue. Il faudrait qu'elles m'écoutent jusqu'au bout, sans m'interrompre ou me juger, et qu'elles soient capables de comprendre que tout ce que j'ai fait, je l'ai fait pour Ben. J'ai parfois agi avec imprudence, ou de manière inconsidérée et dangereuse, mais toujours pour mon fils, parce que mes sentiments à son égard étaient ma seule conviction.

Si quelqu'un avait le courage d'être le convive du mariage pour le vieux marin[1] que je suis, alors, en retour, pour le remercier du temps, et de la patience qu'il m'aurait consacrés et de la compréhension dont il aurait fait preuve, je lui raconterais tous les détails. Un échange de bons procédés, selon moi. Après tout, on éprouve tous un certain plaisir à vivre par procuration les expériences horribles que les autres ont connues.

Je ne comprendrai jamais pourquoi nous n'avons pas de mot en anglais pour *Schadenfreude*, la joie maligne suscitée par le malheur d'autrui. Peut-être avons-nous honte d'éprouver un tel sentiment. Mieux vaut maintenir l'illusion selon laquelle il

---

1. *La Complainte du vieux marin* (titre original *The Rime of the Ancient Mariner*) est un poème de l'auteur britannique Samuel Taylor Coleridge, composé entre 1797 et 1799. De style romantique, ce très long poème décrit les aventures surnaturelles d'un capitaine de bateau qui fit naufrage. Le vieux marin invite le convive d'un mariage à écouter sa complainte. D'abord agacé, puis amusé, le convive de la noce se laisse littéralement hypnotiser par le récit extraordinaire du marin. (*Toutes les notes sont de la traductrice.*)

serait possible de nous donner à tous le bon Dieu sans confession.

Celui qui aurait la générosité de m'écouter serait sans nul doute surpris. En effet, la plupart des faits ont été passés sous silence. Ce serait donc une exclusivité. Quand je me vois raconter mon histoire à cet auditeur imaginaire, je pense que, tout d'abord, je répondrais correctement, et pour la première fois, à la fameuse question détestée, car elle est pertinente. Et c'est ainsi que je commencerais mon récit :

Je n'ai pas eu le moindre pressentiment concernant la disparition de Ben. Absolument aucun. J'étais préoccupée par tout autre chose : la nouvelle femme de mon ex-mari.

JIM

Voici la liste de tout ce que j'avais l'habitude de contrôler : mon travail, ma vie affective, la famille.

Voici le problème qui est désormais le mien : les pensées qui m'obsèdent.

Elles me rappellent heure par heure, parfois minute par minute, les pertes, et les actions sur lesquelles on ne peut plus revenir, même si on le souhaite plus que tout.

Pendant la semaine, je m'abrutis au travail pour essayer d'effacer ces pensées.

Les week-ends sont difficiles, mais j'ai trouvé de quoi les remplir : je fais du sport, je travaille et je recommence.

Mais les nuits sont un véritable supplice, car ces pensées n'ont de cesse de me hanter et elles m'empêchent de dormir.

Quand j'étais étudiant, je me suis intéressé à l'insomnie. J'ai étudié la poésie surréaliste et j'ai lu que le manque de sommeil pouvait avoir sur l'esprit des effets psychédéliques, hallucinogènes, et qu'il permettait de libérer notre créativité, de rendre notre vie plus riche et d'élever notre âme.

Mais mon insomnie est différente.

Mon insomnie me laisse en proie à la détresse et à l'agitation. Elle ne conduit à rien de créatif, seulement à du désespoir et de la frustration.

Chaque nuit, je redoute le moment de me coucher, car dès que je pose ma tête sur l'oreiller, quel que soit mon état de fatigue et le besoin que j'éprouve de mettre mon esprit en veille, chacune de mes cellules semble conspirer pour me garder éveillé.

Je deviens hypersensible à tous les stimuli extérieurs qui se transforment en de véritables supplices.

Je me tourne et me retourne dans mon lit et les draps s'emmêlent, se froissent ; des plis, des creux comme une terre labourée par les griffes d'un animal. Quand j'essaie de rester tranquille, les mains croisées sur ma poitrine, les battements de mon cœur s'accélèrent et me coupent le souffle. Si je m'allonge sur mes draps, l'air dans la chambre me pique la peau et me donne la chair de poule, quelle que soit la température. Mais sous les couvertures, j'étouffe et je souffre de claustrophobie, je manque d'air, et je transpire tant que le lit se transforme en une flaque d'eau dans laquelle je suis condamné à baigner.

Pendant que je marine dans mon jus, j'entends les bruits de la rue : des cris, des voitures, une mobylette, une sirène, le vent dans les feuilles des arbres et, parfois, rien. Le vide.

Certaines nuits, ce silence me tourmente et je me lève, le plus souvent bien après minuit ; je me rhabille et je vais marcher dans les rues baignées par la lueur orangée des lampes à vapeur de sodium, là où seules les ombres s'agitent à la périphérie de mon champ de vision : un renard, peut-être, ou un clochard sous un porche.

Mais même la marche ne m'éclaircit pas les idées. Tandis que je pose un pied devant l'autre, je redoute encore plus le moment de rentrer, de me coucher, d'être de nouveau confronté au vide et à mon impossibilité à trouver le sommeil.

Et, plus que tout, je redoute les pensées qui se mettront à tourner en boucle dans ma tête.

Elles me ramènent directement dans ces zones d'ombre emplies de souvenirs vivaces et que je me suis efforcé de verrouiller pendant la journée. Elles crochètent les serrures, défoncent les portes, arrachent les planches qui barricadent les fenêtres et braquent leurs lampes à l'intérieur pour éclairer les recoins les plus sombres. Une lumière violente, comme celle des projecteurs d'une scène de crime. Au centre : Benedict Finch. Ses yeux d'un bleu transparent rencontrent les miens ; ils sont emplis d'une telle innocence que son regard en devient accusateur.

Parfois, aux premières lueurs du jour, je parviens à m'endormir ; mais le problème reste le même : il ne s'agit pas d'un sommeil réparateur permettant à mon esprit de trouver le repos. C'est un sommeil qui ne m'offre aucun répit car il est peuplé de cauchemars.

Que j'aie dormi ou pas, je me lève souvent déshydraté, l'haleine fétide, rincé avant même d'avoir commencé la journée. Des larmes mouillent parfois l'oreiller et très fréquemment, mes draps sont trempés de sueur. J'affronte la matinée en craignant que le manque de sommeil n'ait pas seulement brouillé la limite entre la nuit et le jour, mais qu'il ait aussi perturbé mon équilibre.

Je crois que, avant que je commence à souffrir d'insomnies, j'avais sous-estimé à la fois le pouvoir réparateur du sommeil et celui, destructeur, d'une âme brisée. Je n'avais pas conscience que l'épuisement pouvait nous saigner à blanc. Je n'avais pas conscience que notre esprit pouvait tomber malade sans que nous nous en apercevions : progressivement, insidieusement, irrévocablement.

Je ne peux en parler à personne : c'est trop embarrassant. Au petit matin, les effets de l'insomnie continuent de me hanter et imprègnent le jour qui se lève. Mon café a un goût métallique et l'idée même de me nourrir est impensable. J'ai envie de fumer dès le réveil. Sous l'effet de l'adrénaline, pendant le trajet à bicyclette qui me conduit au travail, je suis une vraie boule de nerfs. Je roule dangereusement, trop près de la bordure du trottoir. Arrivé à un carrefour, j'évalue mal les distances ; juste derrière moi, le bruit sourd d'une voiture, forcée de s'arrêter brusquement, m'oblige à pédaler si vite que les muscles de mes jambes sont douloureux.

Au bureau, une réunion, tôt le matin : « Tout va bien ? » me demande l'inspecteur principal. Je hoche la tête, mais la sueur perle sur mon front. Je réponds : « Ça va. » Je tiens dix minutes. Puis quelqu'un me demande : « Qu'est-ce que tu en penses, Jim ? »

Je devrais me réjouir de cette question. C'est l'occasion de me faire valoir, de montrer ce dont je suis capable. Il y a un an, j'aurais saisi la balle au bond. Aujourd'hui, je me concentre sur le bout en plastique cassé de mon stylo bille. Je fais un effort pour lever la tête et affronter les trois visages tournés vers moi, dans l'attente de ma réponse. La seule chose à laquelle je pense, c'est la manière dont l'insomnie a brouillé mon esprit. La panique s'empare de moi comme une drogue qu'on injecterait dans mes artères, mes veines, tout mon système sanguin, jusqu'à ce que mon esprit soit paralysé. Je quitte silencieusement la pièce et, dès que je suis sorti, je donne des coups dans le mur, je cogne si fort que mes poings saignent.

Ce n'est pas la première fois. Mais c'est la première fois qu'ils mettent à exécution leur menace de m'envoyer chez un psychothérapeute.

Son nom : le Dr Francesca Manelli. Ils me font comprendre que si je n'assiste pas à toutes les séances et que je refuse de collaborer avec le Dr Manelli, je serai viré de la PJ.

Nous avons eu un entretien préliminaire. Elle veut que je fasse un compte rendu écrit de l'affaire Benedict Finch. J'ai commencé par écrire pourquoi je m'opposais à ce projet.

Pour le Dr Francesca Manelli : compte rendu des événements relatifs à l'affaire Benedict Finch, par l'inspecteur de police JAMES CLEMO, commissariat central de l'Avon et du Somerset

CONFIDENTIEL

J'aimerais commencer en mettant par écrit les objections que j'ai à rédiger ce compte rendu et à entreprendre une thérapie avec le Dr Manelli. Même si je pense que le service de santé qui assiste la police est un atout incontestable, je crois aussi que c'est aux agents et autres membres du personnel de choisir librement d'y avoir recours ou pas. Je formulerai ces objections de manière officielle en passant par les réseaux appropriés.

J'ai conscience que le but de ce compte rendu est de décrire les événements qui ont eu lieu pendant l'affaire Benedict Finch, d'après mon propre point de vue. C'est ce qui servira à alimenter les discussions que j'aurai avec le Dr Manelli. Ce compte rendu permettra de savoir si j'ai besoin d'une thérapie à long terme pour résoudre certains des problèmes ayant résulté de mon implication dans cette affaire et ceux auxquels j'ai été confronté dans ma vie privée à la même époque.

J'ai compris qu'il fallait que je mentionne des détails de ma vie personnelle lorsque je les estimais pertinents, notamment ceux qui concernent l'enquêtrice Emma Zhang ; ainsi le Dr Manelli pourra avoir une vue d'ensemble sur la manière dont j'ai pris certaines décisions et ce qui les a motivées pendant que l'affaire était en cours. L'état d'avancement de mon compte rendu sera commenté au fur et à mesure par le Dr Manelli. Ce que j'écrirai servira de point de départ à chacune de mes séances hebdomadaires.

Le Dr Manelli m'a recommandé de consacrer l'essentiel de ce compte rendu à la description de mes souvenirs personnels des événements, ce qui peut aussi vouloir dire inclure les retranscriptions de nos conversations ou même certains autres documents si elle en voit l'utilité.

Je suis d'accord, à la seule condition qu'il soit bien clair que le contenu en restera confidentiel.

Inspecteur James Clemo

AVANT

PREMIER JOUR

Dimanche 21 octobre 2012

Au Royaume-Uni, un enfant est porté disparu toutes les trois minutes.

www.missingkids.co.uk

Les trois premières heures sont cruciales pour retrouver un enfant disparu.

www.missingkids.com/KeyFacts

RACHEL

Mon ex-mari s'appelle John. Sa nouvelle femme, Katrina. Elle est menue et sa silhouette incite la plupart des hommes à la dévorer des yeux. Ses cheveux châtain foncé paraissent toujours soyeux comme après une couleur, ou comme ceux des mannequins dans les magazines. Ils sont coupés au carré et coiffés avec soin autour de son visage de lutin de façon à encadrer sa bouche mutine et ses yeux noirs.

Quand je l'ai rencontrée pour la première fois, lors d'une réception à l'hôpital organisée par mon mari, des mois avant qu'il parte, j'ai admiré ces yeux. Je les ai trouvés vifs et pétillants. Ils lançaient des étincelles, jaugeaient, se faisaient séducteurs, aguicheurs, charmeurs. Mais après que John nous a quittés, ils m'ont évoqué ceux d'une pie voleuse – perçants et sournois –, qui pille le trésor des autres pour tapisser son nid.

John a quitté la maison le lendemain de Noël. Il m'avait offert un iPad et avait offert un chiot à Ben. Ces cadeaux m'avaient semblé pleins d'attention et de générosité jusqu'à ce que je le regarde partir en marche arrière dans l'allée, des sacs bien empaquetés sur les sièges de la voiture tandis que le jambon cuit au four refroidissait sur la table de la salle à manger et que Ben pleurait car il ne comprenait pas ce qui se passait. Quand, finalement, je me suis retournée pour rentrer à la maison et commencer ma nouvelle vie de mère célibataire, j'ai compris que c'étaient des cadeaux dictés par la culpabilité : des choses pour remplir le vide qu'il laisserait dans notre vie.

Les premiers temps, il est vrai qu'ils nous ont occupés, mais peut-être pas comme John en avait eu l'intention. Deux jours après Noël, Ben s'était approprié l'iPad et moi, grelottant, sous le choc, j'avais passé des heures dehors sous un parapluie – dans les chaussons Cath Kidston tout neufs que ma sœur m'avait envoyés pour Noël, trempés, couverts de boue –, pendant que le chien essayait de déterrer un pied de clématite alors que j'aurais dû l'encourager à faire ses besoins.

Katrina a attiré John dans ses filets exactement dix mois avant la disparition de Ben. J'y voyais là un plan magistral qu'elle aurait mis à exécution : La Séduction et le Vol de Mon Mari. Je ne savais pas dans le détail comment leur histoire avait commencé mais j'y pensais comme à une intrigue digne d'une mauvaise série télé qui se passe dans le milieu hospitalier. Dans la vraie vie, son rôle à lui était celui d'un chirurgien consultant en pédiatrie ; elle était nutritionniste, fraîchement diplômée.

Je les imaginais se rencontrant au chevet d'un malade : ils se regardent dans les yeux, leurs mains se frôlent ; un flirt qui devient plus sérieux, jusqu'à ce qu'elle se donne à lui, inconditionnellement. Ce qui est possible tant que vous n'avez pas d'enfant.

À cette époque, John était obsédé par son travail qui l'absorbait complètement, ce qui me laisse à penser que c'est elle qui lui a couru après, et que ce qu'elle lui a offert devait équivaloir à une proposition fort séduisante.

J'étais amère. Ma relation avec John s'était construite sur des bases si solides et réfléchies que j'avais pensé que ce serait pour toujours. Je n'avais tout simplement jamais envisagé que la fin serait différente de ce que j'avais cru. Une certitude qui, je le comprends maintenant, était extrêmement naïve.

Je n'avais pas compris que John ne pensait pas comme moi : il ne considérait pas les problèmes que nous pouvions avoir comme normaux ou faciles à surmonter. Pour lui, les choses avaient couvé sous la surface, jusqu'au point où il n'avait plus supporté d'être avec moi, et sa solution avait été de ficher le camp.

Quand j'avais téléphoné à ma sœur tout de suite après le départ de John, elle m'avait demandé : « Tu ne t'en doutais pas ? » et sa voix avait trahi l'étonnement. Sa deuxième question avait été : « Tu es sûre d'avoir suffisamment fait attention à lui ? » Comme si j'étais responsable et qu'il fallait s'y attendre. J'avais raccroché. Mon amie Laura, quant à elle, avait dit : « Je l'ai senti un peu distant ces derniers temps. Mais je pensais que vous traversiez juste une mauvaise passe. »

Laura était ma plus proche amie ; nous avions fait nos études d'infirmière ensemble. Comme moi, elle avait abandonné les bassins hygiéniques et les fluides organiques. Elle était devenue journaliste. Nous étions amies depuis suffisamment longtemps pour qu'elle ait été témoin des débuts de ma relation avec John et de son développement jusqu'à son dénouement. Elle était fine observatrice et très franche. Ce mot, « distant », m'est resté car, pour être honnête, je n'avais rien remarqué. Quand on a un enfant dont il faut prendre soin et que l'on est occupée à construire une nouvelle carrière, c'est ce qui arrive, parfois.

La séparation et le divorce ont été un déchirement, je dois l'avouer. Quand Ben a disparu, j'étais encore en plein deuil de mon mari. En dix mois, vous pouvez vous habituer à être seule, mais guérir d'une blessure prend beaucoup plus de temps.

Un jour, j'étais allée faire un tour chez Katrina, après que John avait emménagé avec elle. L'adresse était facile à trouver. J'avais sonné à la porte et, quand elle avait ouvert, je lui avais aboyé dessus. Je l'avais accusée d'avoir brisé un ménage – et de choses bien pires encore. John n'était pas là mais elle recevait des amis et, quand nous avions élevé la voix, trois d'entre eux étaient apparus, derrière elle, bouche bée. On aurait dit le chœur désapprobateur d'une tragédie grecque. Un verre de vin blanc à la main, ils avaient été les spectateurs de ma rage. Ce ne fut pas mon heure de gloire mais, pour autant, je ne m'en suis jamais excusée.

Vous devez vous demander à quoi je ressemble pour que mon mari ait pu être séduit par une petite pie aussi effrontée. Si vous avez vu la retransmission de la conférence de presse, vous en avez déjà une idée, même si je n'étais pas au mieux de ma forme. Bien évidemment.

Vous m'avez alors vue mal coiffée, les cheveux hirsutes, malgré les efforts de ma sœur. J'avais l'air d'une sorcière. Me croiriez-vous si je vous disais que ma chevelure était ce dont j'étais la plus fière ? J'ai de longs cheveux bouclés, blond foncé, qui descendent en dessous des épaules et peuvent faire leur effet.

Vous avez aussi remarqué mes yeux. Les journalistes les ont filmés en gros plan : des yeux injectés de sang, emplis de désespoir, des yeux implorants, rouges et gonflés à force d'avoir pleuré. Vous devez donc me croire sur parole quand j'affirme que, normalement, j'ai de beaux yeux. Ils sont grands, d'un vert profond, et j'ai toujours pensé qu'ils mettaient en valeur mon teint pâle.

Mais, surtout, j'espère que vous avez remarqué les petites taches de rousseur sur mon nez. Les avez-vous vues ? Ben a les mêmes ; et qu'il en ait hérité me rendait folle de joie.

Mais j'aurais tort de vous donner l'impression que la seule chose à laquelle je pensais au moment où mon fils a disparu était Katrina. L'après-midi où l'enlèvement a eu lieu, Ben et moi promenions le chien dans les bois. C'était un dimanche, et nous avions quitté Bristol en voiture et traversé le pont suspendu de Clifton pour être à la campagne.

Le pont enjambe les gorges de l'Avon, une impressionnante faille dans le paysage, creusée par la rivière aux berges boueuses ; en bas, Ben et moi pouvions apercevoir la rivière en crue, ses flots bruns et gonflés. Les gorges de l'Avon délimitent la frontière entre la ville et la campagne alentour. La ville, en équilibre sur l'une des pentes, enserrait l'une des rives, et les bois l'autre, des arbres recouvrant les falaises escarpées jusqu'aux berges.

Une fois le pont traversé, il ne nous a pas fallu plus de cinq minutes pour nous garer et nous enfoncer dans la forêt. C'était un très bel après-midi d'automne, et, pendant notre promenade, je me suis délectée des bruits, des odeurs, et de la vue qui s'offrait à nous.

Je suis photographe. C'est la carrière que j'ai choisie après la naissance de Ben. J'ai abandonné ma vocation première, infirmière, sans le moindre regret. La photo, une vraie passion, me rendait heureuse. J'observais toujours la lumière, j'imaginais comment l'utiliser pour un cliché, et je peux encore me souvenir de celle qui nous accompagnait lors de cette promenade.

Il était déjà tard, et la lumière commençait à changer, elle paraissait éphémère. Cependant, le ciel était suffisamment clair pour que la couleur des feuilles au-dessus et autour de nous apparaisse dans sa diversité et sa beauté. Certaines d'entre elles tombaient déjà. Sans aucun bruit de protestation, elles se détachaient des branches qui les avaient nourries pendant des mois, et tourbillonnaient devant nous avant de se poser sur le sol. Au début de notre promenade, l'après-midi était encore agréable, témoignant du changement, tranquille et progressif, de saison.

Bien évidemment, Ben et le chien n'y prêtaient pas attention. Pendant que je réfléchissais à des projets photos, ils jouaient ensemble à cache-cache, les yeux brillants, et de la buée se formait à chacune de leur respiration. Ben portait un anorak rouge et je le voyais filer sur le chemin devant moi, puis zigzaguer entre les arbres. Skittle courait à ses côtés.

Ben lui lançait des morceaux de bois qui atterrissaient au pied des arbres et il s'agenouillait près du sol jonché de feuilles pour examiner les champignons, sans les toucher car il savait que c'était interdit. Il essayait de marcher les yeux fermés et il commentait ses sensations :

— Je crois que je patauge dans la boue, maman, a-t-il dit en sentant sa botte s'cnfoncer.

J'ai dû aller à sa rescousse tandis qu'il se tenait sur un pied. Il a ramassé des pommes de pin et m'en a montré une qui était bien fermée :

— Il va pleuvoir, m'a-t-il dit. Regarde.

Mon fils était particulièrement beau, cet après-midi-là. Il n'avait que huit ans. Ses cheveux blond cendré étaient ébouriffés et ses joues rougies par l'effort et le froid. Ses yeux bleus étaient aussi clairs et brillants que des saphirs. Il avait le teint pâle, comme de coutume en hiver, une peau blanche immaculée – hormis ces petites taches de rousseur –, et son sourire était ce que j'aimais voir le plus au monde. Il m'arrivait à la taille, et c'était parfait pour que je puisse passer mon bras autour de ses épaules pendant que nous marchions, ou lui prendre la main, ce qu'il aimait bien que je fasse encore de temps en temps, sauf à l'école, évidemment.

Ce dimanche-là, Ben rayonnait de ce bonheur simple qui est le privilège exclusif des enfants. Cela me rendait heureuse, moi aussi. Les dix derniers mois depuis le départ de John avaient été difficiles, mais même si je continuais à penser à lui et à Katrina plus que de raison, j'arrivais à vivre des moments où tout allait bien, des moments où être seuls, Ben et moi, semblait normal. Ils étaient rares, je dois bien l'admettre, mais ils existaient. Et cet après-midi-là, dans les bois, était l'un de ces rares moments.

Vers quatre heures et demie, le froid s'est fait mordant et je savais qu'il faudrait bientôt rentrer. Mais Ben n'était pas d'accord.

— Je peux aller me balancer au bout de la corde ? S'il te plaît ?

— Si tu veux, ai-je répondu.

Et, en effet, je pensais que nous aurions encore le temps de retourner à la voiture avant la tombée de la nuit.

— Je peux partir devant ?

Je repense souvent à cet instant ; et, avant que vous me jugiez pour la réponse que je lui ai donnée, je voudrais vous poser une question. Comment fait-on quand on doit être à la fois la mère et le père de son enfant ? J'étais une mère célibataire. Mon instinct maternel était simple : protéger mon enfant, à tout prix. Ma voix, maternelle, disait : « Non, tu es trop jeune, je vais t'accompagner jusqu'à la corde, je veux pouvoir te voir à chaque instant. » Mais, en l'absence de John, je pensais que laisser une place dans ma tête pour une autre voix, celle d'un père, cette fois, était aussi l'une de mes obligations. J'imaginais que cette voix encouragerait Ben à être indépendant, à prendre des risques et à découvrir la vie, et qu'elle dirait : « Bien sûr, vas-y ! »

La conversation a donc été la suivante :

— Je peux partir devant ?

— Écoute, Ben, je ne sais pas.

— S'il te plaît maman !

Son ton était implorant, il cherchait à m'amadouer.

— Tu connais le chemin ?

— Oui !

— Tu es sûr ?

— On y va à chaque fois.

Il avait raison.

— C'est vrai, mais si tu ne sais plus retrouver le petit sentier, tu t'arrêtes et tu m'attends dans l'allée principale.

— D'accord !

Et il a filé, à toute vitesse, devant moi ; le chien faisait la course avec lui.

— Ben ! l'ai-je interpelé. Tu es vraiment *sûr* que tu connais le chemin ?

— Oui ! a-t-il crié, avec le ton assuré d'un enfant qui n'a probablement pas écouté ce que vous lui avez demandé, trop excité par l'idée qu'il a en tête.

Il ne s'est pas arrêté et ne m'a pas attendue.

Et c'est la dernière fois que je l'ai vu.

En marchant derrière Ben, j'écoutais un message sur mon téléphone portable. C'était ma sœur. Elle avait appelé à l'heure du déjeuner.

« Salut, c'est moi. Tu peux me rappeler au sujet de la photo de Noël pour le blog ? Je suis au Salon culinaire des Cotswolds et j'ai eu plein, plein, d'idées dont j'aurais aimé discuter avec toi. Et je voulais m'assurer que tu étais toujours d'accord pour le week-end prochain. Je sais qu'on avait prévu que tu viennes à la maison mais j'ai pensé que ce serait bien de s'installer au cottage, on pourrait le décorer avec du houx et des trucs comme ça. Pourquoi ne pas se retrouver plutôt là-bas ? Les filles ont des choses à faire et elles resteront à la maison avec Simon. On sera juste toutes les deux. Au fait, j'y serai ce soir ; si tu n'arrives pas à me joindre sur mon portable, appelle là-bas. Embrasse Ben. Bye. »

Ma sœur a créé un blog culinaire qui a beaucoup de succès : *Ketchup et Crème anglaise* – les deux aliments préférés de ses filles. Elle en a quatre, qui ressemblent toutes à leur père, avec de grands yeux marron, des cheveux bruns si foncés qu'ils paraissent presque noirs, et un tempérament bien trempé. Ma sœur dit souvent pour plaisanter que si elle n'avait pas accouché, elle se serait posé la question de savoir si c'était bien ses filles. Et je dois avouer que, parfois, je ne suis pas sûre que ma sœur les connaisse vraiment : elles forment un groupe énigmatique, presque inaccessible, même pour leur mère.

D'âges rapprochés – toutes plus vieilles que Ben – elles constituent une tribu à laquelle Ben n'avait jamais vraiment réussi à appartenir. Il les regardait d'ailleurs avec méfiance, d'autant plus qu'elles avaient tendance à le traiter comme un jouet.

Malgré tout, Nicky s'en sortait plutôt bien avec elles : elle planifiait et organisait dans le moindre détail toutes leurs activités ; en les occupant en permanence, elle parvenait à les dominer. Leurs vies obéissaient à une routine si stricte que je me demandais parfois si ces jeunes filles aux cheveux de jais n'allaient pas imploser au moment d'entrer dans le monde réel, loin du contrôle de leur mère.

Sur son blog, Nicky postait des recettes qui, affirmait-elle, permettaient à n'importe quelle famille de manger sainement et de se retrouver autour d'un repas. Quand elle avait démarré son blog, j'avais trouvé son idée ringarde et stupide mais, à ma grande surprise, ce fut un succès et il y est souvent fait mention quand la presse publie le *Top Ten* des sites culinaires ou la liste des meilleurs blogs familiaux.

Ma sœur était une cuisinière de premier ordre. Elle combinait ses recettes avec des billets d'humeur dans lesquels elle décrivait avec humour à quel point il était difficile d'élever une famille nombreuse. Ce n'était pas ma tasse de thé – trop caricatural et un peu mièvre – mais le succès en était impressionnant, et ce blog semblait toucher la corde sensible de nombreuses femmes qui avaient envie de croire à un idéal de mère de famille hissée au rang d'héroïne.

Je l'ai rappelée, lui laissant un message. « Oui, nous avons prévu d'arriver samedi matin et de repartir dimanche après le déjeuner. Veux-tu que je t'apporte quelque chose ? »

Je tenais à lui poser cette question. Même si je savais qu'elle n'avait besoin de rien. Elle s'enorgueillissait d'être une hôtesse parfaite.

Ne pas rester longtemps était, là aussi, délibéré. Quand nous prévoyions de rendre visite à Nicky, je décidais toujours de ne rester qu'une nuit ; car même si elle était ma seule famille et que je considérais comme un devoir d'aller la voir et de donner à Ben l'occasion de connaître ses cousines, cette perspective ne m'enchantait jamais vraiment.

Leur grande maison traditionnelle, juste en dehors de Salisbury, était toujours parfaitement entretenue, mais bruyante, et, si je restais trop longtemps, l'atmosphère devenait trop oppressante. Je trouvais que l'ensemble était écrasant : Nicky super efficace, en faiseuse de miracles, à gauche, à droite et au centre ; son grand gaillard de mari, un verre de vin à la main, toujours prêt à raconter des tas d'anecdotes, et les filles qui se chamaillaient, se moquant de ma sœur dans son dos, et embobinant leur père. C'était un monde à part, loin de ma vie tranquille avec Ben, dans notre petite maison de Bristol.

Le cottage n'était pas non plus l'endroit idéal, même sans la famille de Nicky. Nous en avions hérité, ma sœur et moi, à la mort de tante Esther qui nous avait élevées ; la bicoque était petite, humide et regorgeait de souvenirs qui me mettaient mal à l'aise. J'aurais bien aimé la vendre depuis des années, et j'aurais certainement su quoi faire de l'argent, mais Nicky restait très attachée à ce lieu, et c'est Simon et elle qui s'en occupaient et payaient les frais d'entretien, en grande partie pour ne pas se sentir coupables de ne pas me laisser profiter du capital que cela représentait. Elle m'encourageait à y venir plus souvent mais c'était comme si le temps que j'y passais me plongeait chaque fois dans un état bizarre : on aurait dit que je n'avais pas vraiment grandi, que je n'avais pas changé depuis l'adolescence.

J'ai rangé mon téléphone dans ma poche. J'étais arrivée au sentier qui menait à la corde sur laquelle on pouvait se balancer. Mais Ben n'était pas là, et j'avais alors cru qu'il avait pris de l'avance. Je marchais sur ses traces, pataugeant dans la boue, écartant les ronces. Quand je suis parvenue à la clairière où se trouvait la corde, je souriais, par anticipation, à l'idée de le revoir, me réjouissant déjà de sa victoire : il avait trouvé son chemin tout seul.

Sauf qu'il n'était pas là et Skittle non plus. La corde se balançait, de gauche à droite et de droite à gauche, lentement. J'ai avancé un peu pour avoir une vue plus large de la clairière et j'ai appelé : « Ben ? » Pas de réponse. J'ai eu un moment de panique mais je me suis très vite ressaisie. Je lui avais accordé un peu d'indépendance et il aurait été dommage de tout gâcher par une angoisse exagérée. Ben se cachait probablement derrière un arbre avec Skittle et je n'allais pas casser son effet.

J'ai regardé autour de moi. La clairière n'était pas plus grande qu'un court de tennis, entourée d'une forêt dense qui assombrissait l'endroit, même si l'un des côtés n'était planté que de jeunes arbres de petite taille, aux troncs grêles, et dépouillés de leurs feuilles. Ils laissaient passer un peu de lumière, prêtant à la clairière une atmosphère étrange. Au milieu, se dressait un hêtre qui surplombait un petit ruisseau. La corde était attachée à l'une des branches. Je pensais que Ben était caché derrière le tronc.

J'ai donc avancé lentement au milieu de la clairière, jouant le jeu.

— Hum, ai-je fait, en direction de l'arbre, afin qu'il puisse m'entendre. Je me demande où est passé Ben. Je croyais que nous avions rendez-vous ici mais je ne le vois nulle part, ni lui, ni le chien. C'est un mystère.

Je me suis arrêtée pour écouter et voir s'il allait se trahir ; mais il n'y avait pas un bruit.

— Je me demande si Ben n'est pas rentré sans moi à la maison, ai-je poursuivi, en trempant le bout de ma botte dans l'eau.

Le mouvement de balancier de la corde avait cessé et elle pendait mollement.

— Peut-être, ai-je dit d'une voix nonchalante, que Ben a commencé une nouvelle vie dans les bois, sans moi, et il ne me reste plus qu'à rentrer à la maison pour me faire une tartine de miel et regarder un épisode de *Dr Who* toute seule.

Là encore, pas de réponse, et nouvelle sensation de panique. Normalement, ce genre de discours suffisait pour qu'il se montre, jubilant de m'avoir fait marcher pendant si longtemps. J'ai essayé de rester calme et de me dire qu'il jouait avec mes nerfs. J'ai alors ajouté :

— Bon, je suppose que si Ben a décidé de vivre seul dans les bois, je peux donner toutes ses affaires à un autre petit garçon.

Je me suis assise sur une souche d'arbre recouverte de mousse en attendant qu'il me réponde, essayant de la jouer décontractée. Puis j'ai sorti ma dernière carte :

— Je me demande juste qui aimerait avoir Baggy Bear…

Baggy Bear était le jouet préféré de Ben, un ours en peluche que ses grands-parents lui avaient offert quand il était bébé.

J'ai regardé autour de moi, espérant le voir réapparaître, moitié hilare, moitié fâché ; mais tout était silencieux, comme si la forêt retenait son souffle. Au milieu de ce calme, j'ai suivi des yeux la ligne formée par la cime des arbres jusqu'à ce que j'aperçoive une trouée dans le feuillage : j'ai senti que la nuit tombait aussi inexorablement que le feu, rampant, consume un morceau de papier, grignotant les bords jusqu'à le réduire en cendres.

C'est alors que j'ai compris que Ben avait disparu.

J'ai couru jusqu'au hêtre, j'en ai fait le tour une fois, deux fois, une autre fois encore, m'écorchant les doigts contre l'écorce.

— Ben ! ai-je crié. Ben ! Ben ! Ben ! Pas de réponse. J'ai continué à l'appeler, encore et encore et, quand je me suis arrêtée pour écouter, en tendant l'oreille, je n'ai entendu que le silence. À chaque seconde qui passait, l'angoisse m'étreignait de plus en plus fort.

Puis, tout à coup, un bruit : le bruit merveilleux, triomphant, de quelqu'un qui court à travers le sous-bois, en provenance de la petite plantation de jeunes arbres. J'ai foncé dans cette direction, zigzaguant entre les troncs, comme je pouvais, tête baissée pour éviter leurs petites branches souples, mais l'une d'elles m'a cinglé le front.

— Ben ! ai-je crié, je suis là.

Pas de réponse, mais le bruit se rapprochait.

— J'arrive, mon chéri.

Un sentiment de soulagement m'a envahie. Pendant que je courais, je scrutais le sous-bois pour essayer de l'apercevoir. Il était difficile de dire exactement d'où venait le bruit. Les troncs des arbres renvoyaient les sons qui se mélangeaient les uns aux autres. J'ai sursauté quand quelque chose a surgi du sous-bois, juste à côté de moi.

C'était un chien : un gros chien, heureux de me voir. Il faisait des bonds, impatient d'être caressé, la gueule grande ouverte, d'un rouge foncé surprenant, et la langue pendante. Quelques mètres derrière lui, une femme est arrivée.

— Je suis vraiment désolée, a-t-elle dit. Il ne vous fera pas de mal, il est très gentil.

— Oh, mon Dieu !

J'ai mis mes mains en porte-voix et j'ai crié : « Ben ! » Et, cette fois, j'ai hurlé si fort que j'ai eu l'impression qu'en expirant l'air m'écorchait la gorge.

— Vous avez perdu votre chien ? Il n'est pas par ici, je l'aurais croisé, sinon. Oh, vous avez vu ? Vous saignez, au front. Ça va ? Attendez une minute.

La femme a fouillé dans la poche de sa veste et m'a tendu un mouchoir. Elle était âgée et portait un chapeau de pluie à large bord bien enfoncé sur sa tête. Son visage exprimait l'inquiétude et elle avait le souffle court. Je n'ai pas pris le mouchoir mais, en revanche, je me suis accrochée à elle, mes doigts s'enfonçant dans le tissu de sa veste matelassée jusqu'à lui faire mal. Elle a tressailli.

— Non. C'est mon fils. J'ai perdu mon fils.

Pendant que je parlais, j'ai senti du sang qui coulait sur mon visage.

Et c'est ainsi que tout a commencé.

Nous sommes parties à la recherche de Ben. Nous avons passé toute la clairière au peigne fin et sommes revenues sur le chemin principal, chacune partant dans une direction opposée, après avoir convenu de se retrouver au grand parking.

J'avais complètement perdu mon calme. La peur me donnait l'impression que je me liquéfiais.

Pendant que nous cherchions, l'atmosphère de la forêt changeait. La nuit tombait, le ciel se couvrait et, par endroits, les branches des arbres étaient si intriquées qu'elles formaient une arche épaisse. C'était comme si le chemin était creusé sous terre, pareil à un terrier.

Les feuilles tourbillonnaient autour de moi comme des confettis ; le vent s'était levé : la frondaison frémissait et ployait sous les rafales.

Je criais le nom de Ben, encore et encore et, en même temps, je tendais l'oreille pour tenter de déchiffrer les différents bruits venus de la forêt. Une branche a craqué. Un oiseau a sifflé un son aigu, on aurait presque dit un glapissement, et un autre lui a répondu. On devinait le vrombissement d'un avion, loin dans le ciel.

Mais c'est moi qui faisais le plus de bruit : je respirais fort et mes bottes clapotaient dans la boue. Ma panique s'entendait.

Cependant ni la voix de Ben ni les aboiements de Skittle n'étaient perceptibles.

Aucune trace de l'anorak rouge de Ben.

En arrivant au parking, j'étais hystérique. Il y avait du monde, des familles, et beaucoup de voitures, car des équipes de garçons, avec leurs supporters, venaient de quitter le terrain de football adjacent. Des jeunes gens, ayant fini de participer à un jeu de rôle de *fantasy* grandeur nature, vêtus de drôles de costumes, rangeaient leur matériel guerrier et leurs glacières dans le coffre de leurs véhicules. On les voyait souvent dans les bois le dimanche après-midi.

J'ai concentré mon attention sur les garçons. Beaucoup portaient une tenue de couleur rouge. Je me suis déplacée parmi eux en cherchant Ben : j'attrapais des épaules, fixais des yeux certains visages, me demandant s'il était là, invisible au milieu des autres dans son anorak rouge. J'ai reconnu quelques têtes. Je l'ai appelé, je leur ai demandé s'ils avaient vu un petit garçon, s'ils avaient vu Ben Finch. Une main posée sur mon bras m'a arrêtée :

— Rachel !

C'était Peter Armstrong, le père – divorcé – de Finn, le meilleur ami de Ben. Finn était derrière, dans sa tenue de foot, couvert de boue, suçant une orange.

— Que se passe-t-il ?

Peter m'a écoutée lui raconter ce qui s'était passé.

— Il faut appeler la police, a-t-il dit. Tout de suite.

Je suis restée près de lui tandis qu'il téléphonait et je tremblais, ne pouvant me résoudre à croire ce que j'entendais, car ce qu'il disait signifiait que c'était vrai, que Ben avait vraiment disparu.

Puis Peter a pris les choses en main ; il a rassemblé les gens sur le parking et les a organisés en deux groupes : ceux qui resteraient là, avec les enfants, et ceux qui formeraient une équipe de recherche.

— Dépêchez-vous, a-t-il dit, nous partons dans cinq minutes.

En attendant, la pluie s'était mise à tomber sur les lunettes de Peter. Je tremblais toujours, et il m'a prise dans ses bras.

— Ça va aller. Nous allons le retrouver.

C'est alors que la vieille dame est arrivée. Elle était hors d'haleine, et son chien tirait sur la laisse. Quand elle m'a vue, son visage s'est décomposé.

— Oh, ma pauvre, a-t-elle dit. Je suis désolée. J'étais sûre que vous l'aviez déjà retrouvé.

Elle a posé une main sur mon bras pour me rassurer autant que pour s'y appuyer.

— Avez-vous demandé des secours ? Vous devriez le faire, la nuit va bientôt tomber.

Ce fut vite le cas. Le temps que tout le monde se rassemble, il était impossible de distinguer les arbres autour de nous : leurs silhouettes se fondaient dans l'obscurité, et les bois paraissaient impénétrables et hostiles. Ceux qui en étaient équipés ont pris leur torche électrique. Nous formions une drôle de bande, composée de parents de jeunes footballeurs, des participants de jeu de rôle encore costumés et d'un cycliste vêtu d'une tenue en Lycra. Nos visages crispés trahissaient certes le refroidissement de l'air mais plus encore une peur grandissante à l'idée que non seulement Ben avait disparu, mais qu'il était peut-être blessé.

Peter a pris la parole :

— Ben porte un anorak rouge, une paire de baskets bleues qui clignotent, un jean et il a les cheveux blond cendré et les yeux bleus. Le chien est noir, c'est un cocker qui répond au nom de Skittle. Des questions ?

Personne n'a répondu. Nous nous sommes répartis en deux équipes de recherche avant de nous mettre en route dans deux directions opposées, Peter et moi chacun en tête de l'un des deux groupes.

La forêt nous a engloutis. Au bout de dix minutes, la pluie a redoublé et des trombes d'eau crevaient la canopée. Très vite, nous avons été trempés ; de larges flaques s'étalaient sur le sentier. Nous progressions très lentement, tout en continuant à appeler et à tendre l'oreille, le faisceau des lampes torches balayant le sol aux alentours, et nos yeux essayant de percevoir quelque chose.

Au fur et à mesure que les secondes passaient et que le mauvais temps empirait, la peur a grandi en moi, un sentiment d'urgence, comme une brûlure qui menaçait de me faire imploser.

Vingt minutes plus tard, mon téléphone a vibré. C'était un SMS de Peter : reviens au parking. Sans autre explication.

Une vague d'espoir m'a submergée. J'ai commencé à courir, de plus en plus vite ; mais quand je suis sortie de la forêt pour arriver au parking, j'ai dû m'arrêter net, aveuglée par des phares de voiture. J'ai protégé mes yeux.

— Rachel Jenner ?

Une silhouette s'est approchée.

— Oui ?

— Je suis l'agent Sarah Banks du poste de police de Nailsea. Si je comprends bien, votre fils a disparu. Aucune nouvelle, des indices ?

— Non.

— Rien du tout ?

J'ai secoué la tête.

On a entendu un cri derrière nous. C'était Peter. Il tenait Skittle dans ses bras. Il l'a posé doucement par terre. Une des pattes arrière de l'animal formait un angle inhabituel. Il avait l'air de souffrir ; en me voyant, il s'est mis à gémir et a enfoui sa truffe dans mes mains.

— Et Ben ? ai-je demandé.

Peter a fait non de la tête.

— On a trouvé le chien qui boitillait sur le chemin devant nous. On n'a aucune idée d'où il sortait.

Les souvenirs que j'ai de cet instant ne sont que des sons et des sensations : agenouillée sur le sol trempé, mon visage mouillé par la pluie ; les murmures inquiets des gens autour de nous ; le chien qui gémit doucement ; les rafales de vent ; un morceau de pop musique assourdie qu'écoutaient des gosses à l'abri dans une voiture aux vitres embuées.

Par-dessus tous les autres bruits, j'entends encore le crépitement de la radio du véhicule de police juste derrière moi, et la voix de l'agent Banks qui demandait des renforts.

Peter est parti avec le chien pour l'emmener chez le vétérinaire. L'agent Banks n'a pas voulu que je reparte dans les bois. Elle avait l'air si jeune, avec son visage aux traits anguleux et ses petites dents blanches bien alignées, qu'elle paraissait trop immature pour avoir suffisamment d'autorité. Pourtant, elle s'est montrée inflexible.

Nous nous sommes assises dans ma voiture et elle m'a posé de nombreuses questions pour savoir ce que Ben et moi avions fait et où je l'avais vu pour la dernière fois. Elle prenait des notes détaillées, lentement, d'une écriture aux lettres rondes qui ressemblaient à de grosses chenilles rampant sur le papier.

J'ai téléphoné à John. Quand il a décroché, je me suis mise à pleurer et l'agent Banks m'a doucement pris le portable des mains et lui a demandé de confirmer qu'il était bien le père de Ben. Puis elle lui a dit que Ben avait disparu, et qu'il devait venir tout de suite nous rejoindre.

J'ai aussi téléphoné à ma sœur Nicky. Elle n'a pas répondu mais elle m'a rappelée immédiatement.

— Ben a disparu, ai-je dit.

La ligne était mauvaise. Je devais parler fort.

— Quoi ?

— Ben a disparu.

— Disparu ? Où ça ?

Je lui ai tout raconté. Je lui ai avoué l'avoir laissé partir devant en courant, je lui ai dit que c'était ma faute. Elle a réagi avec sang-froid.

— As-tu appelé la police ? Vous avez organisé une battue ? Je peux parler à la police ?

— Ils vont arriver avec les chiens mais, comme il fait nuit, ils disent qu'ils ne peuvent rien faire de plus avant demain matin.

— Je peux leur parler ?

— C'est inutile.

— J'aimerais bien pourtant.

— Ils font tout ce qu'ils peuvent.

— Tu veux que je vienne ?

Sa proposition m'a touchée. Je savais que ma sœur détestait conduire la nuit. La plupart du temps, elle était nerveuse au volant, et, prudente, elle ne prenait jamais de risque, comme dans la vie. Les routes dans les environs du cottage de notre enfance où elle dormait ce soir-là étaient traîtres, même en plein jour. C'était au fin fond de la campagne du Wiltshire, près d'un grand terrain boisé, et on n'accédait à la maison que par un réseau d'étroits petits chemins sinueux bordés de fossés profonds et de hautes haies.

—Non, ça va. John va arriver.

—Appelle-moi s'il y a du nouveau.

—Oui.

—Je vais rester près du téléphone.

—D'accord.

—Est-ce qu'il pleut là-bas ?

—Oui, et il fait très froid. Il a juste un tee-shirt en coton sous son anorak.

Ben détestait porter des pulls. J'avais réussi à lui en mettre un cet après-midi-là, avant de partir mais, à peine en voiture, il l'avait tout de suite enlevé.

—Maman, j'ai chaud. J'ai trop chaud.

Le pull rouge tricoté main était resté sur le siège arrière de ma voiture. Je l'ai attrapé et l'ai posé sur mes genoux, en m'y agrippant : je pouvais sentir l'odeur de Ben.

Nicky continuait à me parler, pour me rassurer, comme elle le faisait souvent, même si elle aussi était inquiète.

—Ça va aller. Ils vont vite le retrouver. Il ne peut pas être allé bien loin. Et les enfants sont très endurants.

— Ils ne veulent pas que je participe aux recherches. Ils m'obligent à rester dans ma voiture.

— Ils ont raison. Tu pourrais te blesser dans le noir.

— C'est presque l'heure du coucher pour Ben.

Elle a soupiré. Je pouvais deviner les marques d'inquiétude sur son visage, son front plissé, et c'était comme si je la voyais ronger l'ongle de son petit doigt. Je savais à quoi ressemblait l'angoisse de Nicky : elle nous a accompagnées toute notre enfance. « Ça va aller », répétait-elle. Mais nous savions toutes deux que ce n'étaient que des mots et qu'elle n'en était pas du tout sûre.

Quand John est arrivé, c'est d'abord l'agent Banks qui lui a parlé. Ils sont restés dans le faisceau des phares de sa voiture à lui. Il pleuvait dru, sans discontinuer. Ils étaient protégés par un immense hêtre dont la plupart des feuilles n'étaient pas encore tombées : illuminées par les phares, elles semblaient leur tresser une couronne dorée.

John écoutait ce que lui disait l'agent Banks avec beaucoup d'attention. Il avait l'air nerveux et terrifié. Ses cheveux, blond cendré, semblaient plus foncés que d'habitude, et étaient plaqués de chaque côté de son visage livide, comme sculpté dans la pierre.

— J'ai parlé à l'inspecteur, lui disait l'agent Banks. Il arrive.

John a hoché la tête. Il m'a jeté un regard furtif mais a très vite détourné les yeux. Les tendons de son cou étaient gonflés.

— C'est une bonne nouvelle, a-t-elle ajouté. Cela signifie qu'ils prennent l'affaire au sérieux.

Je me suis demandé pourquoi ce ne serait pas le cas. Pourquoi la disparition d'un enfant ne serait-elle pas prise au sérieux ? Je me suis approchée de John. Je voulais le toucher, rien que sa main. En fait, je voulais qu'il me tienne dans ses bras. Au lieu de quoi, il me regardait avec stupéfaction.

— Tu l'as laissé partir devant ? a-t-il demandé d'une voix tendue, presque inaudible. Qu'est-ce qui t'est passé par la tête ?

— Je suis désolée. Je suis vraiment désolée.

Lui donner une explication n'aurait servi à rien. C'était trop tard. Je ne me le pardonnerai jamais.

L'agent Banks a dit :

— Je crois qu'il faut d'abord penser à retrouver Ben. Ça ne sert à rien de se rejeter la faute.

Elle avait raison. Et John l'a compris. Il retenait ses larmes. Il avait l'air désespéré et sidéré. Je le voyais passer par tous les états que j'avais traversés depuis que Ben avait disparu. Il n'avait cessé de poser des questions auxquelles l'agent Banks avait répondu patiemment, jusqu'à ce qu'il ait obtenu tous les détails et qu'il ait été sûr que la police faisait tout son possible.

Tandis que j'étais debout près de lui et que je laissais l'agent Banks le rassurer, je me suis rendu compte qu'il y avait plus de dix mois que je ne l'avais pas vu sourire, et je ne savais pas si je le reverrais sourire un jour.

JIM

Addendum au compte rendu de l'inspecteur James Clemo pour le Dr Francesca Manelli

Retranscription faite par le Dr Francesca Manelli

Inspecteur James Clemo en consultation avec le Dr Francesca Manelli

Les notes évoquant l'état d'esprit et le comportement de l'inspecteur Clemo, quand les siennes seules ne sont pas suffisantes, sont en italique.

Cette retranscription concerne la première séance de psychothérapie à laquelle l'inspecteur Clemo s'est présenté. Jusqu'à maintenant, nous avions seulement eu un court entretien préliminaire pendant lequel j'avais pris connaissance d'événements racontés par l'inspecteur Clemo et nous avions parlé du compte rendu que je lui avais demandé d'écrire.

Comme il fallait s'en douter étant données ses réticences à entreprendre une thérapie, le compte rendu de l'inspecteur Clemo, à ce stade, ne donnait pas suffisamment de détails sur son expérience personnelle ni sur son état émotionnel pendant l'affaire Benedict Finch. Cette retranscription pallie les lacunes, en quelque sorte. Ma priorité lors de cette première séance était d'établir une relation de confiance entre l'inspecteur Clemo et moi.

L'inspecteur Clemo avait choisi de me voir à mon cabinet de consultations privé, à Clifton, plutôt que dans le bureau mis à ma disposition au QG de la police.

Dr Francesca Manelli (F.M.) : Je suis contente de vous revoir. Merci d'avoir commencé à écrire votre compte rendu.

L'inspecteur James Clemo (J.C.) *réagit à cette remarque par un hochement de tête peu expressif. Il n'a encore rien dit.*

F.M. : J'ai pris note de votre objection à entreprendre une thérapie avec moi.

J.C. ne fait aucun commentaire. Et il évite de croiser mon regard.

F.M. : J'aimerais donc commencer par vous demander si d'autres incidents ont eu lieu ?

J.C. : Incidents ?

F.M. : Des crises de panique du même genre que celles qui vous ont conduit ici.

J.C. : Non.

F.M. : Pouvez-vous me décrire ce qui s'est passé lors des deux crises que vous avez faites ?

J.C. : C'est ridicule de venir ici pour parler de trucs comme ça.

F.M. : Avoir plus de détails pourrait nous être utile, au moins pour commencer. Qu'est-ce qui a déclenché ce sentiment de panique ? Qu'avez-vous ressenti au moment où c'est arrivé ?

J.C. : Je ne vais pas parler de mes sentiments. Ce n'est pas mon genre. Cette manie qu'ont les gens de tout le temps vouloir parler de ce qu'ils ressentent me rend malade. De nos jours, quand vous regardez des émissions de sport à la télé, c'est la seule chose qui préoccupe les commentateurs. Sue Barker[1] quand elle s'adresse à un joueur de tennis à la fin d'un match qui a duré quatre heures ou quand elle harponne un footballeur qui vient de perdre le match le plus important de sa vie : « Comment vous sentez-vous ? » Pourquoi ne pas plutôt demander : « Comment êtes-vous arrivé jusque-là ? Avez-vous beaucoup travaillé pour parvenir à ce niveau ? »

F.M. : Pensez-vous qu'exprimer ses sentiments est un signe de faiblesse ?

J.C. : Oui, en effet.

F.M. : Est-ce la raison pour laquelle vous ne voulez pas parler de vos crises de panique ? Car elles peuvent être le résultat d'émotions particulièrement fortes ?

Il ne répond pas.

F.M. : Tout ce que vous dites ici restera confidentiel.

J.C. : Oui, mais au final, c'est vous qui déciderez si je suis apte à travailler.

F.M. : Je devrai en référer à votre supérieure hiérarchique et je lui donnerai mon avis, mais personne ne verra le contenu de votre compte rendu pas plus que la retranscription de nos conversations. Ces documents sont réservés à mon usage personnel, et c'est ce qui servira de point de départ à nos échanges. Ce sera un long processus. Plus vous me

1. Susan Barker est une joueuse de tennis britannique dont la carrière professionnelle a débuté dans les années 1970 et s'est terminée en 1984. Elle est devenue animatrice de télévision en 1985.

parlerez ouvertement, sans rien cacher, plus nous aurons de chances de réussir. Et vous pourrez, je l'espère, reprendre vos fonctions.

J.C. : Je suis inspecteur de police. J'ai ça dans le sang. C'est ma raison de vivre.

F.M. : Vous devez aussi savoir que le nombre de séances de psychothérapie que votre supérieure est prête à financer est limité.

J.C. : Je sais.

F.M. : Alors, parlez-moi.

Il prend son temps.

J.C. : Au début, c'était comme si j'avais eu le souffle coupé, comme si je ne pouvais plus respirer normalement. J'ai ouvert la bouche en grand, j'ai inspiré, j'essayais d'avaler de l'air, et de faire disparaître la sensation de vertige, j'ai cru que j'allais m'évanouir. Mon cœur s'est mis à battre très vite ; mes battements de cœur se sont accélérés et je n'ai plus été capable de réfléchir, mon cerveau était comme paralysé. Alors un sentiment de panique m'a envahi, ne m'a plus lâché, et tout ce que je voulais c'était sortir de la pièce et cogner contre un mur.

F.M. : Ce que vous avez fait.

J.C. : Je n'en suis pas fier.

De sa main droite, il couvre les phalanges de son autre main. Mais j'ai eu le temps de remarquer qu'elles étaient écorchées, encore à vif.

F.M. : Et vous êtes aussi passé par des crises de larmes, les jours qui ont suivi ?

J.C. : Je ne sais pas pourquoi.

F.M. : Il n'y a pas de quoi avoir honte. Il s'agit d'un autre symptôme de l'angoisse, comme les crises de panique.

J.C. : Je suis solide.

F.M. : Même les gens solides peuvent être angoissés.

J.C. : Ce que je déteste le plus, c'est que ça peut me prendre n'importe quand, n'importe où. Et impossible de m'arrêter. Comme un bébé.

Et les larmes commencent à couler sur les joues de J.C.

F.M. : Non. Vous n'êtes pas un bébé. C'est seulement l'un des symptômes. Ça prend du temps. Nous y reviendrons.

Il prend un mouchoir en papier dans la boîte posée à côté de sa chaise et s'essuie le visage avec rage. Puis il essaie de se maîtriser. Je prends quelques notes pour lui laisser un peu de temps et, au bout d'une minute ou deux, il engage la conversation.

J.C. : Qu'est-ce que vous écrivez ?

F.M. : Je prends des notes pour chacun de mes patients. Ça m'aide à me souvenir des séances, après coup. Vous voulez voir ce que j'ai écrit ?

J.C. secoue la tête.

F.M. : J'aimerais vous demander quel genre de soutien vous êtes susceptible d'avoir dans votre entourage. Une compagne ?

J.C. : Pas en ce moment.

F.M. : De la famille, des amis ?

J.C. : Ma mère vit à Exeter, je ne la vois pas beaucoup. Pareil pour ma sœur. Mes amis à Bristol sont pour la plupart des collègues, et on parle essentiellement du boulot.

F.M. : D'après vos notes, je vois que votre père est mort très peu de temps avant le début de l'affaire Benedict Finch.

J.C. : Oui. Environ un mois plus tôt.

F.M. : Lui aussi était dans la police.

J.C. : Oui, il était capitaine au commissariat central de la police du Devon et de la Cornouailles.

F.M. : C'est ce qui vous a décidé à entrer dans la police ?

J.C. : En grande partie, ouais.

F.M. : Et vous avez commencé votre carrière au commissariat central de la police du Devon et de la Cornouailles.

J.C. : Oui.

F.M. : Est-ce que c'était difficile ? Avez-vous eu l'impression que c'était difficile d'être à la hauteur des attentes de votre père ?

J.C. : Ce n'était pas qu'une impression.

F.M. : Étiez-vous sous pression ?

J.C. : Être sous pression ne me fait pas peur.

F.M. : Quand vous étiez là-bas, beaucoup de gens savaient-ils que vous étiez le fils de votre père ?

J.C. : Quand j'ai commencé, on me surnommait « le p'tit à Mick Clemo ». Mais tous ceux qui ont de la famille dans la police sont logés à la même enseigne.

F.M. : Et quand vous êtes arrivé à Bristol, au commissariat central de la police de l'Avon et du Somerset, est-ce que ça a changé ?

J.C. : Complètement. À Bristol, personne ne connaissait mon père personnellement, à part un ou deux gars plus vieux.

F.M. : C'était donc l'occasion d'un nouveau départ ?

J.C. : C'était une promotion, voilà ce que c'était, rien d'autre.

F.M. : Pensez-vous que vous avez fait le bon choix en voulant faire carrière dans la police ?

J.C. : C'est ce que j'ai toujours voulu faire. Il n'y avait pas d'autre choix. Comme je l'ai dit, c'est une vocation. Il faut avoir ça dans le sang.

F.M. : Pourquoi « il faut » ?

J.C. : Parce que vous en voyez de toutes les couleurs. Vous voyez le côté de la vie le plus sale, le plus sombre. Vous voyez ce que les gens sont capables d'infliger aux autres, et ça peut être violent.

Il s'était ressaisi, et il me regarde maintenant droit dans les yeux. J'ai l'impression qu'il me met au défi de le contredire ou de minimiser ses propos. Je me rends compte que je ne suis pas la seule personne dans la pièce à avoir l'habitude de déchiffrer le comportement des autres. Je décide de passer à un autre sujet.

F.M. : Votre dossier mentionne que vous avez décroché un diplôme de lettres avant d'entrer dans la police.

J.C. : Oui, c'est ce qu'on demande désormais. Ce n'est plus comme avant, quand vous intégriez la police en sortant tout juste de l'école.

F.M. : Vous étiez content de passer ce diplôme ?

J.C. : Oui.

F.M. : Qu'avez-vous étudié ? Y a-t-il un sujet que vous avez aimé plus particulièrement ?

J.C. : Yeats. J'aimais bien les poèmes de Yeats.

F.M. : Je connais un poème de Yeats : « Tournant, tournant dans la gyre/Le faucon ne peut plus entendre le fauconnier[1]... » Vous le connaissez ? Je crois que c'est de Yeats. Le titre m'échappe.

J.C. ne peut s'empêcher de poursuivre.

---

1. *La Seconde Venue* (titre original : *The Second Coming*), traduit de l'anglais par Yves Bonnefoy. Éditions Gallimard, 1993.

J.C. : « ...Tout se disloque. Le centre ne peut tenir/ L'anarchie se déchaîne sur le monde... »

F.M. : « ...Comme une mer noircie de sang, et partout... »

J.C. : « ...On noie les saints élans de l'innocence. »

F.M. : Et la suite ?

J.C. : Je ne m'en souviens plus exactement.

F.M. : C'est un merveilleux poète.

J.C. : Il dit la vérité.

F.M. : Vous lisez encore de la poésie ?

J.C. : Non. Je n'ai plus de temps pour ce genre de choses, maintenant.

F.M. : Vous travaillez beaucoup ?

J.C. : Vous n'avez pas le choix si vous voulez réussir.

F.M. : Et c'est ce que vous voulez ? Vous voulez réussir ?

J.C. : Évidemment.

F.M. : Je peux vous redemander s'il y a une chose en particulier qui provoque vos crises de panique ?

J.C. enfouit son visage dans ses mains, se frotte les yeux et se masse les tempes. Je commence à penser qu'il ne va pas répondre, que je suis allée trop loin, trop vite. Mais, finalement, il semble avoir pris une décision. Il me regarde droit dans les yeux à nouveau.

J.C. : Je n'arrive pas à dormir. Parfois, je n'ai pas les idées claires. Et je finis par douter de mon jugement.

F.M. : Vous souffrez d'insomnie ?

J.C. : Oui.

F.M. : Depuis combien de temps ?

Il m'observe attentivement avant de répondre.

J.C. : Depuis cette affaire.

F.M. : Vous avez du mal à vous endormir, ou bien vous vous réveillez au milieu de la nuit ?

J.C. : Je n'arrive pas à m'endormir.

F.M. : Vous dormez combien d'heures par nuit, selon vous ?

J.C. : Je ne sais pas. Certaines nuits, pas plus de trois ou quatre.

F.M. : C'est très peu ; le manque de sommeil a, sans aucun doute, des effets sur votre état dans la journée.

J.C. : Ça va.

Brusquement, il se reprend, comme s'il regrettait de s'être confié à moi.

F.M. : Trois ou quatre heures de sommeil, ce n'est pas suffisant.

J.C. : Peut-être que je me trompe. C'est probablement plus.

F.M. : Vous aviez pourtant l'air sûr de vous en me répondant.

J.C. : Je peux faire avec.

Je ne le crois pas.

F.M. : Vous avez eu recours à des médicaments ?

J.C. : Je ne prends pas de somnifères.

F.M. : À quoi pensez-vous quand vous ne trouvez pas le sommeil ?

De nouveau, il m'observe attentivement avant de répondre.

J.C. : Je ne m'en souviens pas.

Ses réponses sont de plus en plus évasives, ce qui est frustrant. Je veux aller plus loin ; mais ce n'est pas encore le moment car, pour que cette thérapie réussisse, je dois d'abord établir un climat de confiance. Et je devine que ce ne sera pas une mince affaire.

DEUXIÈME JOUR

Lundi 22 octobre 2012

Les actions entreprises par les forces de l'ordre durant les premières heures qui suivent le signalement de la disparition d'un enfant sont déterminantes et font souvent la différence entre une affaire vite résolue et une affaire qui se transformera en des mois, voire des années d'enquête stressante et infructueuse. Alors que le principe d'enquête sur une disparition d'enfant est le même que pour d'autres affaires, très peu de situations génèrent ce sentiment d'angoisse aigu provoqué par l'absence inexpliquée d'un enfant. Quand ce stress n'a pas été anticipé et que personne n'y a été préparé, il peut avoir un impact négatif sur l'issue de l'enquête.

Findlay, Preston and Lowery, Jr. Robert G (eds.), *Missing and Abducted Children: A Law-Enforcement Guide to Case Investigation and Program Management*, 4th edition, National Center for Missing and Exploited Children, OJJDP[1] Report, 2011.

---

1 Abréviation pour *Office of Juvenile Justice and Delinquency Prevention*: Bureau de justice juvénile et de prévention de la délinquance ; pourrait être l'équivalent, en Europe, de l'Observatoire international de Justice juvénile.

RACHEL

John ne supportait pas l'attente. Il ne voulait pas rester sans rien faire : il a donc passé une grande partie de la nuit sur les routes aux alentours des bois, puis à refaire le trajet jusqu'à Bristol, au cas où.

À chaque fois qu'il revenait au parking, il s'asseyait dans ma voiture et me demandait de lui raconter encore ce qu'il s'était passé.

— Je te l'ai déjà dit, ai-je répondu quand il m'a posé la question pour la troisième fois.

— Dis-le-moi encore une fois.

— À quoi ça sert ?

— On ne sait jamais.

— J'ai si peur qu'on lui ait fait du mal.

À ces mots, John a grimacé, mais j'avais besoin d'aller plus loin.

— Il doit avoir tellement peur.

— Je sais, a-t-il répondu sèchement, d'une voix tendue.

— Il doit se demander pourquoi nous ne l'avons pas encore retrouvé.

— Arrête ! Raconte-moi encore une fois. Depuis le début.

Ce que j'ai fait. Je lui ai dit tout ce dont je pouvais me souvenir, encore et encore. C'était simple : Ben était là, il courait devant moi et, soudain, il avait disparu. Aucun indice, sauf une corde pour se balancer, qui bougeait doucement.

— Tu crois qu'il y est vraiment allé ? a demandé John. La corde bougeait comment ?

— D'avant en arrière, me semble-t-il, ou de gauche à droite. Doucement.

— Ça pouvait être le vent, non ?

— En effet.

— Tu en as parlé à la police ?

— Oui.

— Et tu n'as rien entendu ?

— Non. Rien que les bruits de la forêt.

— Et tu l'as appelé ?

— Évidemment.

Et ainsi de suite. Les heures s'écoulaient avec une lenteur désespérante. À intervalles réguliers, la police nous faisait un compte rendu qui ne nous apprenait rien de plus. J'ai téléphoné à Nicky à de nombreuses reprises, lui faisant part du manque d'information. J'entendais, en écho dans ses réponses, le désespoir grandissant que ma voix trahissait.

L'inspecteur Miller est arrivé avant minuit, dans une tenue imperméable complète, pour superviser les recherches. Deux équipes de chiens policiers se sont relayées. Les bêtes, trempées et épuisées, ont passé le relais à des créatures aux yeux brillants, qui tiraient d'impatience sur leurs laisses. Je leur ai donné le pull de Ben à renifler afin qu'elles puissent reconnaître son odeur. La nuit était notre principale ennemie : elle rendait impossible des recherches à grande échelle.

À cinq heures du matin, l'inspecteur Miller nous a appelés, John et moi, pour nous dire ce qui se passait. Ils se préparaient à être opérationnels pour le lever du jour, à 7 h 37. Il a énuméré une liste d'actions prévues, utilisant un vocabulaire propre à la police et que je n'ai compris qu'à moitié. D'autres chiens, des chevaux, un fourgon grillagé et une équipe de sauvetage devaient arriver ; et une patrouille d'hélicoptères se tenait prête à décoller à leur signal.

J'ai passé les quelques heures qui restaient avant le lever du jour dans ma voiture, à regarder, hébétée, le parking se transformer. Je me sentais inutile, dans la position du voyeur.

Sept hommes prêts à entreprendre des recherches à pied sont descendus du fourgon grillagé. Un autre camion est arrivé avec un générateur, des lampes, une tente, des cartes et une équipe de sauvetage de quatre hommes. L'inspecteur Miller et l'agent Banks planifiaient ensemble l'organisation. Tous deux fonctionnaient déjà à l'énergie contenue et intense de ceux qui détiennent un lourd secret qu'ils ne sont pas autorisés à divulguer.

Le jour s'est levé par à-coups. Le voile opaque de la nuit se dissipait comme à regret. On a découvert que l'aire de stationnement avait été complètement labourée par les nombreuses allées et venues qui avaient eu lieu pendant la nuit. La seule bonne nouvelle était que les trombes d'eau avaient fait place à un crachin persistant et le vent s'était calmé, même si des bourrasques glacées soufflaient par intermittence.

Quatre agents de la police montée se sont réunis à l'entrée du chemin. Les chevaux étaient immenses et très beaux, leurs robes lustrées et, dans l'air humide et froid, des jets de vapeur s'échappaient de leurs naseaux. Ben les aurait adorés. L'un d'entre eux fut effrayé par le bruit sourd d'un hélicoptère qui se rapprochait en vrombissant au-dessus de nos têtes avant de descendre à hauteur de la cime des arbres puis de disparaître à nouveau.

Katrina est arrivée peu de temps après. John est sorti de sa voiture pour l'accueillir et l'a prise dans ses bras dans un élan d'affection évident, tel qu'il n'y en avait jamais eu entre nous. Il a enfoui son visage dans ses cheveux. J'ai baissé les yeux.

Elle a tapé à la portière de ma voiture, ce qui m'a fait sursauter. J'ai descendu la vitre.

— Du nouveau ? a-t-elle demandé.

J'ai secoué la tête en signe de dénégation.

— Je t'ai apporté ça, au cas où tu en aurais besoin.

Elle m'a tendu une thermos et un sac en papier.

— Du thé et des viennoiseries. Je ne sais pas ce que tu aimes, alors j'ai fait comme pour moi.

Elle parlait d'une voix sourde. Elle était habillée avec élégance et se tenait là, devant moi, comme une surveillante d'école à l'allure soignée qui aurait eu envie de faire plaisir. Sans maquillage. C'était la première fois que je la voyais non maquillée. Je n'ai pas su quoi dire.

— Merci, ai-je fini par articuler.

— Si je peux faire quoi que ce soit…

— D'accord. Merci.

— John m'a demandé de rentrer à la maison au cas où Ben viendrait.

— C'est une bonne idée.

Cette situation était embarrassante et étrange. Il n'existait aucune règle de bienséance pour une rencontre avec la nouvelle femme de votre mari à l'endroit même où votre fils a disparu.

— Bon, je ferais mieux de retourner là-bas, a-t-elle dit.

Elle est allée retrouver John.

Après qu'elle a été partie, j'ai ouvert le sac en papier. Deux croissants. J'ai essayé d'en grignoter un ; il avait un goût de poussière. J'ai réussi à avaler quelques gouttes de thé. Il n'était pas sucré mais chaud, et ça m'a fait du bien.

La radio de l'inspecteur Miller s'est mise brusquement en marche juste après le départ de Katrina.

Ils avaient trouvé quelque chose. C'était difficile d'entendre le détail de ce qui était dit. La radio crépitait et crachotait, les informations n'étaient que partiellement audibles, à cause des interférences. « Que se passe-t-il ? » ai-je articulé silencieusement tandis que l'inspecteur me faisait signe de me taire. Il a appelé l'agent Banks pour qu'elle le rejoigne, et ils se sont éloignés pour faire le point. John a remarqué l'agitation et est apparu à mes côtés. L'espoir autant que la peur m'électrisait. Un hélicoptère a de nouveau vrombi au-dessus de nos têtes et il est devenu encore plus difficile de comprendre ce qu'il en était. L'inspecteur s'est tourné vers nous :

— Pouvez-vous nous repréciser comment Ben est habillé, s'il vous plaît ?

— Un anorak rouge, un T-shirt blanc avec un dessin de guitare, un jean bleu, déchiré au genou, et une paire de baskets bleues qui clignotent.

Il a transmis ce que je venais de dire. En retour, une voix a grésillé dans sa radio pour demander la pointure et la marque des chaussures.

— Geox, pointure 30, ai-je ajouté.

L'inspecteur s'est de nouveau éloigné. Il m'a fallu faire preuve de sang-froid pour ne pas m'agripper à lui et le secouer pour lui faire cracher le morceau. John se tenait à mes côtés, tout raide, les bras serrés autour de sa poitrine.

Quand l'inspecteur Miller est revenu vers nous, le tic nerveux qui contractait bizarrement sa bouche l'a trahi. Ce qu'ils avaient trouvé ne lui plaisait pas.

— Bien.

Il a pris une grande inspiration, puisant du courage au plus profond de lui-même.

— Les gars ont trouvé quelque chose qu'ils pensent être important. Et ce n'est pas Ben – il avait anticipé ma question –, mais ce pourrait être ses vêtements.

— Où ? a demandé John.

— Près de l'étang, à Paradise Bottom.

Je le savais. C'était tout près. Je suis partie en courant. Je les ai entendus me crier quelque chose, et je me suis rendu compte que quelqu'un s'était précipité derrière moi, en une lourde foulée. Mais je ne me suis pas arrêtée ; j'ai foncé dans les bois aussi vite que j'ai pu.

Avant même que je n'arrive près de l'étang, je les ai vus : trois hommes regroupés au milieu du chemin. Ils m'ont regardée approcher. L'un d'entre eux tenait un paquet entre ses mains, un sac en plastique transparent avec quelque chose à l'intérieur.

— Je suis venue voir, ai-je expliqué.

L'homme avec le paquet m'a dit :

— Ce serait bien si vous pouviez nous confirmer qu'il s'agit des vêtements de Ben, mais sans les sortir du sac, s'il vous plaît.

Il me l'a alors tendu, comme une offrande.

John est arrivé derrière moi, il respirait bruyamment, le souffle court.

J'ai pris le sac qui était lesté par quelque chose de lourd. Le plastique était recouvert de petites gouttes d'eau à l'extérieur comme à l'intérieur. Le contenu était mouillé. J'ai aperçu un reflet rouge, et un morceau de jean roulé en boule avec un vêtement en coton blanc. J'ai retourné le sac et, sous le tissu, j'ai vu deux chaussures : des baskets Geox bleues. Elles étaient éraflées et, pour l'une d'elles, la semelle était légèrement décollée au bout, comme je m'y attendais. J'ai secoué le sac. Déclenchées par le mouvement, les lumières bleues ont clignoté tout autour de la semelle.

— Les chaussures sont marquées avec ses initiales, sous la languette, ai-je précisé.

J'ai réussi, à travers le plastique, à soulever la languette. J'ai lu : « BF. » L'encre avait bavé sur le tissu autour.

— Merci, m'a dit le policier.

Il avait des cheveux blancs, une moustache et des sourcils gris foncé, et une peau rougeaude, grêlée. Il m'a repris le sac des mains, bien que je n'aie pas eu envie de lui rendre.

– Où est Ben ?

— Nous faisons de notre mieux pour le retrouver, a-t-il répondu.

Le ton de sa voix, empreint de compassion, a balayé le peu de sang-froid qui aurait pu me rester.

Une vilaine peur grossissait en moi comme une tumeur ; une idée que je n'avais pas voulu envisager. John m'a serrée fort dans ses bras. Il savait à quoi je pensais, car il pensait à la même chose.

— Non ! ai-je hurlé : un cri, le hurlement d'un animal sauvage, que seule une mère peut pousser quand elle voit sa progéniture lui être enlevée par un prédateur.

JIM

Le matin qui a suivi la disparition de Ben Finch, je me suis réveillé tôt, comme toujours. Je peux me fier à mon horloge interne. Je n'ai jamais eu besoin de programmer un réveil ; même si je le fais, juste au cas où, car je ne veux pas être en retard. Et j'ai commencé la journée de la même manière que d'habitude : une tasse de bon café noir préparé, comme il se doit, dans ma cafetière italienne. Je l'ai bu debout, dans ma cuisine.

Mon appartement se trouve au dernier étage d'un immeuble du XVIIIe siècle, dans Clifton, le meilleur quartier de Bristol. La vue y est exceptionnelle car le bâtiment est construit sur une hauteur. Les fenêtres de devant donnent sur un grand jardin, ce qui est agréable, mais c'est encore mieux à l'arrière car, de là, je surplombe une bonne partie de la ville. En face, je vois Brandon Hill, une colline parsemée d'arbres et coiffée de la Tour Cabot, et quelques rangées de maisons des XVIIIe et XIXe siècles. Les immeubles modernes de bureaux et les boutiques ne font pas partie du panorama même si, en bas, on aperçoit Jacob's Wells Road qui descend en pente raide jusqu'au port : un endroit où sortir le soir ou se promener le week-end. De mon appartement, je ne vois pas la mer mais je la sens, et j'entends les mouettes qui, souvent, tournoient dans le ciel et descendent en piqué devant mes fenêtres.

Avant de commencer à fréquenter Emma, je ne savais pas que la ville s'était développée grâce au commerce maritime, principale activité pendant des siècles : sucre, tabac, papier, esclaves. Elle m'a expliqué qu'il avait fallu beaucoup de souffrances humaines pour assurer à Bristol sa prospérité. Nombreux avaient été les hommes à jouer leur vie et leur fortune. Emma était fille de militaire et, si elle en savait autant, c'est que son père lui avait fait apprendre l'histoire de toutes les villes dans lesquelles ils s'étaient installés. C'était donc devenu une habitude, car ils avaient beaucoup déménagé.

Après qu'elle m'en a parlé, j'ai compris à quel point l'histoire bruyante et tourmentée de Bristol était marquée par l'esclavage, particulièrement là où je vivais. Le Wills Memorial Building, bâtiment qui fait la fierté de l'université, se dresse tout en haut de Park Street : il a été construit grâce aux bénéfices tirés du commerce du tabac. La Georgian House, transformée en musée, en parfait état, entourée de quelques autres belles demeures : sucre et esclaves. Les deux bâtiments se trouvaient à moins de cinq cents mètres de chez moi ; et j'aurais pu continuer l'énumération.

J'y repense, de temps en temps, parce que je suis sûr que la nature profonde d'une ville ne change jamais vraiment, et que plusieurs centaines d'années ne suffisent pas à l'effacer. Tous les matins, quand je regarde par la fenêtre au moment où Bristol s'éveille en contrebas, le passé complexe et agité de la ville me fait froid dans le dos.

J'avais bien dormi malgré la tempête de la nuit précédente. Le jour n'était pas encore levé et l'appartement semblait traversé par des courants d'air. Dehors, il tombait des cordes et le vent malmenait la cime des arbres. Une bourrasque a soulevé un sac en plastique qui a voltigé en une danse folle au-dessus des arbres pour finir par rester accroché à une branche. Avant de sortir la planche pour repasser ma chemise, j'ai apporté une tasse de thé à Emma. Elle était encore au lit. Elle se levait toujours un peu plus tard que moi.

Les draps étaient tire-bouchonnés et ses cheveux emmêlés. Elle avait un sommeil agité, ce qui contrastait avec la vie calme et parfaitement mesurée qu'elle menait. Il était rare qu'elle baisse la garde devant moi. Mais je me sentais privilégié à l'idée d'être assez proche d'elle pour, malgré tout, en avoir été témoin.

— Salut, a-t-elle fait, au moment où j'ai posé sa tasse de thé.

— Tu as bien dormi ?

— Mouais. Et toi ?

Elle a cligné des yeux, lentement, d'un air ensommeillé. Puis elle s'est étirée et s'est frotté les yeux, d'un geste alangui.

Emma n'avait pas précipité les choses entre nous. Elle était prudente, intelligente et posée, des qualités dont je ne pouvais me passer, sans compter sa beauté. On se retournait sur son passage. J'avais de la chance.

— Huit bonnes heures, ai-je répondu.

Je me suis remis au lit à côté d'elle. Il y faisait chaud, c'était bon – comment résister ? Ce lundi matin pouvait attendre encore un peu. Emma s'est nichée contre mon épaule.

— Je pourrais rester comme ça toute la journée, a-t-elle dit.

— Moi aussi.

Elle m'a enlacé, j'ai regardé son thé refroidir et le réveil égrener neuf minutes avant que je m'oblige à abandonner la douceur de sa respiration régulière. Comme je repoussais les draps, elle s'est redressée et m'a attiré vers elle pour m'embrasser.

— Il faut que je me lève, ai-je dit.

— La barbe, a-t-elle répliqué.

Mais je savais que si je ne l'avais pas dit, c'est elle qui se serait levée. Emma était toujours à l'heure. Elle a souri, comme si elle avait lu dans mes pensées, puis s'est assise pour boire son thé : il était tiède, et elle a grimacé.

Je me suis installé devant la fenêtre de la cuisine pour repasser et j'ai regardé les lumières blanches et rouges des voitures de banlieue qui faisaient le trajet tous les jours pour venir à Bristol.

— Tu y vas à vélo ? a demandé Emma.

Elle avait enfilé sa tenue de travail et s'était attaché les cheveux en une queue-de-cheval.

— Oui.

— Tu veux muscler tes cannes de serin ?

Elle était très taquine. Mais ce n'était pas un trait de sa personnalité qui se devinait aisément. Cela m'a fait sourire.

— Tu adores mes cannes de serin. Allez, avoue-le. Tu pars en voiture ?

Elle portait un tailleur qui mettait sa silhouette en valeur, et une paire de chaussures à talons plats. Ses yeux brillaient et elle avait le sourire facile, ce matin-là. Elle était prête à attaquer une nouvelle journée.

— C'est exact. Excellente déduction, inspecteur Clemo. À plus tard.

Emma et moi nous rendions au travail chacun de notre côté. Les agents de police sont autorisés à se fréquenter, ce n'est pas interdit, bien sûr, mais c'est parfois mal vu car cela peut compliquer les choses quand les deux travaillent sur une même affaire. C'est moi qui avais suggéré que, dans un premier temps, notre relation reste secrète. Nous n'étions ensemble que depuis quelques mois et je pensais que ce que nous faisions de notre temps libre ne regardait que nous. Elle n'en avait pas pris ombrage. Elle n'était pas compliquée.

Quand j'ai entendu parler de Benedict Finch, j'étais encore sur la route. J'ai une radio digitale portable que j'écoute quand je fais du vélo. Le vent et la pluie s'étaient calmés. Je dévalais Jacob's Wells Road en direction du front de mer et la sensation de vitesse que j'avais en descendant cette pente raide me grisait, tout autant que de zigzaguer entre les flaques d'eau près des bouches d'égout qui débordaient.

En arrivant au port, je pédalais à peine. C'est au moment où je suis passé devant la cathédrale que j'ai capté les infos de 7 h 30 sur Radio Bristol. Un petit garçon de huit ans avait été porté disparu dans la forêt de Leigh Woods. C'était arrivé la veille, dans l'après-midi, alors qu'il se promenait avec sa mère et son chien. La police et des équipes de sauvetage étaient parties à sa recherche. Ils étaient inquiets.

Le centre-ville commençait à être encombré par les embouteillages du lundi matin, mais je m'en suis bien sorti et j'étais sur Feeder Road à 7 h 40. J'ai longé le canal. Les eaux avaient monté et la bruine en criblait la surface. Un pêcheur était assis, recroquevillé sur un banc près de la route, enveloppé dans des vêtements imperméables.

Au-dessus de moi, la circulation sur le pont autoroutier en béton grondait. Ce pont était construit si bas qu'il en était oppressant. Un repère sordide qui m'accueillait chaque jour. Derrière la lumière du jour, pointait un ciel gris ardoise où couraient des nuages striés de violet et de jaune. C'était un ciel vénéneux : les dernières traces du gros temps de la nuit passée. Je me souviens m'être dit que, pour un petit garçon de huit ans, ce n'était pas la nuit idéale pour se perdre dans les bois. Loin de là.

RACHEL

L'inspecteur Miller nous a cxpliqué que la donne avait changé depuis qu'ils avaient trouvé les vêtements de Ben. Il leur fallait « intensifier leurs opérations ». Il a désigné les bois comme « une scène de crime » et déclaré que l'affaire relevait maintenant de la police judiciaire. Nous savions tous ce qu'il évitait de dire ouvertement. Ben ne s'était pas perdu ; il s'était fait enlever.

Pour tous les parents, un enfant victime d'un enlèvement est le pire des cauchemars, car la première question qu'ils se posent est : « Qui a bien pu faire une chose pareille ? » Les réponses sont toutes profondément dérangeantes. J'étais en état de choc. John aussi. Autour de nous, les hommes en uniforme arboraient des visages sombres, et certains détournaient les yeux, une marque de respect particulièrement inquiétante.

L'agent Banks nous a guidés jusqu'à sa voiture et nous a conduits au commissariat central. Au bout de la longue allée qui menait de l'aire de stationnement à la route principale, des photographes et des journalistes s'étaient déjà rassemblés et ils écrasaient leurs visages et l'objectif de leurs appareils sur les vitres de la voiture pour essayer de nous parler et de nous photographier. Nous avons eu un mouvement de recul devant le bruit et les flashs et nous nous sommes rencognés sur le siège arrière de la voiture. John tenait ma main serrée dans la sienne.

Le trajet a été éprouvant. S'éloigner des bois semblait signifier que nous renoncions à trouver Ben et que nous étions prêts à l'abandonner. En quelques minutes, nous avions atteint la périphérie de la ville et étions avalés par le réseau routier. Nous avons emprunté une route à quatre voies, et il y avait beaucoup de circulation ; nous sommes passés devant des bâtiments industriels entre lesquels est apparue la rivière Avon, parallèle à la route, ses eaux boueuses et tumultueuses : nous l'apercevions à chaque fois que les feux se mettaient au rouge, nous obligeant à nous arrêter brusquement. Les berges étaient mal entretenues, envahies par une flore désordonnée.

Je n'arrivais pas à avoir les idées claires et j'étais en proie à la terreur, vidée. Mon esprit était incapable d'affronter le présent ; je me suis donc réfugiée dans le passé, à la recherche d'une consolation, peut-être, mais, surtout, pour essayer de fuir la réalité. Je sentais les doigts de John agrippés aux miens et je me suis souvenue de la première fois où il m'avait tenu la main, comme si cela pouvait arranger les choses.

C'était une semaine après notre première rencontre lors d'une petite fête à l'hôpital. John était alors un jeune médecin épuisé, habillé de manière classique, une chemise Oxford et un pantalon en toile de coton, le tissu froissé après de longues heures de garde. Je faisais des études d'infirmière et j'étais là pour profiter des sandwiches gratuits et du vin blanc tiède. Ses cheveux blond cendré lui tombaient sur le front de manière désinvolte, et il avait un beau visage symétrique, aux traits fins et à la beauté démodée. Ses yeux étaient d'un bleu perçant, intense et ensorcelant. Ben avait la chance d'en avoir hérité.

Ce soir-là, alors que j'en avais assez de parler avec des gens que je ne connaissais pas et que j'étais fatiguée de la vie, la conversation que nous avions eue sur la musique me fit l'effet d'un tonique. John parlait avec sérieux, mais d'une voix douce. Il m'avait demandé si je savais qu'il y avait à Bristol l'une des meilleures salles de concert de tout le pays. C'était un lieu intime, à l'intérieur d'une ancienne église construite dans le style néo-classique du XIXe siècle, et l'acoustique était excellente.

Il n'était absolument pas prétentieux et c'est ce qui me plut tout de suite. Le respect inné et inconditionnel qu'il avait pour la culture me ramenait aux conversations entendues au cottage de ma tante Esther, l'endroit où j'avais grandi et, soudain, j'eus l'impression que ma vie partait à la dérive depuis trop longtemps et qu'il était temps d'arrêter.

Une semaine plus tard, nous étions assis ensemble au St George Concert Hall et attendions que le concert commence. C'était un bâtiment élégant, construit sur l'une des pentes joliment arborées de Brandon Hill, à un jet de pierre des boutiques de Park Street. En face, se trouve la Georgian House, le musée que Ben avait visité depuis, lors d'une sortie scolaire. Mais à cette époque je ne connaissais aucune de ces deux institutions.

C'était complet. Il avait été difficile d'obtenir des places. John était plein d'entrain, il connaissait des tas de choses. Il me montra du doigt l'endroit où une bombe incendiaire allemande avait traversé le plafond une nuit de 1942, lorsque c'était encore une église, et atterri sur l'autel sans exploser.

Il me parla aussi de lui. Il me raconta qu'il jouait du violon, que sa mère avait été concertiste et que, quand il était enfant, la maison était pleine de musique. Il me dit que son travail lui plaisait et qu'il avait décidé de se spécialiser en chirurgie pédiatrique. J'ai senti qu'il avait une approche passionnée et sérieuse de chacun de ses centres d'intérêts, que ce soit la musique, l'architecture ou les corps et les vies de ses petits patients. Il était d'une sensibilité rare.

Le concert commença. Debout au centre de la scène, un violoniste tout en noir tira avec une extrême délicatesse de son instrument les premières notes qui restèrent suspendues dans les airs, cristallines. Il jouait avec une élégance captivante et séduisante, et je sentis John se détendre à mes côtés. Quand sa main frôla la mienne, et qu'il l'y laissa, on aurait dit que je retrouvais un équilibre. Quand il prit doucement mes doigts entre les siens, ce fut comme un contrepoint à l'intensité de la musique et aussi un encouragement à me laisser submerger par l'émotion.

Ce souvenir – la musique, les émotions –, m'a traversé l'esprit pendant que nous roulions. C'était comme si je voulais revenir en arrière, jusqu'à ce moment précis, et tout recommencer à partir de là, pour m'accrocher à cet instant parfait : ainsi, ce qu'il adviendrait plus tard ne serait pas foireux et nous n'en arriverions pas là où nous en étions. Ce qui était impossible, bien sûr, car ce souvenir a disparu aussi vite qu'il était réapparu. La vérité, c'était qu'au lieu de me réconforter, l'étreinte des doigts froids de John semblait futile et désespérée, comme devait l'être la mienne.

La circulation ralentissait tandis que nous traversions le centre-ville : feux arrière, panneaux de signalisation, bâtiments en béton défilaient devant nos yeux tandis que des nuages couraient dans un ciel de granit. L'Avon apparaissait puis disparaissait par intermittence, de l'autre côté de la route, ses eaux boueuses clapotant, un chariot de supermarché abandonné sur l'une des berges. Je gardais les yeux fixés sur la rivière, suivant son tracé dans la ville, car j'étais incapable de regarder les gens, dehors, tous ces gens qui vivaient un lundi matin normal, un début de semaine normale ; des gens qui savaient où étaient leurs enfants.

Le commissariat central était abrité par un immense cube de béton, de style brutaliste. C'était un immeuble de trois étages, avec de grandes fenêtres rectangulaires alignées à intervalles réguliers comme de larges percées dans une muraille de château fort. L'endroit où nous étions arrivés était signalé par quelques mots, composés avec des lettres à la typographie datant des années cinquante, gravés au-dessus de la porte principale et qui indiquaient simplement : KENNETH STEELE HOUSE.

L'intérieur était si différent que c'en était étonnant : ultramoderne, avec des bureaux en open space, débordants d'activité, sophistiqués. On nous a demandé d'attendre et de nous asseoir sur des canapés bas, près de l'accueil. Personne ne nous a prêté attention. Je suis allée aux toilettes et je me suis à peine reconnue dans le miroir. J'étais comme décharnée, blême, un spectre. J'avais de la boue sur le visage, et la balafre sur mon front était livide, recouverte d'une croûte de sang où des mèches de cheveux étaient restées collées. J'avais l'air sale et négligé. J'ai donc essayé de me débarbouiller, sans grand succès.

Quand je suis retournée dans l'entrée, John était encore sur le canapé, les coudes sur les genoux, la tête baissée. Je me suis assise à côté de lui. Un policier en uniforme aux joues roses et aux cheveux gris clairsemés, qui était installé derrière le bureau de l'accueil, s'est levé et s'est approché de nous.

— Ce ne sera pas long, a-t-il dit. Quelqu'un va venir vous chercher.

— Merci, a répondu John.

JIM

Je travaille à Kenneth Steele House. C'est le quartier général de la police judiciaire de l'Avon et du Somerset. De l'extérieur, le bâtiment n'est pas beau, pas plus que ne l'est le quartier, situé dans une zone industrielle, derrière la gare de Temple Meads, dans St Philip's Marsh, au milieu d'un terrain vague, complètement isolé, sans aucune habitation aux alentours, et délimité par le canal et l'Avon. Il y a des caméras de surveillance partout et des barbelés.

Je suis arrivé à mon bureau à 8 h 05. J'ai immédiatement remarqué le changement d'atmosphère. La tension qui régnait à l'intérieur ne ressemblait en rien aux bavardages habituels du lundi matin : c'était celle qui signalait une affaire importante. Mark Bennett, même grade que moi, mais plus vieux d'une centaine d'années, a surgi de derrière la cloison qui séparait son bureau du mien avant même que j'aie allumé mon ordinateur.

— Scotch Bonnet veut te voir, dès que possible, m'a-t-il dit.

Bennett avait le crâne chauve et lisse, un cou épais et des yeux de bull-terrier. Il avait l'air d'un malabar, ce qu'il n'était pas en réalité. Nous avions bu un verre ensemble une fois, au tout début, quand j'étais arrivé, et il m'avait confié qu'il n'était jamais parvenu à aller aussi loin ou aussi vite qu'il l'aurait voulu au sein de la PJ. Puis il m'avait raconté qu'il pensait que sa femme ne l'aimait plus. J'avais pris mes jambes à mon cou. Hors de question de se laisser contaminer par un tel état d'esprit. « Scotch Bonnet » était le surnom qu'il donnait à l'inspecteur principal, Corinne Fraser. Elle était écossaise et avait un tempérament qui pouvait être explosif. Mais la blague n'était pas spécialement maligne ni drôle. Personne d'autre ne l'appelait ainsi.

Fraser était dans son bureau.

—Jim, m'a-t-elle dit, fermez la porte et asseyez-vous.

Vêtue d'un tailleur, elle était impeccable, comme d'habitude. Elle avait une allure excentrique, avec des cheveux gris crépus qui ne convenaient pas à sa courte frange et qui formaient une touffe au-dessus de chacune de ses oreilles. Mais elle avait un joli visage aux traits délicats, des yeux bleus impitoyables, qui vous perçaient à jour, et un regard qui pouvait vous clouer sur place. Je me suis assis en face d'elle. Elle n'a pas perdu de temps.

—À compter de 8 h 00 ce matin, je suis en présence d'un cas de présomption d'enlèvement d'un petit garçon de huit ans dans la forêt de Leigh Woods. Nous avons plusieurs scènes de crime possibles, mais les conditions météorologiques sont contre nous et nous avons déjà perdu plus de douze heures depuis sa disparition. Nous allons avoir la presse au cul avant l'heure du déjeuner. J'ai besoin d'un adjoint à qui confier des responsabilités. Vous en êtes ?

— Oui, chef.

Le rouge m'est monté aux joues. J'avais enfin ce que j'avais toujours espéré : une affaire importante, des responsabilités. J'étais là depuis trois ans et je ne comptais pas mes heures, j'avais fait mes preuves, en attendant cette occasion. Il y avait d'autres inspecteurs, au-dessus de moi dans la hiérarchie, plus vieux, et tout aussi ambitieux. Mark Bennett en faisait partie. Ils auraient pu, tout aussi bien que moi, se voir confier cette mission, mais c'était le bon moment pour moi, je devais saisir ma chance. Ai-je pensé refuser ? Non. Ai-je cru que je serais en terrain miné ? Peut-être. Toujours est-il que les mots qui tournaient dans ma tête étaient les suivants : Vas-y. Montre-leur ce dont tu es capable.

Travailler avec Fraser contribuait à rendre l'affaire excitante. Elle était dure et intelligente. L'un des meilleurs éléments de notre brigade. Tout le monde savait qu'elle avait grandi dans une cité merdique de Glasgow. Dès qu'elle avait pu quitter la maison, elle était partie aussi loin que possible afin de rentrer dans la police et commencer une nouvelle vie. Le problème était que, alors qu'elle n'était encore qu'un tout jeune agent, elle s'était retrouvée mariée à un inspecteur principal de Scotland Yard tellement corrompu que même la police londonienne avait dû s'en séparer. Pendant son temps libre, il la battait. Une fois, elle avait même fini à l'hôpital, mais le vieux n'avait jamais été accusé. À cette époque, la police protégeait les siens – du moment qu'il s'agissait d'hommes blancs.

Mais son mari mourut avant le procès pour corruption, ce qui la sauva. Il succomba à une crise cardiaque dans un pub. Il n'avait pas touché le sol qu'il était déjà mort. Suite à quoi, Fraser rejoignit la police de l'Avon et du Somerset, d'abord en tant que sergent, puis elle gravit les échelons les uns après les autres grâce tout autant à d'habiles manœuvres politiques qu'à son perfectionnisme, reconnu et respecté. Elle est la première femme à avoir été nommée inspecteur principal à la PJ de l'Avon et du Somerset, et, probablement, l'une des premières de toute l'Angleterre. Elle ne perdait pas de temps en bavardages et faisait preuve d'une autorité naturelle. C'était l'apanage d'une femme qui avait survécu à une jeunesse tourmentée et qui en était ressortie plus forte et plus sage. Elle ne tolérait pas plus les pleurnicheries que les brimades.

— Première tâche : interroger les parents, a dit Fraser.

— Oui, chef. Où sont-ils ?

— Sur les lieux.

— Un policier les raccompagne-t-il chez eux ?

— Pas encore.

Elle a réfléchi, tapotant son stylo sur le bureau.

— C'est une situation extrêmement sensible, Jim. Il faut absolument que nous fassions preuve de tact ; mais j'ai tendance à penser qu'ils doivent venir ici. Thé et café à volonté.

Je comprenais ce qu'elle voulait dire. Quand vous interrogez les gens chez eux, ils sont plus détendus, car dans un cadre familier mais, du coup, ce sont eux qui mènent le jeu.

— Prenez une salle réservée aux cas de viol.

C'était une concession à la sensibilité. Ce genre de salles est plus agréable qu'une salle d'interrogatoire.

— Et, de toute façon, a-t-elle ajouté, nous aurons besoin d'une expertise médico-légale au moins au domicile de la mère, sachant que c'est l'endroit où le gosse passait le plus de temps, et peut-être chez le père, si on pense que c'est nécessaire. Ce sont deux scènes de crime potentielles.

Elle a décroché son téléphone. C'était le signal de mon départ. Mais elle s'est ravisée.

— Encore une chose. Je voulais demander à Annie Rookes d'être l'agent de liaison avec la famille mais elle est occupée sur une autre affaire. Vous avez une idée ?

Je ne sais pas pourquoi j'ai eu ce réflexe, mais je l'ai eu et, avant même de réfléchir, j'ai dit :

— Pourquoi pas Emma Zhang ?

Fraser a eu l'air surprise.

— Quel que soit le dénouement, ce sera difficile. Elle a assez d'expérience ?

— Je crois, chef. Elle est intelligente et elle a de l'entraînement.

Il était trop tard pour faire machine arrière et, dans tous les cas, je pensais qu'Emma méritait qu'on lui laisse sa chance, et je savais qu'elle ferait du bon boulot. Ce serait un pas en avant pour elle, et elle pourrait beaucoup apprendre en travaillant avec Fraser.

— D'accord pour Zhang, a dit Fraser en décrochant de nouveau son téléphone.

Ce n'est qu'une fois sorti du bureau que je me suis demandé si j'avais bien fait, pour Emma, mais aussi pour l'affaire en cours. Le rôle d'agent de liaison avec la famille est crucial. C'est quelqu'un qui apporte un soutien psychologique à la famille de la victime mais, avant tout, c'est un policier. Il observe, écoute et offre son aide mais, plus que tout, il doit être attentif à tous les indices et rendre compte de chacune de ses observations. Il faut marcher sur des œufs. L'agent de liaison peut avoir un rôle déterminant dans le dénouement d'une affaire.

Une salle de commandement opérationnelle a été installée en deux temps trois mouvements. Kenneth Steele House est au point car l'endroit a été rénové en tenant compte des besoins de la police judiciaire. Nous bénéficions donc de tout l'équipement requis pour mener les opérations le plus efficacement et le plus vite possible. La pièce mise à notre disposition était spacieuse : deux rangées de tables de chaque côté, équipées d'écrans de contrôle, un espace pour l'agent chargé de collecter tous les appels téléphoniques, un autre pour celui chargé de lire et d'enregistrer les dépositions et les comptes rendus d'interrogatoires ainsi qu'un centre d'actions et de coordination. Un autre bureau, fermé, d'où elle pouvait diriger l'enquête, avait été installé pour Fraser à proximité, ainsi qu'un espace pour collecter les informations des caméras de surveillance. Sans compter un local pour stocker les pièces à conviction, après les avoir dûment classées, ainsi qu'une réserve pour tout le matériel nécessaire au bon déroulement de l'enquête. Cette organisation nous permettait de travailler en vase clos et avait déjà fait ses preuves.

Nous avons immédiatement réparti les actions à mener entre les policiers qui travaillaient déjà sur l'affaire : vérifier l'emploi du temps des délinquants sexuels de la région déjà connus de nos services, éplucher les procès-verbaux mentionnant des cas de disparition d'enfant, de voyeurisme, d'exhibitionnisme ou de tentative d'enlèvement dans le même coin. Nous avions quatre équipes de deux enquêteurs et Fraser maintenait de manière catégorique qu'il lui en faudrait au moins dix.

À 10 h 00, on nous a appelés pour nous avertir de l'arrivée des parents. Fraser a dit :

— Allez-y et commencez tout de suite les interrogatoires. Suivez la procédure à la lettre, Jim. Je veux des points sur les « i » et des barres aux « t ». Je vais parler au commissaire car je pense que nous avons toutes les raisons de lancer une Alerte Enlèvement. Les conditions sont réunies. Il faut que vous demandiez une photo aux parents dès que possible.

Je connaissais les conditions requises pour mettre en place ce dispositif exceptionnel, on les apprend par cœur : l'enfant disparu a moins de 16 ans, si un commissaire ou un policier d'un plus haut rang estime que la vie d'un enfant est en danger, si l'enfant a été enlevé et si on en sait assez sur la victime ou sur son ravisseur, alors on est en droit de mettre en place un dispositif exceptionnel d'alerte. Le but est d'informer la police, les médias et la population du pays qu'un mineur est recherché. Des flashs d'info interrompent les programmes radio et télé pour alerter les gens ; et la police des environs et celle des frontières sont aux aguets. C'est du sérieux.

J'ai jeté un œil une dernière fois aux questions que j'avais préparées pour les parents et j'ai pris une grande inspiration. C'était parti. J'étais plus prêt que jamais. En tant que policier, on nous apprenait que ce qui était entrepris dans les premières heures qui suivaient la disparition d'un enfant était primordial. Ben Finch avait disparu depuis plus de douze heures déjà et notre enquête ne faisait que commencer. Je n'avais pas besoin de Fraser pour savoir que, techniquement parlant, nous étions déjà sur la brèche, et que chacune de nos actions serait surveillée de près.

J'ai interpellé Woodley, une nouvelle recrue que Fraser avait mis sur l'affaire. Il était grand, maigre, avec un visage que seule une mère pouvait aimer.

— Prépare un plateau avec du thé. Pour trois personnes. Et des biscuits. Descends-le dans la salle des viols mais n'entre pas. Attends-moi à l'extérieur.

Si c'est une femme policier en civil qui apporte le plateau, tout le monde croit qu'il s'agit d'un membre du personnel de la cantine. Si c'est un homme, il apparaît comme un gars gentil et c'est une façon de mettre les gens à l'aise. Un truc que j'ai appris de mon père.

RACHEL

John et moi avons été conduits à deux endroits différents.

J'ai été interrogée dans une pièce basse de plafond, sans fenêtre, à l'atmosphère oppressante. J'ai d'abord été accueillie par une grande jeune femme, qui s'est présentée comme étant l'enquêtrice Emma Zhang. Elle portait une tenue officielle, un tailleur bien coupé. Elle avait une belle peau couleur caramel, des cheveux noirs épais coiffés en une queue-de-cheval serrée, des yeux sombres en amande, et un joli sourire chaleureux.

Elle m'a serré la main et m'a dit qu'elle serait mon agent de liaison ; puis elle s'est assise à côté de moi sur un canapé inconfortable aux accoudoirs carrés, en rajustant sa jupe.

— Nous allons faire tout notre possible pour retrouver Ben, a-t-elle dit. Soyez-en sûre. Le retrouver sain et sauf est notre priorité absolue et mon rôle est de vous tenir informée, au fur et à mesure, de l'avancée de notre enquête et de nos recherches. Et n'ayez aucun scrupule à me demander tout ce que vous voulez ayant trait à l'affaire, car je suis ici pour m'assurer que l'on s'occupe aussi de vous.

L'enquêtrice Zhang, de par son apparente compétence et ses manières simples et directes, me rassurait. J'ai repris un tout petit peu espoir.

Il n'y avait rien à regarder dans cette pièce, hormis deux fauteuils assortis, une table basse en bois aux proportions ridicules et trois fades reproductions de paysages sur le mur opposé. La moquette était grise. Et sur l'un des fauteuils gisait un coussin violet défoncé comme s'il avait été bourré de coups. Sur une porte, on pouvait lire : SALLE D'EXAMEN.

Un homme est entré. Il était grand, costaud et rasé de près, avec d'épais cheveux brun foncé coupés court sur la nuque et les côtés, et des yeux noisette. Il avait de larges mains et a posé maladroitement un plateau sur la table basse : les tasses empilées ont dangereusement glissé vers le bord, et un jet de liquide chaud s'est échappé du bec de la théière. L'enquêtrice Zhang s'est penchée pour essayer de tout rattraper mais ce ne fut pas nécessaire. Les tasses ont vacillé mais ne sont pas tombées.

L'homme s'est assis sur l'un des deux fauteuils, à côté de moi, et m'a tendu la main.

— Inspecteur Jim Clemo, a-t-il dit. Je suis désolé pour Ben.

Il avait une poignée de main ferme.

— Merci.

Clemo s'est éclairci la voix.

— Il y a deux choses dont nous avons besoin le plus vite possible : d'une part, les coordonnées du médecin généraliste de Ben et, d'autre part, celles de son dentiste. Les avez-vous sous la main ?

J'ai sorti mon téléphone portable et lui ai donné ce qu'il demandait.

— Ben a-t-il des problèmes de santé qu'il nous serait utile de connaître ?

— Non.

Il a pris des notes dans un carnet à la couverture souple jaune fluo, un objet presque incongru dans cet environnement.

— Et avez-vous une copie de l'acte de naissance de Ben ?

Mes papiers n'étaient pas triés, mais les documents importants qui concernaient Ben étaient bien rangés.

— Pourquoi ?

— C'est la procédure.

— Faut-il que je prouve que Ben existe vraiment ?

Clemo est resté impassible et j'ai compris que j'avais vu juste. Pour la première fois, je me suis rendu compte que j'étais embarquée dans un processus dont je ne connaissais pas les règles, où personne ne se faisait confiance, car ce à quoi nous étions confrontés était une affaire trop sérieuse pour que ce soit possible.

Les questions de Clemo étaient précises et il voulait des réponses détaillées. Tandis que je parlais, je serrais les bras autour de moi. Il ne tenait pas en place ; à certains moments, il se penchait en avant, à d'autres, il reculait pour s'appuyer au dossier de son siège en croisant les jambes. Il ne me quittait pas des yeux, comme s'il voulait lire quelque chose sur mon visage. J'ai essayé de sortir de ma réserve naturelle, de parler ouvertement, dans l'espoir que ce que je lui disais pourrait aider à retrouver Ben.

Il a commencé par me poser des questions sur mon enfance. Je ne savais pas en quoi cela était pertinent, mais j'ai répondu. En raison de la situation inhabituelle, de la mort tragique de mes parents, c'est une histoire que j'avais déjà beaucoup racontée et j'ai donc su rester calme en disant :

— Mes parents ont été tués dans un accident de voiture quand j'avais un an et ma sœur neuf. Ils sont entrés en collision frontale avec un semi-remorque.

Je n'ai pas été surprise par la réaction de Clemo, car j'en avais souvent été témoin : le choc, la peine, puis la sympathie et, parfois, à peine cachée, la *Schadenfreunde*, cette joie suscitée par le malheur d'autrui.

— Ils rentraient d'une soirée, ai-je ajouté.

J'ai toujours aimé ce petit détail. Il signifiait que, dans mon esprit, je gardais une image figée de mes parents : jeunes, sociables, pleins de vie. Et probablement parfaits.

Clemo a exprimé sa sympathie mais est vite passé à autre chose ; il m'a demandé qui m'avait élevée, où j'avais grandi, puis comment j'avais rencontré John, et quand nous nous étions mariés. Il m'a aussi posé des questions sur la naissance de Ben. Je lui ai donné la date et le lieu : 10 juillet 2004, à l'hôpital St Michael de Bristol.

Outre les faits, les souvenirs et les émotions me donnaient le tournis. Je me souvenais d'un travail long et difficile, qui avait commencé dans la journée, en pleine canicule – il faisait si chaud que l'air vibrait. J'avais été admise en salle d'accouchement vers minuit. La chaleur s'attardait dans tous les coins de la ville, et mon travail, qui s'était intensifié au cours des longues heures qui avaient suivi, avait été ponctué par les cris de fêtards, dehors, comme s'ils ne pouvaient songer à rentrer chez eux par une nuit pareille.

Au petit matin, j'avais eu une hémorragie importante qui avait provoqué une grande frayeur mais, plus tard, alors que le soleil s'était levé, j'avais ressenti une joie extraordinaire quand on m'avait mis mon tout petit garçon dans les bras et que j'avais vu sa peau passer du gris au rose. Ses cheveux comme en apesanteur, la souplesse parfaite de ses tempes et la sensation de calme absolu quand ses yeux ont rencontré les miens…, et que je retenais mon souffle au moment même où lui prenait ses premières inspirations.

Il a fallu que je raconte en détail les premières années de Ben, la relation avec ma sœur et avec la famille de John. Parler de la mère de John, Ruth, ma bien-aimée Ruth, a été douloureux : après mon mariage, elle était devenue une mère de substitution pour moi. Désormais, elle vivait dans une maison de retraite médicalisée, son cerveau lentement ravagé par la démence.

J'ai dû aussi parler de la fin de mon mariage, que je n'avais pas vu venir, et de comment Ben et moi nous en sortions depuis. Je ne voulais pas raconter ces choses-là à des inconnus, mais je n'ai pas eu le choix. Je me suis caparaçonnée, essayant de faire confiance à la procédure.

Le rythme des questions de Clemo a ralenti au fur et à mesure que nous approchions du présent. Il a voulu savoir comment cela se passait à l'école pour Ben. Je lui ai dit qu'il n'y avait pas de problème, que

Ben adorait aller à l'école et qu'il aimait beaucoup sa maîtresse. Elle avait été d'un grand soutien au moment de la séparation puis du divorce.

Clemo a aussi voulu savoir si, ces derniers temps, Ben était allé souvent chez son père, chez des amis ou dans la famille. Il souhaitait connaître les dispositions que nous avions prises concernant la garde. Il voulait que je lui détaille toutes les activités scolaires et extra-scolaires de Ben. J'ai dû décrire tout ce que nous avions fait la semaine précédente ; puis nous avons parlé de ce samedi, et du dimanche matin, et, enfin, des heures qui avaient précédé notre promenade en forêt.

— Vous avez déjeuné avant de partir en forêt ? m'a demandé Clemo, comme en s'excusant.

— C'est au cas où vous retrouveriez son corps ?

— Ce qui ne signifie pas que je pense que nous allons trouver un corps. C'est une question que je dois poser.

— Ben a mangé un sandwich au jambon, une banane, un yaourt, et deux biscuits au chocolat dans la voiture.

— Merci.

— Avez-vous aussi besoin de savoir ce que j'ai mangé ?

— Non. Ce ne sera pas nécessaire.

Zhang m'a tendu une boîte de mouchoirs en papier.

Nous avons dressé la liste des gens que j'avais vus dans les bois : tous ceux qui étaient sur l'aire de stationnement, y compris Peter et Finn et les autres jeunes footballeurs avec leurs familles, les participants au jeu de rôle de *fantasy*, le cycliste, et la vieille dame qui m'avait aidée au moment de la disparition de Ben. Je me suis souvenue d'un homme que mon fils et moi avions croisé en chemin. Il avait une laisse à la main, bien que nous n'ayons pas vu son chien. Ne pas réussir à me rappeler ce qu'il portait comme vêtements ou même à quoi il ressemblait était très agaçant. Je me suis énervée contre moi-même.

J'ai promis que si je pensais à autre chose, je le transmettrais à la police. Ils m'ont demandé la permission de vérifier le journal de mes appels téléphoniques, de fouiller ma maison et, plus particulièrement, la chambre de Ben. J'ai dit oui à tout. J'aurais accepté n'importe quoi pourvu que cela puisse être utile.

— Vous avez une photo de Ben ? Une photo que nous pourrions diffuser dans la presse ?

Je lui ai donné celle que je gardais dans mon portefeuille. C'était une photo de classe récente, pas même encore cornée puisqu'elle datait de la semaine précédente. J'ai regardé le visage de mon fils : sérieux, gentil, beau et vulnérable. Les yeux et les cheveux blond cendré de son père, sa peau parfaite légèrement parsemée de petites taches de rousseur sur le nez. Il m'était presque insupportable de m'en séparer.

Clemo me l'a prise doucement des mains.

— Merci, a-t-il dit avant d'ajouter : Madame Jenner, je retrouverai Ben. Je ferai tout ce qui est en mon pouvoir pour le retrouver.

Je l'ai regardé dans les yeux pour y lire des signes de son engagement, la confirmation qu'il comprenait ce qui était en jeu. Je voulais être sûre qu'il était sincère, qu'il était de mon côté, et qu'il pouvait retrouver Ben.

— Vous me le promettez ? ai-je demandé.

J'ai pris sa main, je m'y suis accrochée, nous surprenant tous les deux.

— Je vous le promets, a-t-il répondu.

Il a desserré mes doigts, doucement, comme s'il ne voulait pas me faire mal. Je le croyais.

Quand il fut parti, l'enquêtrice Zhang a dit :

— Vous êtes entre de bonnes mains. L'inspecteur Clemo est un très, très bon policier. L'un de nos meilleurs éléments. Il est comme un chien avec un os. Une fois qu'il est sur une affaire, il ne lâche pas le morceau.

Elle essayait de me rassurer mais je ne pensais qu'à une seule chose.

— Je l'ai laissé filer devant moi, ai-je dit. C'est ma faute. Si quelqu'un lui fait du mal, ce sera à cause de moi.

JIM

J'étais plutôt content de la manière dont s'était déroulé l'interrogatoire avec Rachel Jenner, mais j'ai été un peu secoué quand elle a pris ma main, l'agrippant comme si elle n'allait jamais la lâcher. On évite ce genre de situation. Quand on travaille sur une affaire, on ne doit certes jamais oublier que les victimes sont des gens réels, mais aussi qu'il est important de garder, dans une certaine mesure, ses distances. Si on se laisse happer par leurs émotions, on ne peut pas faire son travail. Selon moi, l'espace d'une seconde ou deux, Rachel Jenner avait faussé la donne.

J'ai regardé de près la photo qu'elle m'avait donnée. C'était l'une de ces photos de classe que tout le monde a, prise devant un fond tacheté de lumière. Ben avait l'air d'un gentil petit garçon : des yeux bleus, pétillants, le regard franc. Des traits fins. Il avait des cheveux châtain clair épais ; il esquissait un sourire en regardant l'appareil photo bien en face. Ben était incontestablement un enfant attendrissant. Et j'en étais heureux car je savais que ce serait utile.

J'ai fait passer la photo à toute l'équipe.

— Comment va la mère ? m'a demandé Fraser.

Rachel Jenner était très tendue, ce qui était compréhensible, le regard furtif, tressaillant au moindre mouvement, parlant vite, elle était intelligente – de toute évidence –, mais sous le choc.

— Choquée. Et légèrement sur ses gardes.

— Sur ses gardes ?

Fraser m'a regardé par-dessus ses lunettes.

— C'est juste une impression, ai-je dit.

— D'accord. Ça mérite d'y prêter attention. Parlez avec Emma et voyez ce qu'elle en pense. Je vais aller me présenter rapidement, et nous convoquerons la presse à midi pour filmer un appel à l'aide. Ça vous dirait de vous entretenir avec le père maintenant ?

J'ai acquiescé d'un signe de tête.

— Allez-y, alors.

J'ai croisé Emma dans le couloir. Nous n'avions pas encore eu l'occasion de nous parler depuis ce matin.

— Un bon interrogatoire, a-t-elle dit.

— Merci.

Nous nous sommes rangés le long du mur pour laisser passer quelqu'un. La main d'Emma a discrètement frôlé la mienne, en s'y attardant.

— C'est toi qui as suggéré à Fraser de me prendre comme agent de liaison ? a-t-elle demandé

— C'est possible.

— Merci.

Elle m'a doucement pressé la main puis l'a lâchée et s'est éloignée d'un pas pour que nous soyons à une distance respectable l'un de l'autre.

— Que penses-tu de la mère ? lui ai-je demandé. J'ai dit à Fraser que j'ai eu l'impression qu'elle était un peu sur ses gardes.

— Je suis d'accord, mais je crois que c'est normal. Visiblement, c'était difficile pour elle de parler de sa vie privée, mais je ne pense pas qu'elle nous ait caché quoi que ce soit.

— Non, je ne crois pas, en effet.

— Elle est effondrée. Et elle se sent coupable parce qu'elle l'a laissé partir en courant.

— Ce n'est pas un crime.

— Bien sûr que non, mais elle se flagellera toute sa vie à cause de ça, n'est-ce pas ?

— À moins que nous ne le retrouvions rapidement.

— *Même* si nous le retrouvons rapidement, je dirais.

— Tu penses qu'elle est coupable d'autre chose ?

Emma a réfléchi un instant puis a secoué la tête.

— Mon instinct me dit que non. Mais je ne pourrais pas le jurer à cent pour cent.

— Tu dois la surveiller de près. Et faire des rapports détaillés de tout ce que tu observes, s'il te plaît.

— Bien sûr.

— Il faut que j'y aille. Je vais interroger le père, maintenant.

— Bonne chance.

Elle s'apprêtait à partir.

— Emma !

— Quoi ?

— Tu feras ton maximum, n'est-ce pas ? C'est une grosse affaire. Il faut que nous soyons tous au taquet.

— Évidemment.

Elle n'a rien montré qui pouvait laisser penser que je l'avais blessée, ce n'était pas son genre, mais quelque chose dans son expression m'a immédiatement fait regretter ce que je venais de dire. Elle était d'une très grande intelligence émotionnelle, parfaite pour ce rôle, et c'était une erreur de ma part de laisser entendre que je pouvais avoir le moindre doute sur ses compétences. J'étais trop impliqué psychologiquement pour être mesuré dans mes propos à son égard ; mais, à cet instant, j'aurais eu envie de me botter le cul.

— Désolé. Je suis désolé. C'était déplacé. Ce n'est pas ce que je voulais dire. Je suis juste… c'est une si grosse affaire.

— Ça va. Et je suis à fond, ne t'inquiète pas.

Elle m'a fait un grand sourire, ce qui a réglé le problème, et ses doigts ont de nouveau frôlé les miens.

— Bonne chance, avec le père, a-t-elle ajouté.

Et je l'ai regardé s'éloigner dans le couloir à vive allure, juste avant que j'aille retrouver le père de Benedict Finch.

John Finch arpentait la petite salle d'interrogatoire dans laquelle nous l'avions fait attendre. Il avait le visage émacié, l'air dévasté, sous le choc, comme la mère, mais on sentait aussi chez lui une autorité naturelle. J'ai présumé que, dans sa vie de tous les jours, c'était un homme qui avait plus l'habitude d'être aux commandes que dans le rôle de la victime.

— Inspecteur Clemo, ai-je dit. Je suis vraiment désolé pour Ben.

— John Finch.

Il avait une poignée de main ferme et des doigts osseux.

Le mobilier était composé d'une petite table avec deux chaises de part et d'autre. L'agent Woodley et moi nous sommes assis d'un côté et Finch de l'autre.

J'ai procédé de la même manière qu'avec la mère de Ben, en commençant par le début : date de naissance, enfance et cetera… Les gens ne réalisent pas que l'une des premières choses à faire est de s'assurer qu'ils sont vraiment qui ils disent être, et que le crime dont ils sont victimes a réellement eu lieu. Nous aurions l'air plutôt ridicules si nous menions une enquête et que les personnes concernées n'existaient pas vraiment et nous avaient menti depuis le début. Et Dieu sait que la presse et l'opinion publique n'attendent qu'un faux pas de notre part pour en faire des gorges chaudes et monter en épingle les conséquences de notre stupidité.

Les réponses de Finch à mes questions étaient laconiques.

— J'ai bien peur qu'il faille s'attarder sur des détails qui peuvent paraître dénués de pertinence, lui ai-je dit.

Je ressentais le besoin de me justifier et d'essayer de rendre la situation un peu plus facile pour cet homme qui était si manifestement sensible et qui, de toute évidence, cherchait à le cacher.

— Comprenez bien qu'il est essentiel pour nous d'avoir une idée non seulement de qui est Ben, mais aussi de sa famille.

— Je connais l'importance de l'histoire personnelle a-t-il répliqué. Nous en avons aussi grand besoin, en médecine.

Le passé de John Finch était sans heurts. Il était né en 1976 à Birmingham, enfant unique. Son père était un gars du coin, médecin généraliste, et sa mère était violoniste. Ses parents à elle avaient fui Vienne à l'époque des nazis quand sa mère était enceinte, et ils s'étaient installés à Birmingham. Finch avait été proche de ses parents tout autant que de ses grands-parents durant toute son enfance. Il avait été boursier au lycée. Bon élève, il avait pu entrer à la faculté de médecine de Bristol. Il était arrivé pour préparer son diplôme vingt ans auparavant, en 1992, et n'était plus reparti. Il avait fait son chemin et avait bien réussi. La preuve en était son poste actuel de médecin consultant à l'hôpital pour enfants. Il était devenu chirurgien chef. Je connaissais suffisamment le milieu médical pour savoir que, dans cet univers de compétition, ce devait être un poste convoité.

L'assurance de Finch a commencé à vaciller quand j'ai voulu parler plus en détail de la mère de Ben et de leur divorce.

— Mon mariage a pris fin car Rachel et moi n'étions plus faits l'un pour l'autre.

Il s'est légèrement raidi et les mots qui s'échappaient de sa bouche devenue sèche paraissaient poisseux.

— Si j'ai bien compris, Rachel n'a rien vu venir.

— C'est possible.

— Et une tierce personne était en cause ?

— Oui, je me suis remarié.

— Pouvez-vous m'expliquer en quoi Rachel et vous n'étiez plus faits l'un pour l'autre ?

Une goutte de sueur a perlé sur son front.

— Ces choses-là ne durent pas toujours, inspecteur. Il peut y avoir un tas de petites raisons qui s'accumulent et finissent par rendre le mariage non viable.

— Y compris une petite amie plus jeune ?

— S'il vous plaît, ne faites pas de moi un cliché.

Je n'ai pas répondu. J'ai attendu de voir s'il lâcherait plus d'informations. Étonnamment, c'est souvent le cas. Les gens ont un besoin presque compulsif de s'expliquer. J'ai prétendu feuilleter mes notes et, juste au moment où je croyais qu'il ne dirait rien, il s'est mis à parler.

— Mon mariage, d'un point de vue affectif, n'était pas satisfaisant. Nous ne… (il choisissait ses mots) … nous ne communiquions pas.

— Ça arrive.

— Je me sentais seul.

Il a détourné les yeux mais, quand nos regards se sont de nouveau croisés, l'émotion s'y lisait, même si elle était difficile à définir. John Finch était, sans conteste, un homme fier et peu habitué à raconter sa vie.

— Rachel est-elle une bonne mère pour Ben ? ai-je demandé.

Je voulais le surprendre pendant qu'il avait baissé la garde. Il a répondu tout de suite, sans avoir à réfléchir :

— C'est une très bonne mère. Elle adore Ben.

Je suis revenu à des détails d'ordre pratique. Je lui ai demandé ce que lui et sa femme avaient fait le dimanche après-midi entre 13 h 00 et 17 h 30. Il m'a dit qu'ils étaient restés tous les deux à la maison. Il avait travaillé et elle avait lu avant de préparer le dîner. Il avait reçu un appel de l'agent Banks à 17 h 30 qui l'informait de la disparition de Ben, et il était aussitôt parti en voiture jusqu'à la forêt.

— Avez-vous téléphoné ou envoyé des e-mails ?

Il a secoué la tête.

— Je rattrapais du retard de paperasserie.

— J'ai demandé à Mme Jenner si elle était d'accord pour que nous consultions le journal de ses appels téléphoniques : elle a accepté. Accepteriez-vous que nous fassions la même chose avec vous ?

— Oui. Tout ce que vous voudrez.

— Une dernière chose.

— Oui ?

— Dans le cadre de votre travail, vous êtes-vous retrouvé dans des situations où des patients ou leur famille n'étaient pas contents ? Quelqu'un pourrait-il vous en vouloir ?

Il n'a pas répondu immédiatement. Il a d'abord réfléchi quelques instants.

— Il peut toujours y avoir des issues malheureuses, et certaines familles ne réagissent pas bien. J'ai été poursuivi en justice une ou deux fois, mais c'est normal dans mon métier. Les services administratifs de l'hôpital pourront vous donner les détails.

— Vous ne vous en souvenez pas ?

— Je me souviens du nom des enfants mais pas de ceux des parents. J'essaie de ne pas trop prendre les choses à cœur. On apprend à ne pas ressasser ses échecs, inspecteur. La mort d'un enfant est une chose terrible à supporter, même si vous n'êtes pas entièrement responsable, car vous avez fait tout ce vous pouviez.

Bien qu'il soit épuisé, il m'a jeté un regard pénétrant, et j'ai cru lire dans ses mots ce qui ressemblait à un avertissement.

Je suis parti tout de suite après dans la forêt. Je voulais aller sur les lieux de la disparition. J'ai emprunté un véhicule de la brigade. C'était l'occasion de sortir un peu de la ville et de prendre le temps de réfléchir aux interrogatoires, de mettre de l'ordre dans mes idées. Mon impression était que les deux parents étaient des gens réservés, même si John Finch avait une personnalité plus complexe que celle de Rachel et, à n'en pas douter, plus fière. Ils étaient intelligents tous les deux, ils s'exprimaient aisément, le profil type de la petite bourgeoisie. Ce qui ne voulait pas dire qu'ils étaient blancs comme neige. Il ne fallait pas l'oublier.

En termes médico-légaux, les lieux, dans les bois, étaient un véritable carnage. Le mauvais temps, combiné aux allées et venues des gens et des véhicules, plus les animaux, avait labouré les chemins et plus particulièrement l'aire de stationnement. J'ai marché jusqu'à la corde, là où Ben avait disparu, avait-on présumé ; j'ai regretté de ne pas avoir mis mes bottes en caoutchouc. L'endroit, détrempé, était entouré d'arbres. L'atmosphère était sinistre et me donnait la chair de poule, un peu comme celle de certains contes. D'une certaine manière, ce lieu était plus dérangeant que certaines des scènes de crime les plus sordides que j'avais pu voir en ville.

J'ai parlé avec les agents chargés de l'expertise médico-légale. C'étaient des gars sympathiques, très pessimistes sur leurs chances de trouver quoi que ce soit d'utile à l'enquête.

— Si vous voulez que je vous dise la vérité, ça s'annonce mal, a fait remarquer l'un d'entre eux en enjambant la bande jaune vif qui délimitait la scène : elle pendait mollement en travers du chemin qui menait à la corde.

Il a enlevé l'un de ses gants en caoutchouc pour me serrer la main.

— Les conditions sont épouvantables. Mais s'il y a quelque chose à trouver, nous le trouverons.

Je lui ai donné ma carte.

— Vous me…

Il m'a interrompu :

— Je vous préviendrai si nous trouvons quelque chose. Bien sûr.

L'équipe s'est réunie au complet avec Fraser, à 16 h 00, quand tout le monde a été de retour à Kenneth Steele House. Nous étions tous rassemblés autour d'une table, prêts à travailler, tendus, sérieux, en essayant de ne pas penser au dénouement de l'enquête. La disparition d'un enfant est le genre d'affaire pour lequel vous faites ce métier. Personne ne veut qu'il arrive du mal à un enfant. C'est ce qui se lisait sur tous les visages.

— Une toute première chose, a dit Fraser. Nom de code pour cette affaire : Opération Huckleberry. Nous recherchons deux individus : Ben Finch, huit ans, et son ravisseur. Ils sont, ou ils ne sont pas, ensemble. Le ravisseur peut être un membre de la famille, il ou elle peut être une connaissance comme un parfait étranger. Il ou elle se cache peut-être avec Ben mais il ou elle peut aussi vivre normalement et aller voir Ben de temps en temps. Il ou elle peut avoir déjà fait du mal à Ben, ou même l'avoir tué. Nous devons garder l'esprit ouvert à toute éventualité.

Elle a balayé la pièce du regard. Tout le monde l'écoutait avec attention.

— En termes de compétences, nous sommes au point. J'ai entièrement confiance en vous : vous représentez l'excellence et je compte sur vous. En revanche, le temps est contre nous. Ben Finch a disparu depuis déjà vingt-quatre heures. Il faut, en priorité, confirmer ce que la mère a raconté, et interroger tous les gens qu'elle dit avoir vus ce jour-là.

Elle s'est tue quelques instants pour être sûre que nous enregistrions bien toutes les informations.

— Personnellement, j'ai l'intuition que les participants au jeu de rôle grandeur nature qui étaient dans les bois cet après-midi-là représentent un intérêt particulier. Je suis presque sûre qu'il y a parmi eux quelques fils à maman qui manient l'épée le week-end pour compenser le fait de n'être que des petits cons déprimés et boutonneux qui s'emmerdent toute la semaine.

« Ce qui m'amène à autre chose. Je pense que nous allons avoir besoin de renfort. Le nombre d'actions à mettre en place que nous avons déjà définies est décourageant, et il est évident que ça ne va pas aller en s'améliorant. J'ai demandé des bras supplémentaires et j'ai insisté auprès du commissaire pour qu'il accepte de nous fournir un psychologue expert judiciaire, au moins pour les débuts de l'enquête, afin qu'il nous aide à dresser le portrait psychologique de nos principaux suspects. Il s'appelle Christopher Fellowes. Il enseigne à l'Université de Cambridge et ne sera donc pas ici avec nous, sauf si nous avons une bonne raison de le faire venir. Mais il sera disponible pour nous conseiller à distance.

Je le connaissais. Nous avions travaillé avec lui quand j'étais à la PJ du Devon et de la Cornouailles. Il était compétent : quand il était sobre.

— Je voulais que la mère et le père passent devant les caméras ce soir, mais je crois que nous attendrons demain matin. J'ai enregistré un court appel à témoins pour un flash info télévisé qui devrait suffire pour le moment. Nous allons le diffuser avec la photo de Ben. J'ai déjà des rapports préliminaires de la plupart d'entre vous, mais si vous avez des choses à ajouter, allez-y.

Un des agents a levé la main.

— Nous ne sommes pas à l'école. Vous n'avez pas besoin de lever la main.

— Désolée. C'est juste que… j'ai peut-être une piste. Nous avons retrouvé tous les délinquants sexuels de la liste sauf un.

— Lequel ?

— David Callow. Trente et un ans. A fait de la prison pour sévices sexuels sur ses demi-sœurs, et pour avoir posté les images sur Internet. Son contrôleur judiciaire est sans nouvelles depuis une quinzaine de jours.

— Faites-en une priorité. Je veux savoir qui est la dernière personne à l'avoir vu et quand. Interrogez sa famille, ses voisins, ses amis, s'il en a. Reconstituez son emploi du temps. Autre chose ?

Silence.

— Très bien. Nous avons du pain sur la planche, alors allons-y. Si vous avez la moindre piste, la moindre question, venez m'en parler. Je veux être au courant de tout, au fur et à mesure. Sans exception.

PAGE WEB
POLICE/FLASH D'INFORMATION
WWW.QUOIDE9.UK

22 octobre 2012, 13 h 03

LA POLICE DE L'AVON ET DU SOMERSET a lancé UNE ALERTE D'ENLÈVEMENT, pour aider à retrouver Benedict Finch, 8 ans, à Bristol.

Un numéro de téléphone spécial est mis à la disposition de toutes les personnes susceptibles d'avoir vu Benedict Finch ou d'avoir des informations sur l'endroit où il se trouve.

Le numéro est 0300 300 3331

Des policiers mobilisés pour cette affaire répondront aux appels et noteront en détail toutes les informations pouvant nous aider dans nos recherches.

En lançant une alerte d'enlèvement d'enfant au nom de la police nationale, nous espérons que la population et les médias pourront aider le commissariat central de l'Avon et du Somerset à retrouver Ben Finch sain et sauf.

La police cherche à obtenir des informations précises de toute personne ayant vu Benedict, ou un enfant qui correspond à sa description, dans les dernières vingt-quatre heures.

Benedict est blanc, mince et mesure un peu plus de 1 m 20. Il a les cheveux châtain clair, des yeux bleus et des taches de rousseur sur le nez. Nous n'avons aucune précision sur les vêtements qu'il portait le jour de la disparition.

Une photo récente de Benedict a été largement diffusée. Elle est visible sur le site du commissariat central de l'Avon et du Somerset.

Il a été vu pour la dernière fois sur l'allée principale de la forêt de Leigh Woods, aux environs de Bristol, à 16 h 30 le dimanche 21 octobre, alors qu'il promenait son chien avec sa mère. Sa mère a déclenché l'alerte à 17 h, après l'avoir cherché dans les bois sans succès.

Des agents de police, entraînés pour ce genre de mission, aidés d'une brigade cynophile et accompagnés par la police montée, mènent des recherches intensives dans les bois et dans les environs, assistés par des civils.

Benedict est connu pour être intelligent, malin, et il s'exprime facilement. L'anglais est sa première langue. Sa famille l'appelle Ben.

Passez le mot : Facebook ; Twitter.

RACHEL

Ma sœur Nicky m'attendait dans le hall de Kenneth Steele House. Elle était tendue et avait les yeux cernés. Je suis tombée dans ses bras. Ses vêtements sentaient l'humidité du cottage, le feu de cheminée et la lessive.

Elle me ressemble beaucoup. Quand nous sommes ensemble, on peut tout de suite voir que nous sommes sœurs. Elle a les mêmes yeux verts, et plus ou moins le même visage, une silhouette semblable bien qu'elle soit un peu plus ronde. Elle est plus petite que moi et ses cheveux, coupés court, sont rehaussés par un balayage impeccable ; au lieu d'être bouclés, ils ondulent en mèches dorées autour de son visage, ce qui lui donne un air plus sage que moi.

Nicky m'a dit qu'elle était venue directement du cottage de tante Esther. Elle m'a serrée fort dans ses bras.

Cette étreinte paraissait étrange. Nous n'avions probablement pas été dans les bras l'une de l'autre depuis notre enfance. Je n'avais pas l'habitude de sentir les courbes de son corps bien en chair, ses joues aussi douces que du coton. Ce qui m'a fait prendre conscience de mes formes anguleuses, comme si j'étais bâtie dans un matériau plus fragile.

— Je te ramène à la maison, a-t-elle dit, en replaçant une mèche de mes cheveux derrière mon oreille.

En arrivant, j'ai compris pour la première fois à quoi ressemblait la vie d'un poisson dans un bocal.

Des journalistes s'étaient rassemblés devant ma petite maison à un étage. Ben et moi vivions dans une jolie rue étroite bordée d'habitations victoriennes, dans Bishopston ; un coin de Bristol où les fenêtres de la plupart des maisons arboraient les stickers jaunes du système de surveillance de quartier. C'était un endroit où les habitants respectaient le recyclage et aimaient, en été, organiser des fêtes de rue. Le voisinage était un mélange de personnes âgées, de familles avec de jeunes enfants et d'étudiants. C'était calme.

Le drame collectif le plus grand que nous ayons vécu depuis que je vivais là était d'avoir découvert, un matin au réveil, que des étudiants ivres avaient posé des cônes de circulation sur les toits des voitures durant la nuit.

Il était impossible d'éviter les journalistes. Ils étaient suffisamment nombreux pour envahir le trottoir. Ils ont crié mon nom, nous mettant des micros sous le nez, et nous prenant en photo pendant que nous entrions dans la maison ; ils se bousculaient, fonçant dans le tas et se marchaient dessus pour essayer de passer devant nous. Leurs voix se faisaient enjôleuses, pressantes et m'apparaissaient agressives, presque menaçantes.

Une fois à l'intérieur, des petits points noirs dansaient devant mes yeux à cause de la lumière blanche de leurs ampoules de flash, et je continuais à les entendre m'appeler derrière la porte. Les battements de mon cœur ne se sont calmés qu'une fois arrivée dans la cuisine, à l'arrière de la maison où, enfin, tout était silencieux et où j'ai pu m'asseoir, respirer, et me concentrer sur le tic-tac tranquille de la pendule.

Zhang est restée avec nous un petit moment. La police scientifique avait fouillé la maison pendant mon interrogatoire, et elle voulait vérifier qu'ils avaient tout laissé en ordre à l'étage, dans la chambre de Ben.

Elle a tiré les rideaux du salon afin que les journalistes ne puissent rien voir à l'intérieur. Puis elle nous a conseillé de n'ouvrir à personne sans avoir d'abord vérifié de qui il s'agissait, et de ne pas parler directement à la presse.

— Mais, en même temps, c'est bien qu'ils soient là, a-t-elle dit. C'est une bonne publicité ; cela permettra de faire savoir à un maximum de gens ce qui est arrivé à Ben, et ils pourront nous aider à le retrouver.

Elle s'est assurée que nous avions bien sa carte avec son numéro de téléphone et elle nous a laissées seules. Une partie de moi ne souhaitait pas qu'elle parte. Elle était, et de loin, d'un abord bien plus facile que Clemo. Il me rendait nerveuse en raison de l'autorité qui émanait de lui mais aussi de son détachement, et du pouvoir qu'il avait soudain sur nos vies. Zhang était différente ; elle ressemblait plus à un gentil guide qui pourrait m'aider à me frayer un chemin à travers l'horreur de cette nouvelle réalité et je lui en étais reconnaissante.

Tout était resté sur la table de la cuisine comme Ben et moi l'avions laissé ; un instantané de nos dernières minutes ensemble dans la maison.

Il y avait un bonnet que Ben n'avait pas voulu mettre, un paquet de biscuits au chocolat qu'il avait entamé juste avant de partir, son album préféré de Tintin et une voiture en Lego que je l'avais aidé à construire.

Son bulletin scolaire, reçu la veille par la poste, était aussi sur la table. Je l'avais lu avec beaucoup de plaisir : il était rempli d'éloges enthousiastes de sa maîtresse pour les efforts dont il avait fait preuve ; elle disait combien elle était heureuse de voir qu'il avait trouvé le courage de participer plus à l'oral et qu'il avait gagné en assurance.

Et ce n'était pas seulement la cuisine. Il n'y avait pas un endroit dans la maison qui ne soit empreint de Ben, bien évidemment, puisque c'était chez lui.

Même dans mon bureau au fond du jardin, au bout de la petite allée chaotique, il y aurait des traces de Ben. Mon ordinateur était en veille, une petite lumière clignotant à intervalles réguliers. Et si j'y allais pour le redémarrer, je savais que l'historique d'Internet mentionnerait le jeu en ligne auquel Ben avait joué dimanche matin. Il s'agissait de *Furry Football* : le but était d'engranger des points au fil des parties afin d'acheter des animaux pour former une équipe de football. Ben adorait ce jeu.

Je me battais tous les jours pour qu'il n'y passe pas trop de temps.

Je regardais tout, je voyais tout, mais je ne ressentais rien. Tout était dénué de sens sans Ben. Sans lui, la maison n'avait plus d'âme.

Nicky s'affairait, comme il se doit.

Il en avait toujours été ainsi. Elle ne pouvait pas rester tranquille. S'il n'y avait rien à faire, elle organisait une sortie ou cuisinait. S'activer était sa manière à elle de se détendre.

Quand j'étais plus jeune, chez tante Esther, je pouvais me contenter de passer un après-midi entier à ne rien faire de plus qu'être assise près de la fenêtre de ma petite chambre. Je traçais des contours sur la buée de la vitre, je contemplais les arbres gelés dehors et les formes qu'ils dessinaient sur l'étendue du ciel au-dessus d'eux et j'observais les oiseaux qui se battaient pour les graines dans les mangeoires installées par ma tante. L'hiver, je me languissais de voir l'éclair jaune vif de l'aile d'un chardonneret sur le blanc monochrome de la neige.

À cause du froid, je descendais parfois pour me réchauffer devant la cheminée. Nicky était là avec ma tante Esther : leurs joues rougies par la chaleur du four et les efforts demandés par l'activité dans laquelle elles s'étaient lancées. J'admirais le gâteau qu'elles avaient préparé, tout juste sorti du four, ou bien je humais l'odeur du ragoût qui mijotait.

Tante Esther prenait mes mains, les frottait pour les réchauffer et je sentais ses paumes calleuses à force de jardiner. Elle disait alors : « Rachel, tu as si froid. Prends une tasse de thé, ma chérie. » Et Nicky ajoutait : « Rachel où sont tes mitaines ? Celles que je t'ai offertes à Noël ? » Mais je m'éloignais d'elles, de leur intimité, de la douceur domestique, et je me glissais dans un fauteuil près du feu, sous une couverture, pour me plonger dans un livre ou m'absorber dans le spectacle dansant des flammes.

Dans les jours qui suivirent la disparition de Ben, alors que j'étais pratiquement catatonique, sous le choc, il était normal, pour Nicky, de fonctionner à ma place, comme elle l'avait toujours fait. Elle a répondu aux messages de plus en plus affolés qu'avait laissés ma meilleure amie Laura sur mon téléphone, tout au long de la journée, et a fini par lui proposer de venir. Elle a parlé avec Peter Armstrong qui lui a dit que le chien avait une patte cassée mais qu'il se remettait tranquillement chez le vétérinaire qui l'avait soigné. Elle avait installé son ordinateur portable sur la table de la cuisine et passait des heures sur Internet.

Le premier jour, elle a trouvé l'adresse d'un site Web américain dédié aux enfants disparus qui recommandait d'établir une liste de questions pour la police : ce qu'elle a fait. Elle énumérait à voix haute, et au fur et à mesure, toutes les informations qu'elle y recueillait. Ces mots, horribles, provenaient d'un monde auquel je refusais d'appartenir. Ils me donnaient la nausée mais il était impossible de la faire taire.

Elle m'a dit que, d'après ce site Web, les limiers étaient les chiens requis pour ce genre de recherches, qu'ils étaient capables de suivre la trace d'un enfant à son odeur même si le ravisseur l'avait enlevé pour l'emmener au loin. Elle m'a demandé à quelle race de chiens la police avait eu recours dans les bois. Je lui ai dit qu'il s'agissait de bergers allemands. Puis elle a continué à regarder le site et à griffonner des notes dans un carnet qu'elle gardait hors de ma portée. Elle avait les lèvres pincées en une expression sinistre.

Au bout d'un certain temps, elle m'a demandé :

— Tu as vu John, après l'interrogatoire ?

— Non, ils l'ont emmené dans une autre salle que celle dans laquelle ils m'ont interrogée.

— Tu devrais lui téléphoner. Ce serait bien de savoir ce qu'ils lui ont posé comme questions.

— Il dit que c'est ma faute et que je suis responsable.

— Ce n'est *pas* ta faute.

Mais je savais que si.

— Qu'est-ce qu'ils voulaient savoir ? Tu peux en parler ?

— Ils m'ont posé des tas de questions, ils voulaient toutes sortes de détails : mon histoire familiale, tout ce qui concernait Ben depuis sa naissance ; en gros, tout ce qu'il est possible de savoir.

Je n'ai pas précisé qu'ils avaient aussi voulu savoir ce que Ben avait mangé dimanche, au déjeuner.

— Ils t'ont posé des questions sur notre famille ?

— Ils voulaient tout savoir.

— Qu'est-ce que tu leur as dit ?

Elle a levé les yeux de son écran : ils étaient rouges.

— Je leur ai raconté ce qui s'était passé. Qu'est-ce que je pouvais leur dire d'autre ?

— Oui, évidemment.

Elle s'est de nouveau penchée sur son écran.

— Sur le site, ils expliquent que les membres de la famille doivent essayer de s'entendre sur la manière d'envisager les relations avec la police. Que c'est vraiment efficace.

— Je suis incapable de parler à John maintenant.

Je n'en avais pas le courage. J'avais commis, pour une mère, le pire des péchés : je ne m'étais pas occupée de mon fils.

— Je monte.

Dans la chambre de Ben, le travail de la police scientifique était à peine perceptible. L'un de ses jouets préférés était resté sur son lit, au milieu d'un fouillis de draps dans lequel il aimait dormir. C'était Baggy Bear, un ourson en peluche aux yeux de biche et aux oreilles mordillées, les bras mous, tout doux, avec une écharpe bleue tricotée que Ben voulait toujours que je noue d'une certaine façon. J'ai serré Baggy Bear sur ma poitrine. Et j'ai pensé : *Je ne peux pas partir de la maison maintenant, au cas où il reviendrait ici.* L'absence de Ben se faisait sentir partout, et le silence semblait amplifié et devenir hostile comme un cancer qui se propage insidieusement.

Je me suis allongée sur le lit de Ben et je me suis mise en boule, toute recroquevillée. J'ai senti quelque chose qui me gênait et j'ai changé de position pour l'attraper. C'était la vieille couverture de son petit lit d'enfant. Il l'appelait « nunny »[1] et il l'avait depuis qu'il était bébé. Elle était très douce et, le soir, afin de s'endormir, il l'entourait autour de

1. Mot d'enfant proche de nanny : nounou.

ses doigts pour se caresser le visage avec. Il ne l'avait jamais avoué à personne d'autre que moi, mais il ne pouvait pas dormir sans. J'ai essayé de chasser l'idée qu'il avait déjà passé une nuit sans cette couverture tout en me disant que c'était sûrement le cadet de ses soucis.

Je l'ai roulée en boule et l'ai serrée contre moi, avec Baggy Bear. Je sentais l'odeur de Ben tout autour de moi : sa vieille couverture, ses draps et l'ours en peluche. Cette odeur parfaite qu'il avait toujours eue. L'odeur des cheveux de bébé, légers comme une plume, celle de la peau sur ses tempes, douce comme du velours. C'était l'odeur de la confiance aveugle et d'une curiosité parfaite et innocente. L'odeur de nos promenades avec le chien et des jeux auxquels nous jouions ensemble, des choses que je lui racontais, des repas que nous avions partagés. C'était l'odeur de notre histoire. J'ai respiré cette odeur comme si elle pouvait me ranimer, me donner des réponses, de l'espoir, et je suis restée là, dans cette position, à attendre. Je ne savais pas quoi faire d'autre.

Quand Laura est arrivée, Nicky l'a accueillie et je les ai entendues parler à voix basse et d'un ton sérieux. Dans la vraie vie – celle qui était la nôtre avant que Ben se fasse enlever – elles n'avaient jamais été proches. J'étais la seule chose que ces deux femmes avaient en commun, et leurs chemins ne s'étaient croisés qu'une ou deux fois jusqu'à ce jour. En d'autres circonstances, elles n'auraient sans doute jamais passé du temps ensemble sans en être grandement agacées.

En comparaison du conservatisme de Nicky et de son approche sérieuse et réfléchie de la vie, Laura était frivole, joueuse, inconséquente, indisciplinée et, parfois, franchement délirante. Elle était toute frêle, avait les cheveux coupés court à la garçonne et de grands yeux marron, et riait fort. Quand je l'avais rencontrée pour la première fois alors que nous faisions toutes deux nos études d'infirmière, elle m'avait tout de suite fait rire et m'avait appris à savoir jouer. Elle a été la première personne à le faire. Je trouvais cela excitant.

Elle n'était pas toujours aussi légère, bien sûr. Il lui arrivait aussi de traverser des moments sombres, mais elle était très discrète à ce sujet. Je n'en avais qu'un bref aperçu quand l'alcool lui déliait la langue.

— J'étais un accident, m'a-t-elle dit un jour.

Je la connaissais déjà depuis un bon nombre d'années. Nous n'étions plus étudiantes mais nous avions gardé l'habitude de sortir le soir pour faire la fête au moins une fois par semaine. L'alcool pesait sur ses mots.

— Mes parents ne voulaient pas de moi. Quelle ironie, n'est-ce pas, que deux personnes, parmi les cerveaux les plus brillants de tout le pays, comme ils aimaient à le répéter, aient commis une erreur aussi triviale ? Tu ne trouves pas ?

Elle l'avait dit sur le ton de la plaisanterie mais les coins de sa bouche tombaient et elle avait le regard morne et fatigué.

— Ils ne voulaient pas avoir d'enfant ?

— Non, ce n'était pas prévu. Ça ne l'a jamais été. Ils ne s'en sont pas cachés. Pour être honnête, je m'étonne même qu'ils aient eu des relations sexuelles. En plus, ils étaient déjà vieux quand ils m'ont eue.

Elle avait ri.

— Ils ont dû tomber sur un manuel qui expliquait comment faire, et trouver dix minutes à perdre avant *Newsnight*.

Évidemment, n'ayant pas de parents, comment aurais-je pu porter un jugement sur la manière dont elle se moquait des siens ? Et pourtant, elle parlait sur un ton qui m'avait mise mal à l'aise et, même si j'avais ri par politesse, cela m'avait attristée.

— Tu veux des enfants ? lui avais-je demandé, cette nuit-là.

J'avais moi-même un secret à dévoiler, qui expliquait pourquoi j'étais restée sobre.

— Oh, je n'en sais rien, avait-elle répondu.

Et j'avais cru voir passer un éclair de tristesse sur son visage.

— Mais il ne faut jamais dire jamais.

Elle avait fermé les yeux, s'abandonnant à l'heure tardive et aux effets soporifiques du vin. Assise à côté d'elle, je n'avais pas encore sommeil, et j'avais glissé une main sous mon haut et l'avais posée sur mon ventre en pensant au bébé qui s'y développait. C'était Ben. Mon accident. Et je l'aimais déjà.

Les marches ont grincé sous les pas de Laura qui grimpait l'escalier avec précaution. Arrivée en haut, elle s'est arrêtée et m'a appelée :

— Rachel ?

— Je suis là.

Sur le seuil de la chambre de Ben, elle a demandé :

— Tu veux que j'allume ?

— Non.

Elle s'est allongée à côté de moi et m'a serrée dans ses bras : une étreinte beaucoup plus familière que celle de Nicky.

— Je n'ai pas su le protéger, ai-je dit. C'est ma faute.

— Chut ! Tais-toi. Peu importe. L'essentiel est de le retrouver.

Malgré la pénombre, j'ai vu qu'elle avait les yeux mouillés. Une larme a glissé le long de ses joues, accrochée au bout de son nez, laissant une trace noire d'eye-liner dans son sillon.

Nous sommes restées dans cette position jusqu'à ce qu'il fasse nuit noire. Seule la lueur des réverbères, dehors, et le patchwork géométrique de la lumière en provenance des autres maisons nous éclairaient.

Zhang nous avait dit de regarder le journal télévisé de 18 h.

À six heures moins le quart, je me suis souvenue que j'aurais dû être à une réunion de parents d'élèves pour discuter du bulletin scolaire de Ben.

Laura a dit :

— Ne t'inquiète pas. N'y pense même pas. Tu pourras y aller à un autre moment dans la semaine, quand il sera rentré.

Le premier sujet traité concernait un reportage sur les inondations au Bangladesh : des milliers de morts.

Ben était le deuxième gros titre.

L'inspecteur principal Fraser, que je n'avais fait que croiser, était debout sur les marches devant

Kenneth Steele House et lançait un appel à la population « pour qu'on les aide dans leur enquête ».

— Nous sommes extrêmement inquiets pour ce jeune garçon, a-t-elle dit, et nous incitons vivement toutes les personnes susceptibles d'avoir des informations le concernant à nous contacter.

Elle était tirée à quatre épingles dans son uniforme. Ses cheveux gris frisés, ses lunettes à montures métalliques posées sur le bout de son nez et son regard perçant lui donnaient l'air d'une intellectuelle coincée.

— Nous enjoignons la population à ne pas organiser de recherches sauvages, a-t-elle ajouté. Cependant, nous remercions les membres de la communauté qui proposent leur aide.

Un numéro d'assistance téléphonique et la photo de Ben que j'avais donnée à la police apparurent en grand à l'écran.

Découvrir que l'histoire dont on parle au journal télévisé est la vôtre est la chose la plus étrange au monde : vous comprenez qu'une personne que vous ne connaissez pas a la charge de retrouver votre enfant, et vous devez accepter que vous êtes tout autant en retrait que n'importe qui d'autre écoutant les informations, et que vous êtes impuissant. Quand le visage de Ben a disparu de l'écran, Laura a éteint la télévision. J'aurais voulu hurler de chagrin ou de rage ; je me suis abstenue. Mes mains tremblaient et mon estomac se retournait, menaçant de régurgiter le thé que j'avais bu et les morceaux de toast que je m'étais forcé à avaler sur ordre de ma sœur.

Ce n'est que plus tard dans la soirée qu'il a été question de la conférence de presse. La police m'a téléphoné. Ils voulaient que je fasse une apparition devant les caméras le lendemain matin : il s'agissait de lire un communiqué demandant qu'on nous aide à retrouver Ben. Ils m'enverraient une voiture.

— Je ne peux pas quitter la maison, ai-je dit. Que se passera-t-il s'il revient ?

— Je vais rester ici, a dit Laura. Tu dois y aller. Je vais rester.

— Tu veux que je reste ? a demandé Nicky. Je peux rester.

Toutes deux m'ont regardée, attendant que ce soit moi qui décide.

— Nicky doit venir avec moi, ai-je dit.

Laura était ma meilleure amie, mais Nicky était la tante de Ben, notre seule parente.

— Elle a raison, a fait remarquer Laura en s'adressant à Nicky. Tu dois y aller.

Puis elle s'est tournée vers moi.

— Et c'est très bien qu'on puisse te voir à la télé. Les gens s'intéresseront d'autant plus à Ben. Vraiment. Je viendrai demain matin avant que vous partiez, et je ne bougerai pas d'ici jusqu'à votre retour. Je te le promets.

Laura a demandé à ma sœur de me choisir une tenue car il fallait que je sois aussi présentable que possible. Elle a dit que c'était important, même si cela semblait ridicule de penser à ce genre de choses dans un moment pareil. Elle a regardé de près l'entaille sur mon front et j'ai tressailli quand elle y a touché.

— Je ne crois pas qu'on puisse la camoufler avec du maquillage, si c'est ce que tu avais en tête, a dit Nicky. C'est trop à vif.

Laura a scruté la balafre. Je voyais son regard en suivre la trajectoire sur mon front.

— On verra ce qu'il en est demain matin, a-t-elle dit.

— Et si on la recouvrait d'un pansement ? a suggéré Nicky

— Non. Ce sera moche à la télé, et ça assombrira son visage. Dans le pire des cas, on la laisse comme c'est. Ça ne se voit pas tant que ça.

Mais nous savions toutes les trois que ce n'était pas vrai.

Quand Laura a été partie en promettant d'être là à l'aube le lendemain matin et que nous étions dans la cuisine, Nicky m'a dit :

— Tu lui fais confiance ? Je ne suis pas sûre qu'elle devrait rester ici toute seule.

— Qu'est-ce que tu veux dire ?

— Elle est l'une d'entre eux.

Elle a esquissé un geste en direction de la porte, dehors, là où les journalistes faisaient le pied de grue, et d'où nous parvenaient leurs voix dont nous avions entendu enfler la clameur, parfois entrecoupée de rires, tout au long de la soirée.

— Elle n'est pas comme eux, ai-je dit. Elle écrit pour la presse *people*, des articles sur le maquillage. C'est du vent. Ce n'est pas de l'information.

— C'est du même tabac, ils font tous partie de la même race.

— C'est mon amie. Ma meilleure amie.

— D'accord. Si tu lui fais confiance, tout va bien.

— Oui, j'ai confiance en elle. Je n'arrive pas à croire que tu puisses dire une chose pareille.

— Excuse-moi.

Nous avons entendu l'eau qui chauffait dans la bouilloire. Nicky s'est appuyée contre le comptoir de la cuisine, le regard perdu au loin. Mais je savais que dans sa tête les pensées s'agitaient. Pour la première fois depuis le début de la soirée, il m'est venu à l'esprit de lui demander des nouvelles de sa famille.

— Comment vont les filles ?

Elle s'est ressaisie, avec une drôle d'expression dans les yeux. De la culpabilité, peut-être, rapidement occultée : ses quatre filles étaient en sécurité à la maison alors que mon fils unique avait disparu.

— Tu vas le leur dire ?

— Je pense qu'il est impossible de faire autrement, avec les infos à la télé et dans les journaux.

— Est-ce qu'elles ont besoin que tu sois avec elle ? Il ne faut pas que tu rentres à la maison ?

— Non, a-t-elle répondu, avec certitude. En ce moment, ma place est à tes côtés. Ça va aller.

Elle a clos le sujet en me tournant le dos pour préparer le thé avec des gestes précis et mesurés.

Une fois couchée, je n'ai pas pu dormir. J'ai monté la garde toute la nuit dans la chambre de Ben. J'ai laissé les rideaux ouverts, et suis restée allongée sur son lit, balayant des yeux le contour de ses affaires. Les livres, les jouets et tout le reste, que Ben avait amassés et rangés sur ses étagères, étaient sans vie, comme des objets exposés dans un musée. Je me suis assise, enveloppée dans sa couette, et j'ai observé les ombres dans chaque coin de la pièce avant de porter mon regard à l'extérieur.

J'ai vu un renard sauter par-dessus la clôture dans le jardin du voisin : il se déplaçait furtivement, en flairant le sol pour trouver quelque chose à manger qu'il a dévoré, en l'engloutissant à toute vitesse, sauvagement, d'une manière horrible. Quand il en a eu fini, il s'est léché les babines avec gourmandise avant de disparaître dans la nuit.

J'ai éprouvé toutes les nuances de la peur : une peur viscérale, oppressante, qui me faisait frissonner et me donnait des palpitations. Je ne me suis endormie qu'au petit matin. Quand je me suis réveillée, j'avais l'impression d'étouffer, je cherchais de l'air et repoussais la couette comme une chose hostile, venimeuse, et j'ai découvert ma sœur debout dans la pièce, l'air effrayé qui me disait :

— Rachel, est-ce que ça va ? Rachel !

Nous sommes restées là, toutes les deux, assises, jusqu'au lever du jour, comme si nous étions seules au monde.

JIM

Addendum au compte rendu de l'inspecteur James Clemo pour le Dr Francesca Manelli

Retranscription faite par le Dr Francesca Manelli

Inspecteur James Clemo en consultation avec le Dr Francesca Manelli

Les notes évoquant l'état d'esprit et le comportement de l'inspecteur Clemo, quand les siennes seules ne sont pas suffisantes, sont en italique.

F.M. : Aujourd'hui, j'aimerais que nous commencions par parler de votre relation avec Emma Zhang.

J.C. : Il n'y a pas grand-chose à en dire.

F.M. : Vous vous fréquentiez quand l'affaire Benedict Finch a commencé ?

J.C. : Oui.

F.M. : Depuis combien de temps ?

J.C. : À peu près quatre mois.

F.M. : Et tout se passait bien ?

J.C. : Oui, en effet. C'est ce que je croyais.

F.M. : Mais votre relation n'était pas officielle ?

J.C. : Je ne voulais pas de commérages.

F.M. : Vous étiez embarrassé ?

J.C. : Non. Oh, non. Tout le monde aurait été fier de sortir avec Emma.

F.M. : Pourquoi ?

J.C. : Elle est très intelligente et c'est une femme magnifique. Et drôle, aussi, quand vous la connaissez bien.

F.M. : Elle a l'air charmante.

J.C. : Elle était plus que ça encore ; je n'en parle pas très bien. Elle était différente des autres filles avec lesquelles j'étais sorti.

F.M. : En quoi était-elle différente ?

J.C. : Elle était... Ce n'était pas quelqu'un d'ordinaire ; elle n'était pas quelconque comme l'étaient les autres. C'était comme si elle vivait différemment ; et rien de ce qu'elle ne connaissait pas ne lui faisait peur : elle voulait toujours apprendre, et devenir meilleure. Enfant, elle était sportive de haut niveau et elle avait les meilleures notes. Elle a gardé cette motivation. Pour elle, que la vie soit intéressante, excitante était une évidence. Vivre ne se résumait pas aux emprunts immobiliers, aux vacances organisées ou encore à savoir où sortir le vendredi soir. Je ne veux pas avoir l'air de dire que la réussite l'obsédait ou la rendait maniaque, car elle n'était pas comme ça, non. Elle prenait les choses calmement. C'est juste qu'elle aspirait toujours à rendre la vie meilleure qu'elle n'était.

F.M. : Elle était donc très ambitieuse ?

J.C. : Oui, mais dans le bon sens du terme. Elle avait quelque chose de revigorant. C'était le mot que je cherchais. Elle était pleine de vie. Elle avait une autre manière de penser et, pour être honnête, c'était contagieux. J'avais l'impression de sortir de moi-même, c'était comme si elle me révélait, si je puis dire.

F.M. : On dirait que votre relation avec Emma mettait du piment dans votre vie, un appétit de vivre que vous n'aviez jamais connu avant.

J.C. : Oui, c'est ça. C'était excitant. Être avec elle me donnait de la force.

F.M. : Vous êtes-vous rencontrés dans le cadre du travail ?

J.C. : Oui.

F.M. : Vous vous voyiez souvent en dehors ?

J.C. : Autant que possible. D'une certaine façon, au moment où l'affaire a commencé, elle vivait plus ou moins chez moi.

F.M. : C'était donc une relation que vous preniez au sérieux ?

J.C. : Elle avait gardé son appartement mais elle passait la plupart des nuits chez moi. Ça s'est fait tout seul, sans qu'on en discute vraiment.

F.M. : Avez-vous présenté Emma à votre famille ?

J.C. : Oui. Elle a rencontré mes parents deux fois, quand ils sont venus à Bristol. Nous sommes allés dîner ensemble.

F.M. : Comment ça s'est passé ?

J.C. : Très bien. Ils l'ont vraiment appréciée. Même mon père est tombé sous le charme.

F.M. : Avez-vous rencontré les parents d'Emma ?

J.C. : Non.

F.M. : Y a-t-il une raison à ça ?

J.C. : Pas particulièrement. À cette époque-là, je pensais probablement que le moment viendrait de les rencontrer quand elle serait prête. Je savais qu'elle n'était pas proche d'eux. Elle n'allait jamais les voir et ils ne venaient jamais lui rendre visite, pour autant que je sache, bien sûr.

F.M. : Vous êtes-vous demandé quelle en était la raison ?

J.C. : Elle m'avait dit qu'ils s'étaient brouillés.

F.M. : Vous a-t-elle expliqué pourquoi ?

J.C. : Elle n'a pas vraiment donné d'explication. J'avais l'impression que son père était plutôt strict, l'image même du gars qui travaille dans l'armée, un homme pas facile mais, en vérité, je n'en sais rien. C'était l'un de ses traits de caractère : elle était très secrète au sujet de sa famille.

F.M. : Vous n'étiez pas curieux ? Vous n'aviez pas envie d'en savoir plus ?

J.C. : Si, un peu. Mais elle n'en faisait pas grand cas et nous étions assez occupés, donc je n'y pensais pas vraiment.

F.M. : Et vous l'avez recommandée pour être agent de liaison avec la famille ?

J.C. : Oui, en effet.

F.M. : Était-ce risqué ?

J.C. : Non, je ne crois pas. J'ai pensé qu'elle ferait un super boulot. Emma était l'un des meilleurs enquêteurs que nous ayons eu depuis des années, tout le monde le disait.

F.M. : Étant donné la relation que vous aviez avec elle, était-ce professionnel de la recommander ?

J.C. : Ce n'était pas un manque de professionnalisme.

F.M. : Vous en êtes sûr ?

J.C. : Oui, j'en suis sûr. Écoutez, j'ai dérogé à mes principes en sortant avec Emma. Je n'avais jamais voulu avoir de relation avec quelqu'un de la même équipe que moi. Mais, quand c'est arrivé, cela m'a semblé… si juste. J'ai donc laissé faire. Et quand cette opportunité s'est présentée, j'ai pensé qu'elle serait parfaite pour ce rôle. Sincèrement. Sinon, pourquoi aurais-je mis ma réputation en jeu ?

F.M. : D'accord. Je comprends. Il est évident, d'après votre compte rendu, que cette affaire était un moment clé dans votre carrière. « Vas-y. Montre-leur ce dont tu es capable. » Ce sont les mots que vous avez utilisés, je crois.

J.C. : C'est comme ça que je le sentais.

F.M. : C'était excitant.

J.C. : C'était un défi, un gros enjeu, la possibilité…

F.M. : … de briller ?

J.C. : Oui, je suppose. Mais je ne l'aurais pas formulé ainsi. C'était la première fois que j'avais la chance d'être impliqué dans une affaire importante, très médiatisée.

F.M. : Vous vouliez faire vos preuves ?

J.C. : C'était l'occasion.

F.M. : Et votre première tâche importante a été de préparer la conférence de presse.

J.C. : Oui, après avoir mené les premiers interrogatoires.

F.M. : J'ai vu l'enregistrement de cette conférence de presse.

J.C. : Je crois que tout le monde l'a vue. Impossible de l'oublier.

F.M. : En effet. Vous y étiez. Je vous ai vu.

J.C. : Oui, c'est moi qui ai supervisé la conférence.

F.M. : Pourquoi pas Fraser ?

J.C. : Selon elle, chacun mérite d'avoir sa chance. Elle m'a donc confié la responsabilité du déroulement de la conférence, et de la rédaction du communiqué qu'elle voulait que Rachel Jenner lise. Pour ce faire, j'ai travaillé avec le psychologue expert judiciaire. C'était une grosse responsabilité.

F.M. : Votre but était donc de séduire le ravisseur de Ben, en utilisant la mère, pour obtenir sa sympathie en espérant pouvoir le convaincre d'entrer en contact avec la police ?

J.C. : Avec nous ou encore avec quelqu'un de son entourage, quelqu'un en qui il aurait eu confiance. C'était important qu'il comprenne que Ben était une personne et pas seulement une acquisition ou un moyen pour arriver à ses propres fins. Nous voulions lui donner l'image d'une famille aimante. Il était important de ne pas s'aliéner le ravisseur. Nous voulions qu'il prenne conscience qu'il n'était pas trop tard pour rendre l'enfant, s'il était encore en vie, qu'il n'est jamais trop tard pour ça, même s'il avait peur des conséquences. Nous voulions avoir l'air sympathiques. À ce moment-là, il n'était pas encore évident de savoir s'il s'agissait d'un enlèvement ou d'un meurtre.

F.M. : Vous avez donc demandé à Rachel de lire quelque chose qui recouvrait toutes ces intentions ?

J.C. : Oui. En tout cas, c'était ça l'idée.

F.M. : Comment avez-vous su que vous pouviez lui faire confiance pour utiliser le ton qu'il fallait ?

J.C. : Je ne le savais pas.

F.M. : Avez-vous envisagé de filmer le père ?

J.C. : Nous y avons pensé. Mais il y avait chez lui un petit quelque chose qui faisait que nous n'étions pas sûrs qu'il passerait bien à la télévision. En tant que chirurgien, il était habitué à être une figure d'autorité. Nous craignions qu'il ne paraisse arrogant. Ce qu'il fallait, c'était une mère, la douceur d'une mère.

F.M. : Et vous pensiez qu'elle pourrait donner cette image-là ?

J.C. : Nous n'avions pas le temps de mener une étude psychologique poussée. C'était sa mère. Nous pensions qu'elle le ferait car, à ce moment-là, nous n'avions aucune raison d'en douter.

TROISIÈME JOUR

Mardi 23 octobre 2012

Faites attention à votre image publique. Même si ce n'est pas le genre de renommée que vous recherchez, vous pouvez acquérir une certaine « célébrité » en raison de votre implication constante avec les médias. Par conséquent, pour l'intérêt de votre enfant, comportez-vous comme si vous étiez constamment observés. Ne faites rien qui puisse vous montrer sous un mauvais jour et ternir votre réputation.

« When Your Child is Missing : A Family Survival Guide », *Missing Kids USA Parental Guide*, U.S. Department of Justice, OJJDP Report

PAGE WEB WWW.INFO24H7J.CO.UK/UK/ BRISTOL

Bristol 23 octobre 2012, 6h18

Craintes grandissantes pour la vie de Benedict Finch, huit ans, porté disparu dans la forêt de Leigh Woods près de Bristol, dimanche après-midi.
Danny Deal

Hier soir, l'inspecteur principal Corinne Fraser a annoncé que la police était inquiète pour la vie du petit garçon disparu. « Vous avez vu les conditions météorologiques que nous avons eues, a-t-elle déclaré. Le froid, la pluie : personne ne souhaite voir un petit garçon dehors par un temps pareil. »

« Il est possible que Benedict Finch ait été victime d'un acte criminel », a-t-elle ajouté. Mais elle a mis l'accent sur le fait que toutes les voies d'investigation restaient ouvertes. « Pour le moment, personne n'a été enlevé, personne n'est suspect. »

Les gens en possession d'informations concernant Benedict Finch sont vivement encouragés à téléphoner à la police. « Nous demandons à tous ceux qui pensent détenir des informations susceptibles de nous aider à retrouver le petit garçon de nous contacter. »

L'inspecteur principal Fraser a révélé qu'ils avaient déjà reçu 130 appels sur la hotline dédiée à la disparition de l'enfant.

« Je voudrais adresser mes remerciements les plus sincères à tous ceux qui nous soutiennent dans nos recherches pour retrouver Ben », a-t-elle dit. Elle a encouragé la population à se rendre à la salle des fêtes de Abbots Leigh où un centre d'action bénévole a été ouvert afin de coordonner les recherches.

Toute personne ayant des informations peut appeler la hotline au numéro suivant : 0300 300 3331.

5 personnes ont commenté cet article

Donald McKeogh
Nous ne devons pas oublier ce petit garçon. Les journaux ont offert une récompense de 25 000 £. C'est très bien. J'espère qu'il sera bientôt de retour chez lui sain et sauf.

Jane Evans-Brown
Et où est le père, dans tout ça ?

Jamie Frick
Il y a un truc bizarre. Comment un petit garçon peut-il se perdre dans les bois ? Pourquoi sa mère ne l'a-t-elle pas surveillé ?

Catherine Alexander
Étrange. Peut-être que la police ne nous dit pas tout.

Susan Franks
La police ne divulgue que les informations qu'elle juge utile de nous communiquer. Laissons-la faire son travail et prions pour ce petit garçon et pour sa famille. Espérons qu'il soit retrouvé sain et sauf…

RACHEL

Dans la voiture qui m'a emmenée à Kenneth Steele House, des bribes de mots s'échappaient de la radio du tableau de bord ; les arrêts et les redémarrages brusques dus aux embouteillages du matin qui ralentissaient la circulation rendaient le trajet pénible. Nicky s'était maquillée et son parfum était écœurant. J'ai descendu un peu la vitre pour atténuer l'odeur, mais l'air qui entrait était sale, froid et humide.

Nicky et Laura m'avaient persuadée de mettre une jupe, un chemisier et des bottes pour que j'aie l'air présentable. Mais elles n'avaient rien pu faire pour mon front. La balafre était trop profonde et à vif. Cela m'était égal.

Nous ne nous étions pas dit grand-chose, à part quelques conseils murmurés par Laura pour savoir comment me tenir devant la caméra – ce qu'elle avait appris lors de sa formation de journaliste. Je n'avais d'ailleurs pas été capable de me concentrer sur ce qu'elle m'avait dit mais j'avais fait semblant de l'écouter.

Juste avant de partir, elles m'avaient laissée seule un instant dans la cuisine et j'avais vu le carnet de notes que Nicky avait utilisé le soir précédent. Il était posé à l'envers sur la table. Je l'avais retourné, tout en sachant que je n'aurais pas dû, mais je n'avais pas pu m'en empêcher.

Nicky avait relevé des statistiques : « 532 enfants disparus au Royaume-Uni 2011-2012. »

J'ai continué à lire.

« Dans 82 % des cas d'enlèvements, le ravisseur est un membre de la famille. Dans le cas contraire, 38 % sont des enfants enlevés par un/une amie ou une connaissance de longue date ; 5 % par des voisins ; 6 % par des personnes faisant autorité ; 4 % par un tuteur ou une nounou ; 37 % par des inconnus ; 8 % par de vagues connaissances. »

Ce n'était pas fini :

« Le plus souvent, cet acte criminel est le résultat d'une concordance de faits : un coupable avec un mobile, une cible facile à aborder, un manque de vigilance de la part de la personne qui garde l'enfant. »

Je ne pouvais pas m'arrêter de lire. J'étais pétrifiée, fascinée par le ton sec et théorique, et l'horrible contenu. Le paragraphe suivant commençait ainsi :

« Les premières mesures prises par la police sont CRUCIALES. »

Elle avait souligné le mot deux fois, si violemment qu'elle avait transpercé la feuille. Ce qui suivait était pire :

« Quand l'enfant disparu est tué, le tueur... »

Avant que je puisse aller plus loin, Nicky était revenue et m'avait arraché le carnet des mains.

— Ne t'occupe pas de ça ! avait-elle dit. Pas maintenant.

Elle avait empoigné les pages pleines de notes et les avait fourrées dans son sac à main.

— Tu ne dois pas regarder ça. Nous n'en sommes pas là. Je suis désolée. Je n'aurais pas dû laisser traîner ce carnet.

— Mais bon sang, comment as-tu fait pour trouver ça ? avais-je demandé. Qu'est-ce que c'est ? D'où ça sort ? Montre-moi !

J'avais tendu la main pour reprendre les notes mais elle les avait fait disparaître.

— Ne t'occupe pas de ça, Rachel, vraiment, n'y pense pas. Allons-y. C'est l'heure. Laisse-moi te regarder encore une fois.

Elle m'avait prise doucement par les épaules, m'avait observée, avait légèrement froncé les sourcils en voyant mon front et, pendant tout ce temps, j'avais essayé de capter son regard pour y voir ce qu'elle avait lu, et comprendre comment et où elle avait pu trouver toutes ces informations. Je tentai de deviner ce qui, dans sa personnalité, lui donnait le détachement nécessaire pour appréhender le côté le plus sombre de toute cette histoire d'une manière qu'il m'était impossible d'envisager.

Lorsque nous sommes arrivées au commissariat, ils nous ont accompagnées jusqu'à la même salle que celle où j'avais été interrogée la veille. Quelqu'un avait disposé pour nous quatre macarons sur une assiette. Le cœur des gâteaux était rouge sang, poisseux comme une plaie ouverte. La pièce sentait le thé trop infusé.

Je me suis assise avec Nicky. Zhang et Clemo revoyaient le communiqué que l'inspecteur voulait que je lise à voix haute, un appel au ravisseur de Ben. Je parcourais les mots, qui me semblaient surréalistes, avec un sentiment de détachement. Ils ne correspondaient en rien à la manière dont je m'exprimais habituellement. J'étais très mal à l'aise.

Clemo était comme monté sur ressort.

— Est-ce que ça va aller ? a-t-il demandé.

— Je crois.

— C'est important que vous soyez aussi calme et claire que possible. Il est primordial de s'accorder les bonnes grâces du ravisseur et de ne pas l'affoler.

J'ai pris de petites inspirations et me suis concentrée sur la page devant moi. Les mots flottaient.

— Vous êtes sûre de pouvoir le faire ? a-t-il redemandé.

Sa voix était tendue, il avait désespérément besoin que je dise « oui ».

— Tu veux que ce soit moi qui le fasse ? a proposé Nicky.

Je l'ai regardée : son visage exprimait sa volonté de me venir en aide.

Que répondre ? J'étais la mère de Ben.

— Non, je veux le faire. C'est à moi de le faire.

— C'est bien. Bravo.

C'est la réponse qu'attendait Clemo. Il s'est levé, en vérifiant l'heure à sa montre.

— Serez-vous prête dans un quart d'heure ? a-t-il demandé.

J'ai hoché la tête.

— Je vous retrouve là-bas. Je serai assis juste à côté de vous. Emma, fais-les descendre dans une dizaine de minutes.

Dans le sillage de Zhang, Nicky et moi avons traversé des couloirs au sol couvert de moquette, jusqu'à ce que nous arrivions devant une double porte indiquant : « Salle Cabot ». À l'intérieur, j'ai été invitée à m'asseoir derrière une table étroite. Avec moi, en rang, étaient assis Zhang, Clemo, l'inspecteur principal Fraser, et John, qui m'a saluée d'un petit signe de tête, la mâchoire serrée par l'effort qu'il faisait pour contrôler ses émotions.

Nicky a trouvé une place sur le côté ; elle a dû rester debout car toutes les chaises étaient occupées. La salle était pleine à craquer de journalistes. Des caméras de télévision étaient installées au fond avec les photographes. Il y avait plus d'objectifs braqués sur moi que je ne pouvais en compter.

Ceux qui étaient assis utilisaient des ordinateurs portables, des tablettes, ou des appareils enregistreurs qu'ils étaient occupés à mettre au point. Derrière nous, sur le mur, un immense logo de la police de l'Avon et du Somerset et, de chaque côté, la photo de Ben, avec un numéro de téléphone et une adresse e-mail.

Sur la table devant nous des micros étaient alignés, reliés à des fils qui serpentaient. Je me suis servi un peu d'eau d'une carafe prévue à cet effet et en ai avalé une gorgée. Ma bouche était sèche, mon cœur battait à tout rompre. Le brouhaha dans la pièce était oppressant. Le bruit des appareils et les voix s'entremêlaient pour ne plus ressembler qu'à une clameur confuse d'où, de temps à autre, s'échappait mon nom.

Clemo a appelé au calme sur un signe de l'inspecteur principal Fraser. Je me suis agrippée à ma feuille de papier, obligeant mon regard à se concentrer sur les mots. Je n'étais pas vraiment en accord avec ce qu'on voulait que je lise. J'appréhendais avec réticence les phrases soigneusement modulées qu'on avait écrites pour moi.

Clemo a ouvert la conférence. Il était précis et parlait sur un ton empreint d'autorité. Il a été bref, puis m'a présentée, en disant que j'allais lire un communiqué de presse. J'ai posé la feuille devant moi, je l'ai aplanie et me suis éclairci la voix.

— S'il vous plaît, je vous en prie, ai-je commencé, mais ma voix s'est éteinte.

J'ai repris :

— S'il vous plaît, j'appelle toutes les personnes susceptibles d'avoir des renseignements sur la disparition de Ben à contacter la police comme l'a demandé l'inspecteur Clemo. Ben n'a que huit ans, il est très jeune, sa place est à la maison, avec sa famille et ses amis, parce que nous l'aimons tous très fort et que nous sommes très inquiets de ne pas savoir s'il est sain et sauf.

Les larmes coulaient sur mes joues. J'entendais ma voix, presque agressive, déformée par le chagrin. J'ai senti la main de Zhang dans mon dos et j'ai vu Clemo s'agiter, mal à l'aise, sur sa chaise à côté de moi. J'ai pris une grande inspiration, en frissonnant, et j'ai continué :

— Si la personne qui est avec Ben m'entend, je la prie de prendre contact avec nous. Vous n'êtes pas obligé d'appeler la police directement, vous pouvez parler à un avocat ou à quelqu'un en qui vous avez confiance, et on fera ce qu'il faut pour ramener Ben à la maison sain et sauf. C'est une situation inhabituelle pour nous tous…

J'ai dû m'interrompre encore une fois. J'étais arrivée au paragraphe que je détestais. Les mots de Clemo résonnaient dans ma tête : « N'oubliez pas que nous voulons humaniser la situation, m'avait-il dit. C'est pourquoi nous offrons au ravisseur une chance d'être pardonné, afin qu'il n'ait pas peur de nous contacter. »

J'ai essayé de me reprendre. Clemo m'a chuchoté quelque chose à l'oreille mais je n'ai pas compris ce qu'il disait car, à ce moment-là, j'ai entendu John sangloter. Il était penché sur la table, la tête entre les mains, le visage rouge, méconnaissable. Il s'est mis à pleurer bruyamment, les épaules secouées par les sanglots, exprimant une douleur physique intolérable.

J'ai renoncé à essayer de lire. C'était impossible. Je ne pouvais dire les mots écrits sur la feuille que j'avais entre les mains et, plus que tout, j'étais incapable de refouler l'idée, évidente, qui me hantait et qui me coupait le souffle.

J'ai donc soigneusement replié la feuille et l'ai posée devant moi.

Voyez-vous, mon idée était que Ben et son ravisseur regardaient la conférence de presse. Ils voyaient John s'effondrer et m'entendaient dire des mots qui n'étaient pas les miens : les mots de la soumission, de l'acceptation.

J'en étais persuadée et c'était insupportable.

Je me suis levée et tous les objectifs, braqués sur mon visage, ont accompagné ce mouvement. J'ai balayé la salle des yeux et, dans mon esprit, à travers chacun de ces objectifs je croisais le regard du ravisseur de Ben.

— Rendez-le-nous, ai-je dit. Rendez. Le. Nous. Ou c'est moi qui vais partir à votre recherche. Je vous poursuivrai et je vous trouverai, même si je dois y passer le restant de ma vie. Je vous trouverai et je vous ferai payer.

Clemo s'est levé et s'est écrié :

— Madame Jenner !

Il ne savait pas comment faire pour m'arrêter. Je me suis adressée à mon fils en regardant droit dans les objectifs des caméras et des appareils photo, avec la volonté qu'il entende mes mots ; et j'ai dit :

— Je t'aime Ben. Si tu me vois, je t'aime et je vais te retrouver. Je vais venir te chercher, mon amour. Je te le promets.

Et je lui ai souri. J'étais fascinée à l'idée d'avoir réussi à communiquer avec mon fils pour la première fois depuis qu'il avait disparu. Je l'imaginais en train d'écouter ce que je lui disais, dans un endroit bizarre, et d'enfin se sentir moins seul, moins perdu et, peut-être, d'espérer.

Les journalistes ont commencé à m'interpeller, mais j'avais l'impression d'avoir remporté une victoire. Si Ben regardait, je venais de me mettre en contact avec lui. Et, dans ce cas, il n'avait pas juste été le témoin de l'effondrement de ses parents, et entendu sa mère utiliser des mots qui n'étaient pas les siens. Au lieu de cela, je lui avais dit que je le retrouverais. Je me sentais euphorique, comme si j'avais accompli quelque chose de juste, de légitime et d'honnête, voire quelque chose de pur, malgré l'horreur de la situation. Dans ma naïveté, j'étais convaincue que la légitimité et l'honnêteté nous mèneraient jusqu'à Ben.

J'ai jeté un œil en direction de l'inspecteur Clemo, attendant un soutien de sa part mais, avec ses joues creusées, il avait l'air de quelqu'un qui vient d'être violemment giflé. Les objectifs étaient toujours braqués sur moi, et les journalistes prenaient des notes dans leurs carnets ou tapaient sur leurs claviers, frénétiquement. Les flashs ne cessaient de crépiter comme des lumières stroboscopiques.

L'inspecteur Clemo, debout à côté de moi, a demandé à la salle de se calmer. Il a posé une main ferme sur mon bras et m'a raccompagnée à ma place. Des auréoles de sueur étaient apparues sous ses aisselles, tachant sa chemise.

— Je suis désolé que Mme Jenner n'ait pas pu terminer la lecture du communiqué, a-t-il dit. Vous pouvez le comprendre, c'est un moment très pénible pour elle. Je vais lire moi-même la suite, si vous le permettez.

Sa voix était empreinte de frustration. L'inspecteur principal Fraser s'est levée pour lui dire quelques mots à l'oreille. Clemo a regardé la feuille avant de continuer, et, quand il s'est remis à parler, il semblait plus calme, bien qu'il soit encore tendu et sur la réserve. Assise à côté de lui, je me sentais forte et j'étais contente d'avoir pu exprimer ce que j'avais à dire. La balafre m'a démangée et j'ai commencé à me gratter le front pendant que je l'écoutais finir de lire le communiqué :

— Je m'adresse à la personne qui détient Ben. Je voudrais réaffirmer que c'est une situation inhabituelle pour nous tous, et qu'il est possible que vous ne sachiez pas quoi faire maintenant. Nous vous suggérons de parler à quelqu'un, quelqu'un en qui vous avez confiance, que ce soit un ami ou un membre de votre famille, ou, comme nous l'avons dit, à un avocat. Demandez qu'on vous aide à ramener Ben chez lui, sain et sauf. La vie de Ben est notre priorité à tous. Il a besoin de sa famille. Merci.

Un brouhaha s'est fait entendre.

— Nous répondrons à quelques questions. Une à la fois. Levez la main, a crié Clemo.

Il a donné la parole à un homme au fond de la salle.

— Pouvez-vous expliquer pourquoi aucune description des vêtements que portait Ben lors de son enlèvement n'a été diffusée ?

— Non, je regrette, je ne peux vous donner aucune information à ce sujet pour le moment.

Clemo a désigné une femme au premier rang.

— J'aimerais poser une question à Mme Jenner, a-t-elle dit.

— Je regrette, ce n'est pas possible.

— C'est bon, ai-je rétorqué, comme une idiote.

Je me suis penchée pour entendre sa question.

Sa voix résonnait, directe et claire :

— Pourquoi souriez-vous, d'où vient cette balafre et que s'est-il passé pour que vous ne soyez pas restée avec Ben dans les bois ?

Ce fut suffisant pour que je me rende compte de ce que j'avais fait et de combien j'avais été stupide.

Mon euphorie a disparu : ce n'était rien de plus qu'un feu d'artifice raté, un ballon dégonflé.

J'avais souri car j'avais cru triompher. Et j'avais cru triompher car j'avais pris l'initiative d'entrer en contact avec mon fils, de m'adresser à son ravisseur comme il le fallait, sans concession.

Mais, désormais, je comprenais que j'avais été stupide. Si mon euphorie et mes mauvaises certitudes avaient été une longue plage de sable blond sur laquelle je me serais réchauffée au soleil, alors la réalité serait une énorme vague prête à tout submerger, une masse d'eau froide et noire, impossible à arrêter, s'engouffrant entre les rochers, faisant rouler les galets, une marée qui monte et qui m'engloutit.

Je me suis reculée sur mon siège jusqu'à ce que le dossier me rentre dans les côtes.

— Ne répondez pas à cette question, a dit Clemo en me rabrouant.

Fraser s'est levée et a dû crier pour se faire entendre :

— Cette conférence de presse est terminée. Nous ferons un point avec vous cet après-midi.

La journaliste avait encore quelque chose à ajouter :

— Rachel ! Avez-vous remarqué que vous avez du sang sur les mains ?

Sa voix a porté loin au-dessus du bruit ambiant, flottant telle une plume entêtée soulevée par le vent. Et ce qu'elle a dit a attiré l'attention de tout le monde. Tous les yeux étaient braqués sur moi.

J'ai regardé mes mains et j'ai vu du sang sur l'une d'elles, des traces rouges poisseuses comme de l'encre, dessinant le contour des empreintes de mon pouce et de deux autres doigts. Avec mon autre main, j'ai touché la blessure sur mon front, qui paraissait humide. Je l'avais fait saigner en me grattant.

— Faites-moi sortir, ai-je demandé à Zhang.

J'avais parlé à mi-voix, mais c'était sans compter les micros, et les mots ont résonné, forts, et emplis d'urgence.

Ils m'ont rapidement aidée à évacuer les lieux. Malgré tout, le bruit de la salle grondait toujours, et le temps que j'arrive à la porte, tout le monde m'interpellait, en chœur :

— Rachel, Rachel, juste une dernière question.

Ils s'étaient tous levés pour me suivre. Zhang m'a poussée dehors. Les portes se sont refermées derrière nous et nous sommes restées un moment dans le couloir. J'entendais Fraser qui criait pour essayer de rétablir l'ordre. Je me suis effondrée par terre.

— Pas ici, a dit Zhang.

Elle m'a attrapée par un bras pour me soulever.

— Je me sens mal, ai-je répliqué.

Mon envie de vomir était irrépressible et j'avais la tête qui tournait, prête à m'évanouir.

— Allons là-bas, a dit Zhang.

Elle m'a emmenée à l'autre bout du couloir et m'a plus ou moins poussée jusqu'à la porte des toilettes. Je me suis précipitée dans l'un des cabinets, et, penchée au-dessus de la cuvette, j'ai d'abord rendu le liquide que j'avais avalé le matin, puis rien d'autre que de la bile.

Les haut-le-cœur étaient douloureux, convulsifs et ont mis du temps à s'apaiser.

— Est-ce que ça va ?

C'était Nicky. Elle s'est accroupie derrière moi, et m'a frotté le dos, entre les épaules. J'étais incapable de répondre. L'odeur du vomi était astringente et désagréable. J'avais honte. Je me suis appuyée à la cloison.

Ma sœur a sorti un mouchoir propre de son sac et me l'a tendu.

— Oh, Rachel ! s'est-elle contentée de dire.

— J'ai été si stupide.

Je me suis essuyé la bouche avec son mouchoir et elle m'en a donné un autre, sur lequel j'ai craché pour essayer de nettoyer le sang sur mes doigts.

— Tu aurais dû t'en tenir à ce qui était écrit.

Elle a tiré la chasse d'eau.

— Que fait-on, maintenant ? a-t-elle demandé à Zhang qui nous observait.

— Nous allons attendre, dans un endroit plus confortable. Quand vous serez prête.

— Attendre quoi ? ai-je demandé.

— Honnêtement, a répondu Zhang, au point où nous en sommes, je n'en sais rien.

JIM

La conférence de presse terminée, Fraser était furieuse. Je suis allé la voir dans son bureau. Elle ne m'a pas invité à m'asseoir. Elle fronçait si haut les sourcils qu'ils disparaissaient presque à la racine de ses cheveux. L'expression sur son visage hésitait entre incrédulité et déception.

— Je me trompe, Jim, ou la police de l'Avon et du Somerset vous paie un salaire ? Et ce n'est pas une question rhétorique.

— Oui, chef.

— Et donc, il me faut la preuve que vous le méritez ! Que ce n'est pas du gaspillage, qu'il ne s'agit pas seulement de pisser dans un violon ! Que s'est-il passé, merde ?!

— Je suis désolé, chef. Rachel Jenner a complètement dérapé. Elle a pété un plomb. Je ne l'ai pas vu venir. J'ai essayé de…

— Vous l'aviez suffisamment préparée ?

— Je croyais, oui. Je lui ai fait lire et relire le communiqué et ça avait l'air d'aller.

— Ça avait l'air ou ça allait ?

— Je lui ai demandé si ça allait et elle a répondu que oui. Je pensais qu'elle tiendrait le coup. Je n'ai pas de boule de cristal, chef.

— Si ça continue comme ça, Jim, des boules vous n'en aurez plus du tout, putain. Je m'en occuperai personnellement et on s'en servira pour décorer les chiottes des filles à Noël. Rachel Jenner a provoqué le ravisseur. C'était ce qu'elle pouvait faire de plus dangereux. Même l'agent chargé de l'accueil aurait pu vous le dire. Et même le balayeur que j'ai croisé dans la rue ce matin ! Je ne suis pas prête à avoir un enfant mort sur les bras juste parce que vous prenez des risques en pariant sur l'état mental de sa mère. Si vous envoyez quelqu'un à une conférence de presse, il faut être *sûr* que cette personne est préparée, sans s'en remettre à la Providence.

Elle appuyait ses propos par de petits gestes saccadés de la main en ma direction.

— Je suis désolé, chef.

— Cette affaire peut à tout moment se transformer en monstre à deux têtes si nous n'attrapons pas rapidement le salaud qui a enlevé Ben. Et je n'aime pas les monstres, Jim. Commencez à utiliser votre cerveau et à réfléchir avant d'agir.

— D'accord.

Je me suis donc fait passer un savon en bonne et due forme. Je n'aurais pas pu imaginer pire pour commencer cette affaire. Je me préparais mentalement à ce qui allait suivre, mais elle en avait fini avec moi.

— Asseyez-vous, nom d'un chien, a-t-elle dit. Sommes-nous face à une mère coupable ?

— C'est possible. Un tel éclat peut masquer une forte émotion. C'est peut-être de la culpabilité.

— Ou du chagrin ? Ou de la peur ?

— Oui.

Fraser tapotait son bureau avec le bout de son stylo.

— Il faut la surveiller de près. Prévenez Emma. Coupable ou non, la mère est totalement imprévisible. Comment le père a-t-il réagi ?

— Il était en colère.

J'avais dû maîtriser John Finch en sortant de la conférence de presse. Il hurlait dans le couloir, m'accusant, accusant Rachel, et il s'était remis à sangloter, craignant que les menaces de Rachel aient fait plus de mal que de bien. Cette crainte était fondée. C'est ce que nous pensions tous.

— Pouvons-nous lui faire confiance et le croire sincère ?

— Je crois, oui. Sa femme a confirmé son alibi. Ils étaient ensemble, à la maison, dimanche après-midi.

— C'est un alibi bien mince.

Fraser avait raison. Nous savions tous que les conjoints ou les parents inventent souvent des alibis pour protéger leurs familles, par amour ou par peur, voire les deux.

— O.K., c'est bon. Il faut limiter les dégâts avec la presse, je m'en occupe. Votre priorité : les interrogatoires. Je veux des renseignements. Savoir si quelqu'un a vu quelque chose. Demandez à Emma de raccompagner la mère chez elle.

— Est-ce qu'il faut que j'interroge Rachel Jenner une deuxième fois ?

— Non. Dissuadez-la juste de parler à la presse. Les réactions à ce qui vient de se passer ne vont pas tarder, inutile de vous le dire. Ensuite, je veux que vous alliez à l'école de Ben. Il faut montrer notre soutien à l'école et à la communauté. Sur place, vous pourrez interroger l'institutrice et essayer de savoir si elle a remarqué des changements chez Ben, ces derniers temps.

— Oui, chef.

Cette mission avait tout l'air d'une punition pour ne pas avoir su contrôler le bon déroulement de la conférence de presse. Et c'en était une, probablement. C'était à un enquêteur, et non pas à un inspecteur, de faire ce qu'elle me demandait. Et nous le savions tous les deux.

— J'y vais tout de suite.

Elle s'est légèrement radoucie.

— En temps normal, je demanderais à un enquêteur d'y aller, mais le commissaire divisionnaire préfère que ce soit un gradé qui soit vu là-bas.

C'était censé être une consolation mais elle m'apparut bien maigre.

RACHEL

Après ce qui s'est passé, les relations que j'avais avec la police se sont dégradées ou, pour être exacte, sont devenues tendues. C'était très clair, même si, en apparence, ils faisaient encore tous preuve d'attention à mon égard.

Je l'ai compris à l'instant même où l'inspecteur Clemo est venu me voir après la conférence. Il avait du mal à contenir son irritation.

Zhang m'avait apporté une autre tasse de thé que j'ai été incapable de boire, et nous avait installées, ma sœur et moi, dans une petite salle d'interrogatoire en attendant que les nausées se calment et que je puisse rentrer à la maison.

Quand Clemo est entré, ses yeux lançaient des éclairs. Il est resté debout, sa carrure corpulente envahissant tout l'espace.

— Rachel, a-t-il dit, vous rendez-vous compte que la conférence de presse ne s'est pas tout à fait déroulée comme prévu ?

Il me tenait. J'ai essayé de répondre, et d'expliquer ce qui s'était passé, mais il m'a interrompue d'un geste de la main, et ce bien qu'il m'ait posé une question.

— Laissez-moi finir, si vous le permettez. À l'heure actuelle, ce qui nous préoccupe le plus, c'est le risque d'une réaction violente contre vous, un retour de bâton. Nous vous conseillons de faire profil bas avec la presse.

— Que voulez-vous dire ?

— Ne leur parlez pas. C'est très simple.

— C'est pour votre sécurité, pour vous protéger, a ajouté Zhang. Et pour protéger Ben.

— Qu'entendez-vous par « réaction violente » ? a voulu savoir Nicky.

— Précisément ce que je viens de vous dire. Cette affaire est très médiatisée. Et, malheureusement, la conférence de presse a fait sensation, mais pour de mauvaises raisons. La population, tout comme nous, a à cœur de trouver Ben mais, contrairement à nous, les gens seront prompts à émettre des accusations, sans même avoir de preuves, et à dénoncer un coupable. Est-ce bien clair, cette fois ?

— J'ai compris, a dit Nicky. Ils vont accuser Rachel.

— C'est déjà le cas.

— Que faut-il faire, alors ?

— Rentrez chez vous, fermez les portes, tirez les rideaux, ne parlez pas aux journalistes. L'enquêtrice Zhang va vous reconduire à la maison.

— Et pour Ben ? ai-je demandé.

— Nous allons continuer à faire tout ce que nous pouvons pour le retrouver et nous vous tiendrons au courant au fur et à mesure.

Cette réponse était aussi neutre et dénuée de sens que la devise d'une entreprise. Si tant est que j'aie jamais eu de lien avec l'inspecteur Clemo, il était désormais rompu, me semblait-il.

— Je suis vraiment désolée, ai-je conclu.

Une fois à la maison, Nicky, Laura et moi avons regardé, en silence, la retransmission de la conférence de presse sur une chaîne télévisée nationale.

J'avais été filmée en gros plan. On aurait dit que je m'étais échappée d'un camp où j'aurais été longtemps retenue prisonnière. Ma blessure au front était saillante et tirait sur mon œil, comme si j'étais défigurée. Les taches rouges sur mes joues pâles me donnaient un air fébrile, presque inquiétant. J'avais les paupières tombantes à cause du chagrin et de la fatigue ; j'étais nerveuse, agitée ; mon regard était affolé. Je ne faisais montre d'aucune dignité, je ne laissais voir aucun signe de vulnérabilité ou d'amour pour mon fils. Je n'exprimais rien d'autre que de la colère, une colère monstrueuse, pleine de haine, presque contre nature.

Et, en effet, le sang sur mes mains était visible.

Au moment où je perds les pédales, quand je suis poussée vers la sortie de la salle où s'était tenue la conférence de presse, j'ai l'air d'une criminelle en fuite.

Je ne sais même pas pourquoi je vous raconte tous ces détails car, à moins que vous n'habitiez Tombouctou, vous avez probablement vu cette conférence de presse. Et d'ailleurs, même en habitant aussi loin, vous auriez pu voir la vidéo sur Internet.

Les images de l'enregistrement se sont répandues sur la toile comme un virus, une infection.

Évidemment. Et maintenant, je comprends pourquoi.

Ma sœur et Laura ont eu chacune une réaction qui résumait parfaitement celles de tout le pays. Nicky représentait le point de vue de la minorité.

Laura :

— Tout le monde va t'accuser. Ils vont dire que c'est toi. Tu as l'air coupable.

Nicky :

— Non, ce n'est pas possible. Ils verront à quel point tu aimes Ben et combien tu es courageuse.

Plus tard, Peter Armstrong est passé. Je ne lui avais pas reparlé depuis qu'il avait retrouvé Skittle dans les bois et qu'il l'avait emmené chez le vétérinaire ; mais il téléphonait régulièrement pour avoir des nouvelles, et Nicky le tenait au courant. Il venait pour ramener le chien à la maison. La manière dont les gens ont réagi après la conférence de presse l'a rendu fou de rage.

— Ça va se tasser, a-t-il dit.

Il était svelte et avait beaucoup maigri depuis son divorce. Il avait les cheveux bruns avec un début de calvitie, et une barbe de plusieurs jours. Il portait un jean, un pull informe et des baskets à la mode chez les jeunes. Il était web designer et, la plupart du temps, travaillait chez lui ; j'avais toujours pensé que sortir un peu plus lui ferait du bien.

— De toute façon, seule une minorité de la population réagit de manière excessive et dramatise ce genre d'événements. Dès que Ben aura été retrouvé, tout le monde aura oublié. Ne vous en faites pas. Ne perdez pas espoir. Vous pourrez encore compter sur vos amis.

Agenouillés autour de son panier, nous caressions Skittle. Quand il se relevait pour marcher, il traînait sa patte arrière qui était fraîchement plâtrée. Pour le moment, il se tenait tranquille, couché, ne remuant la queue qu'à grand-peine. Il se demandait où était Ben. Et moi, j'aurais aimé savoir ce qu'il avait vu.

— La police a parlé au vétérinaire, a dit Peter. Ils lui ont demandé si la blessure de Skittle pouvait donner une indication sur la manière dont il s'est blessé.

— Et alors ? a voulu savoir Nicky.

Il était clair qu'elle aimait bien Peter. Son apparence était tout le contraire de celle de son mari. Simon Forbes était deux fois plus corpulent. Il avait d'épais cheveux noirs, ébouriffés, dont ses filles avaient hérités, même s'ils commençaient à grisonner sur les tempes ; il portait des pantalons en velours côtelé et de vieilles chaussures en cuir avec de grosses semelles, des chemises à carreaux bien repassées sous des vestes démodées. Mais, hormis ces quelques différences, ils paraissaient aussi gentils et sensibles l'un que l'autre : des qualités qui plaisaient beaucoup à ma sœur.

— Le vétérinaire a dit que la fracture était nette, mais que les causes pouvaient être multiples. Il a pu faire une chute ou quelqu'un a pu lui casser la patte en lui donnant un coup. Impossible de trancher.

Nous sommes tous restés silencieux pendant plusieurs secondes, comme suspendus dans le vide. Aucun de nous n'avait envie de parler ; nous savions tous ce que cela signifiait pour Ben et combien cette réalité pouvait être affreuse.

— Comment va Finn ? ai-je demandé à Peter.

— Finn est très affecté. Il est impatient de retrouver son copain.

Peter faisait des efforts pour tenir le coup.

— Mais ça va. Je crois que ça va.

Il n'avait pas l'air convaincu.

— À l'école, tout est mis en œuvre pour gérer au mieux la situation.

Je n'avais pas pensé un seul instant à la manière dont la disparition de Ben pourrait affecter les autres enfants.

— C'est-à-dire ? a demandé Nicky en posant une tasse de thé devant Peter.

— Merci. Eh bien, ils tiennent compte de ce qui s'est passé, ils ne font pas comme si de rien n'était, et le directeur est venu en parler aux enfants. Voilà les informations dont je dispose.

— Il est comment ? a voulu savoir Nicky

— Il est nouveau.

— Les gens disent qu'il n'est pas bien malin, que c'est un mou, ai-je ajouté.

Je ne l'avais jamais rencontré mais, dans la cour de récréation, quand les parents se retrouvaient, tout le monde s'accordait à ce sujet, et ce, deux mois à peine après qu'il avait été nommé.

— Oh, je ne dirais pas ça, a ajouté Peter.

Peter essayait toujours d'arranger les choses, c'était un conciliateur.

— Pour être juste, je pense qu'il s'est fait discret, le temps de trouver sa place et de connaître tout le personnel de l'école.

C'était une manière polie de dire que personne ne l'avait vu depuis qu'il avait pris ses fonctions – car, la plupart du temps, il restait planqué dans son bureau –, et qu'il n'avait pas encore commencé à s'attaquer aux problèmes manifestes qu'il fallait résoudre en urgence dans l'école.

— Il a de l'expérience. Nous espérons donc que, sur le long terme, il fera de bonnes choses.

Et en plus, Peter était optimiste.

— Et Mlle May ?

C'était l'institutrice de Ben et de Finn.

— Je crois qu'elle réagit bien.

Il paraissait surpris. Il n'aimait pas beaucoup Mlle May. D'après moi, elle l'intimidait et lui plaisait aussi un peu. Il ne l'avouerait jamais, mais je l'avais vu rougir quand ils se parlaient dans la cour de récréation. Elle était jeune et jolie et, lors des réunions de parents d'élèves, les pères venaient nombreux.

Dans l'ensemble, je l'aimais bien. Ben aurait pu tomber plus mal : le vilain M. Talbot, toujours débraillé, qui ne corrigeait jamais les devoirs et qui criait ; ou encore, Mme Astor, asociale, qui détestait les enfants – elle prétendait que c'étaient des animaux – et était souvent en arrêt maladie pour surmenage.

Au début, Mlle May intimidait Ben mais, très vite, elle l'avait conquis, ainsi que les autres élèves, en faisant un saut périlleux arrière devant toute la classe. Et les liens entre elle et Ben s'étaient resserrés après que John et moi nous étions séparés.

Ben s'était effondré après le départ de John. Il fondait souvent en larmes. Il était très émotif et devenait parfois colérique. Cela lui ressemblait si peu que, malgré mes réticences et allant à l'encontre de mes principes, j'avais vu la maîtresse pour lui parler de ce qui s'était passé et lui demander de nous aider à recoller les morceaux. Elle l'avait fait de bon cœur, et avait offert son soutien à Ben, sans compter. Et je dois reconnaître que, depuis Noël, elle nous avait beaucoup aidés à nous reconstruire.

— D'après ce que Finn m'a raconté, elle aussi a parlé aux élèves de ce qui est arrivé, tout en les empêchant de ressasser l'événement, a dit Peter. Elle les occupe beaucoup, leur propose plein d'activités. Elle était dans la cour de récréation hier, elle parlait avec des parents ; le directeur était là lui aussi et tout le monde semblait satisfait de le voir. En fait, presque tout le personnel était présent. On ne leur en demande pas tant. Ils outrepassent leur devoir d'enseignants.

Quand Peter parlait, il était enclin à utiliser des métaphores militaires. C'est l'une des raisons qui m'avaient dissuadée d'accepter son invitation quand, maladroitement, il m'avait demandé de sortir avec lui après que la séparation avec John avait été officielle. C'était étrange de sa part, lui qui était un créatif, comme si, d'une certaine manière, il s'était forgé une personnalité qui n'était pas la sienne.

— Je ne crois pas, a dit Nicky. Au contraire, je dirais même que c'est exactement ce qu'on attend d'eux.

— Que racontent-ils aux enfants à propos de Ben ? ai-je demandé.

— Ils disent qu'il a disparu dans la forêt. C'est le mot qu'ils emploient : « disparu ». Ils disent que tout le monde le cherche.

Peter a avalé bruyamment une gorgée de thé.

— Finn fait des cauchemars depuis dimanche. Je crois que c'est parce qu'il était là-bas avec nous.

Avoir pris conscience que Finn puisse être bouleversé par la disparition de mon fils et le souvenir de son visage inquiet sur l'aire de stationnement rendaient l'absence de Ben plus vive que jamais. J'ai pensé à Baggy Bear, en haut, dans sa chambre, et à sa nunny, la vieille couverture. J'ai pensé à Ben, qui n'avait sur lui aucun de ses doudous, qui était seul, sans moi, sans personne pour le réconforter, quelque part, là-dehors, en train de vivre une épreuve qu'aucun de nous ne pouvait imaginer.

Je me suis décomposée.

— Oh, je suis désolé, s'est excusé Peter. Je suis vraiment désolé. J'ai mis les pieds dans le plat. Je n'aurais pas dû dire ça.

Il a regardé sa montre.

— Il faut que j'y aille.

Nicky l'a raccompagné à la porte et a parlé pour moi : elle l'a remercié puis lui a dit que nous le tiendrions au courant si nous avions des nouvelles, tout en le remerciant encore.

Je suis allée retrouver Laura dans le salon. Elle était assise sur le canapé, penchée sur sa tablette.

— Je crois que tout ça risque de te nuire, a-t-elle dit.

— C'est-à-dire ?

— On en parle sur tous les réseaux sociaux. Facebook, Twitter. Il y a des commentaires sur les sites d'actualités, partout sur Internet.

— De quoi tu parles ?

— J'avais raison. On dit que c'est toi la coupable.

JIM

L'école primaire de Ben Finch m'a rappelé des souvenirs : une école de quartier, des classes en préfabriqué, disparates, regroupées autour d'un bâtiment victorien sur un tout petit site.

Fraser m'avait demandé d'emmener l'agent Woodley, ce qui, d'une certaine manière, était embarrassant, car il avait tendance à se comporter comme s'il y avait écrit « débutant » sur son front alors qu'il faisait partie de la brigade depuis plus d'un an. D'un autre côté, si quelqu'un devait être le témoin de mon humiliation, relégué, même temporairement, au rôle d'agent de liaison avec l'école, je suppose que Woodley était le bon choix. En effet, il était trop peu sûr de lui pour en faire des gorges chaudes. « Rien dans les tripes » comme aurait dit mon père – et probablement pire encore.

La secrétaire de l'école s'affairait autour de nous ; elle a mis de l'eau à bouillir, et a été très déçue quand nous avons refusé de boire du thé ou du café. Elle voulait parler. Rien d'étonnant : lors d'un événement traumatique, les personnes plus ou moins concernées ont tendance à vouloir donner leur version de l'histoire. C'est la raison pour laquelle la presse n'a aucun mal à alimenter les journaux. Presque tout le monde a envie d'avoir ses quelques minutes de gloire.

Elle nous a dit qu'elle avait tout de suite su que quelque chose n'allait pas quand Rachel Jenner avait téléphoné le lundi matin, car ce n'était pas dans ses habitudes. C'est l'école qui, normalement, téléphone quand un élève n'est pas présent lors de l'appel et que les parents n'ont pas prévenu. Elle tenait dans ses mains une tasse sur laquelle était écrit: « Ne me parlez pas avant que cette tasse soit vide. » Sur l'un des côtés de son ordinateur était collée une photo de l'Ayers Rock, en Australie, sous un coucher de soleil rose orangé, et une citation de la Bible disant que la foi peut soulever des montagnes. Ce qui m'a agacé.

— Ben Finch est-il souvent absent ? lui ai-je demandé.

— Presque jamais ! C'est un petit garçon adorable, toujours très poli, très bien élevé. Je ne sais pas ce qu'il en est de ses résultats scolaires, il vous faudra demander à Mlle May ou au directeur, mais je peux vous affirmer qu'il est adorable. C'est lui qui m'apporte le cahier d'appel le matin et il le fait toujours avec le sourire. Et, chaque fois, je lui dis : « Ben Finch, tu iras loin avec d'aussi bonnes manières. »

Elle était émue aux larmes et a enlevé ses lunettes pour s'essuyer les yeux.

— Excusez-moi, a-t-elle dit.

C'était comme si elle manquait d'air, et une bouffée d'angoisse s'est répandue dans la pièce.

— Vous allez le retrouver, n'est-ce pas, inspecteur ?

— Nous ferons tout ce que nous pouvons, ai-je répondu.

Le bureau du directeur était exigu. Nous avons pris place sur des chaises en plastique inadaptées à ma morphologie.

— Je suis désolé, inspecteur, a-t-il dit. J'étais en pleine réunion quand vous êtes arrivés et je n'ai pas voulu alarmer les enfants en sortant précipitamment. Ils sont déjà assez secoués comme ça. Au fait, je me présente : Damien Allen.

Il avait l'air endormi, avec des yeux aux paupières lourdes, des joues flasques, des cheveux qui auraient eu besoin d'une bonne coupe, et une voix atone qui, en réunion, m'aurait donné envie de dormir. Même sa poignée de main était molle.

— Je suis nouveau, a-t-il dit. Ce n'est pas l'idéal.

J'imagine qu'il parlait de la situation et non de son poste.

La poignée de main de la maîtresse de Ben était plus ferme, une sorte d'étau, presque ; elle faisait partie de ces gens qui vous serrent la main plus longtemps qu'il ne le faudrait. C'est souvent un signe d'angoisse. Comme s'ils avaient peur que vous disparaissiez au moment où ils ont besoin de vous.

De même que le directeur, elle tenait le coup, mais la manière dont elle se tordait les mains et le fait qu'elle était au bord des larmes trahissait une grande détresse. C'était une belle femme : élégante, une silhouette bien dessinée qui laissait supposer qu'elle fréquentait assidûment une salle de sport, de fins cheveux blonds qui lui arrivaient aux épaules et de jolis yeux.

Tous deux nous ont dit que depuis quarante-huit heures, ils étaient débordés : ils devaient s'occuper des enfants qui, on le comprend, étaient terrifiés et perturbés par ce qui était arrivé à Ben. Mais, en plus, ils étaient submergés de coups de téléphone et d'e-mails des parents qui voulaient être informés et rassurés et qui remettaient en cause les procédures de sécurité à l'école.

— C'est la panique, a dit le directeur d'un air fatigué. Comme si la disparition d'un enfant n'était que le début d'une vague d'enlèvements.

J'ai fait ce que j'étais supposé faire. Je leur ai promis de les tenir au courant et de leur envoyer quelqu'un pour organiser une réunion d'information avec les parents. Nous avons parlé de l'éventualité de la mise en place d'une cellule de soutien psychologique pour les enfants, mais je leur ai expliqué que, selon la police, c'était trop tôt, qu'il fallait tenir compte de la progression de l'enquête et que tout dépendrait de l'issue de l'affaire en cours.

— Nous aurons besoin de la liste du personnel scolaire, ai-je dit au directeur. Et plus particulièrement des personnes qui sont en contact direct avec Ben.

— Nous y avons pensé, a-t-il répondu. Nous avons donc commencé à faire cette liste et nous vous l'enverrons dès qu'elle sera complète.

— Il nous la faudrait le plus vite possible.

— Je comprends bien, inspecteur, et j'en fais une priorité, bien sûr. Cependant, l'école emploie beaucoup de gens et nous voulons être sûrs de n'oublier personne susceptible d'avoir été en relation avec Ben.

— Il ne s'agit pas seulement du personnel enseignant, a ajouté Mlle May. Il y a les auxiliaires d'éducation, les membres de l'équipe de soutien scolaire, le personnel de la cantine…

— … le personnel d'entretien, les parents qui s'occupent des clubs dédiés à des activités diverses, a continué le directeur.

— Très bien, ai-je dit. Avoir une liste exhaustive serait parfait, mais vous pourriez d'ores et déjà m'envoyer ce que vous avez afin que nous puissions commencer. Vous nous communiquerez les autres noms au fur et à mesure.

— D'accord, a dit le directeur. D'accord. Je vais demander à Anthea de s'en charger.

Il a fait un signe de sa main potelée en direction de la porte vitrée de son bureau. De l'autre côté, la secrétaire – qui espionnait la conversation – s'est empressée de s'asseoir à son poste, de remettre ses lunettes sur son nez, visiblement gênée, tout en prenant un air très occupé. Je me suis demandé ce qu'elle avait bien pu entendre de notre échange.

J'ai commencé à avoir un mal de tête. Avec l'école, on avançait en terrain miné. Nous allions passer des heures, toutes les heures que Dieu fait, rien que pour vérifier les antécédents judiciaires de toutes les personnes ayant été en contact avec Ben.

— Avant de recevoir cette liste, j'ai une question : y a-t-il quelqu'un, récemment, qui, de par son comportement ou ses propos, vous a causé des soucis ? ai-je demandé au directeur.

Il a secoué la tête. Les rides sur son front se creusaient au fil des minutes.

— Bien évidemment, je me suis creusé les méninges depuis la disparition de Ben. Mais je dois dire que j'insiste auprès des parents pour leur faire remarquer que la disparition n'avait eu lieu ni à l'école ni dans ses environs. Je pense qu'il faut que vous gardiez ça à l'esprit, inspecteur, lorsque vous établirez la liste des suspects.

— De même qu'il ne faut pas oublier que c'est ici que Ben est susceptible d'avoir été en contact avec le plus d'adultes.

— Tous ont fait l'objet d'une enquête de moralité. Aucun d'entre eux n'a de casier judiciaire.

— Il n'y a pas lieu d'être sur la défensive, monsieur Allen. Vous savez aussi bien que moi qu'un casier reflète fidèlement des antécédents criminels, et non pas d'éventuelles intentions ou pulsions.

— Je tiens seulement à ce que l'école ne fasse pas l'objet d'une publicité particulière au cours de cette enquête.

Sa remarque ne méritait aucune réponse. C'était le genre de commentaire mesquin qui me donnait envie de lui passer les menottes. J'ai ravalé mon agacement car j'avais besoin de lui pour en savoir plus à propos des personnes avec qui Ben avait pu être en contact.

— Selon vous, y a-t-il une personne adulte à laquelle Ben se serait particulièrement attaché ?

Le directeur s'est adressé à Mlle May.

— Vous saurez mieux répondre que moi, lui a-t-il dit.

— Eh bien, il y a moi, a-t-elle répondu.

La main posée sur sa poitrine montait et descendait au même rythme que sa respiration.

— Je suis sa maîtresse depuis l'année dernière déjà, et je suis assistée par un étudiant, Lucas Grantham, qui fait un temps partiel. Il est nouveau. Les enfants l'aiment beaucoup, Ben l'aime beaucoup. Nous sommes les deux personnes avec qui Ben est le plus en contact.

— Il faut absolument que nous parlions à M. Grantham, ai-je dit.

— Il est ici aujourd'hui, si vous voulez le rencontrer.

— Ce serait bien. Personne d'autre ?

Elle a secoué la tête.

— Personne d'autre ne me vient à l'esprit mais, au quotidien, Ben voit beaucoup de gens.

— Puis-je vous demander si vous avez remarqué quelque chose d'inhabituel dans le comportement de Ben, ces derniers temps ?

— Non. Il a bien commencé l'année. L'année dernière a été plus difficile pour lui, avec le divorce de ses parents.

— Comment ça ?

— Il ne savait pas comment réagir à la séparation. Nous en avons parlé, quelquefois, à l'école. Il n'est pas le seul dans ma classe à qui c'est arrivé, bien sûr ; mais il s'agit d'une situation triste et perturbante pour tous les enfants qui sont dans ce cas de figure. Et je crois que, parfois, les parents ne comprennent pas à quel point c'est dur pour les enfants.

— Et, dans ce genre de situation, c'est souvent l'école qui doit gérer la fragilité émotionnelle des enfants, a dit le directeur.

— Diriez-vous que Ben a été plus affecté que vous ne vous y attendiez ?

— Je ne saurais dire, a répondu le directeur. Je mentirais si je disais que je le connaissais bien. Je ne suis là que depuis quelques semaines, comme vous le savez.

Ce n'était pas à lui que j'avais posé la question. Malgré tout, je l'ai laissé parler. Cet homme avait un certain ego. Mlle May a répondu.

— Non. Il a été très affecté, mais c'est un petit garçon très sensible, donc ce n'est pas surprenant quand vous le connaissez.

Le directeur s'est raclé la gorge.

— Nous avons dans nos dossiers quelque chose que nous devrions mentionner. Au printemps dernier, quand Ben était au CP, il est tombé dans la cour de récréation en arrivant avec sa mère. C'était juste avant le début des cours. Il est tombé de sa trottinette et s'est fait très mal au bras. Mlle May, voulez-vous raconter ce qui s'est ensuite passé, puisque vous étiez là ?

— Je n'étais pas là au moment de la chute. C'est une autre maîtresse qui l'a vu tomber. Apparemment, Mme Jenner a aidé Ben à se relever et l'a épousseté. Il pleurait un peu, car son bras lui faisait mal : elle lui a parlé et il s'est calmé.

Elle s'est arrêtée en jetant un regard inquiet au directeur.

— Et ? ai-je demandé.

C'est lui qui a continué.

— Et dans le dossier, il est écrit que Mme Jenner a laissé Ben à l'école quand bien même il se plaignait d'avoir très mal. Il s'est avéré qu'il avait une fracture au bras.

— Vous l'aviez donc déjà comme élève ? ai-je demandé à Mlle May.

Elle a acquiescé.

— Je suis allée le voir au moment de l'appel et je me suis aperçu que quelque chose n'allait pas. Il était blanc comme un linge. Et tout de suite après qu'il m'a raconté ce qui s'était passé, j'ai appelé une ambulance.

— À ce moment-là, montrait-il qu'il souffrait ? Ou bien était-ce déjà le cas quand sa mère est partie ?

— Pas vraiment. Il a été très courageux.

— Était-il évident que son bras était cassé ?

— Ce n'était pas une fracture ouverte, l'os n'était pas cassé, son bras n'était pas enflé et il pouvait bouger la main. Sa mère avait déjà vérifié, mais elle n'avait pas remarqué à quel point il avait mal.

— Mme Jenner est-elle revenue à l'école quand vous vous êtes aperçue qu'il avait besoin d'être soigné ?

— Oui, bien sûr, et elle est allée à l'hôpital avec lui.

— Il est donc possible qu'elle n'ait tout simplement pas compris à quel point il s'était fait mal.

— En effet. Elle ne s'est pas rendu compte.

Elle paraissait agacée.

— Et vous pensez qu'elle aurait dû s'en rendre compte ?

— Oui. Oui, vraiment. Et je ne peux pas m'empêcher de ruminer à ce sujet : car pourquoi Ben s'est-il senti obligé d'être aussi stoïque, aussi courageux devant elle ? Il n'avait que sept ans. Et pourquoi sa mère ne lui a-t-elle pas prêté plus attention ? Pourquoi n'a-t-elle pas vu ce que moi j'ai vu ?

— Il s'est passé la même chose dans l'école où j'étais avant, a dit le directeur. Il n'est pas rare que les fractures mineures passent inaperçues.

— Je sais, a rétorqué l'institutrice. Mais elle semblait toujours si déprimée à l'époque, comme si elle était incapable de tenir le coup. Elle n'arrivait pas à faire face. C'était après la séparation. Et je me suis demandé si ce n'était pas trop compliqué pour elle. Ben semblait toujours très inquiet à l'idée de la contrarier.

— Autre chose à ajouter ? ai-je demandé

Mlle May a pris une grande inspiration.

— Non, a-t-elle dit. Non, je peux le jurer, rien d'autre.

— Dans le dossier, il est mentionné qu'un jour elle avait oublié de venir le chercher, a ajouté le directeur en brandissant un papier qu'il avait sorti du dossier de Ben.

— Oh ! En effet. J'avais oublié, a dit Mlle May. Oui, c'est vrai. C'était le dernier jour du deuxième trimestre, l'année dernière, et les parents devaient venir chercher les enfants en fin de matinée au lieu de l'heure habituelle ; on peut donc comprendre.

— C'était dans ses habitudes d'oublier ?

— Non, non. C'est arrivé une seule fois, mais Ben en a été très affecté. À vrai dire, il était inconsolable. Il s'en serait bien passé à l'époque. Ils venaient juste de déménager et Ben venait à peine de s'installer avec sa maman dans une nouvelle maison. Il se sentait fragilisé par cette nouvelle organisation, et, pendant cette période, il était important pour lui de se sentir désiré, de savoir qu'il était la priorité pour ses parents.

— Donc, vous confirmez que ce n'était pas dans les habitudes de la mère de Ben de l'oublier ?

— Non. En effet. Mais quand c'est arrivé, j'ai pensé que l'incident devait être révélateur de ce qui se passait à la maison.

— C'était donc l'année dernière. Pensez-vous que les choses se sont améliorées depuis ? D'autres incidents à mentionner ? ai-je demandé.

— Non. Rien d'autre. Dans l'ensemble, il va beaucoup mieux cette année. Je crois qu'il a trouvé ses marques dans sa nouvelle maison avec sa maman et que la situation est un peu plus sereine.

L'inflexion à la fin de sa phrase sonnait comme une interrogation.

J'ai regardé le directeur.

— Qu'en pensez-vous ?

— Je fais confiance à Mlle May car, comme je l'ai expliqué, je ne connais pas encore très bien Ben, et je n'ai jamais rencontré sa mère, je ne peux donc rien en dire. De ce que j'ai cru comprendre, ça a été un moment difficile pour Ben et sa maman, mais c'est formidable qu'il ait pu avoir Mlle May comme maîtresse deux années de suite.

Elle lui a souri.

— Bien, merci à vous deux, ai-je dit. Et si jamais vous pensez à quelque chose d'autre que vous jugez utile de nous communiquer, prévenez-nous, s'il vous plaît.

Je me suis levé, heureux de m'extirper enfin de ma chaise.

— Nous n'y manquerons pas, a dit le directeur.

Debout, il paraissait encore plus las, et, malgré son comportement agaçant, j'étais désolé pour eux deux : ils allaient devoir sortir de ce bureau et se replonger dans un climat de peur et de confusion dans une école pleine d'enfants traumatisés. Il a réajusté sa cravate et, comme à l'arrivée, m'a donné une poignée de main molle.

— Pourrions-nous voir l'assistant d'éducation de Ben un instant, avant que nous partions ? Monsieur… ? ai-je demandé.

— Lucas Grantham, a dit le directeur. Mademoiselle May, pouvez-vous leur montrer le chemin ?

Elle nous a accompagnés dans le couloir dont les murs étaient recouverts de dessins d'enfants.

— Lucas est dans la classe, a-t-elle précisé. Juste là.

Avant que j'aie pu lui demander d'être discrète, elle a ouvert la porte en grand. Les élèves travaillaient à des tables basses, par groupes de quatre, assis sur des chaises si petites que les adultes oublient s'y être un jour assis. Tout devant, un jeune homme les surveillait. À vue d'œil, il ne devait pas avoir plus de vingt ans. Il avait d'épais cheveux roux, touffus, et son visage ressemblait à une immense tache de rousseur ponctuée de petits points de peau blanche. Il était assis, perché sur le bureau.

Les regards se sont tournés vers nous et tous les enfants se sont levés précipitamment, faisant racler leurs chaises et tomber les feuilles de papier qui étaient sur leurs bureaux.

— Je vous présente monsieur Clemo et monsieur Woodley, a dit Mlle May avant de me chuchoter à l'oreille : Je préfère ne pas leur dire que vous êtes de la police.

Puis elle s'est de nouveau adressée à eux.

— Qu'est-ce qu'on dit, les enfants ?

— Bonjour monsieur Clemo, bonjour monsieur Woodley, ont-ils clamé en chœur.

— C'est bien, a dit Mlle May en les gratifiant d'un grand sourire. Vous pouvez vous rasseoir et continuer.

Leur devoir accompli, ils se sont assis dans un même élan. Le jeune homme nous a rejoints.

— Je vous présente Lucas, a dit Mlle May. Ou, plus exactement, M. Grantham, comme l'appellent les enfants. Il est notre assistant d'éducation pour cette classe.

— Enchanté, a-t-il dit.

À la place d'une habituelle poignée de main, il a fait un geste, comme pour égrener un chapelet, des deux mains, devant lui, les doigts entrelacés.

— C'est tout simplement affreux. Je n'arrive pas à y croire.

Ses mains aussi étaient couvertes de taches de rousseur.

— Dans les jours qui viennent, nous souhaiterions nous entretenir avec vous, ai-je dit.

— D'accord. Bien sûr, quand vous voudrez, a-t-il répliqué.

De près, il avait l'air fatigué, un peu benêt. Il avait le menton fuyant et ne s'était pas rasé depuis plusieurs jours.

— Avez-vous remarqué quelque chose d'inhabituel dans le comportement de Ben ces derniers temps ? ai-je demandé à voix basse pour ne pas être entendu par les gosses.

— Non. Rien de particulier.

J'ai aperçu, par-dessus son épaule, une chaise vide à l'une des petites tables : il s'agissait probablement de la place à laquelle Ben aurait dû être assis, entouré par ses petits camarades de classe, un jour de semaine normal.

— Rien ? Vous êtes sûr ? ai-je insisté.

Il commençait à m'énerver.

— Non, a-t-il répété, en secouant lentement la tête, la langue pointant entre ses dents.

Mon téléphone a vibré dans ma poche.

— Nous devons y aller, ai-je dit. Mais nous aurons besoin de vous interroger dès que possible. Quelqu'un va vous contacter pour organiser un rendez-vous.

Les enfants avaient commencé à s'agiter et à bavarder. Mlle May leur a gentiment demandé de se taire.

— Quand vous voudrez, a dit Lucas Grantham. Bien sûr. Si ça peut être utile.

Dans la voiture, Woodley a dit :

— Quel cauchemar, quand on pense au nombre de gens avec lesquels Ben a pu être en contact.

— Je sais, et nous allons devoir vérifier les antécédents judiciaires et les alibis de chacun d'entre eux. Sans compter qu'il va falloir aussi aller se renseigner à l'hôpital pour cette histoire de bras cassé.

— Vous pensez que ça cache quelque chose ?

— Non. Il semble parfaitement clair que Rachel Jenner n'est pour rien dans cette blessure. C'était un accident. Mais il faut quand même vérifier et je pense que nous devons sérieusement prendre en compte la possibilité qu'elle soit profondément déprimée. Il faudra en parler à Fraser et Zhang sans attendre.

— Que pensez-vous de l'assistant ?

— À surveiller, sans aucun doute.

— Oui, je le trouve un peu louche.

Il n'a rien dit pendant un moment, puis il a ajouté :

— Bizarre, non ? De retourner à l'école ?

J'avais mis le clignotant, j'étais prêt à démarrer.

— Comment ça ?

— On oublie qu'on a été petit. N'est-ce pas ?

— Oui, je suppose. Et toi, quand est-ce que tu as quitté l'école primaire ? La semaine dernière ? Tu as la mémoire courte, dis donc. C'est la raison pour laquelle tu as été renvoyé ? Tu ne te souvenais pas de tes tables de multiplication ?

Au bureau, taquiner Woodley était l'un de nos passe-temps préférés tant il avait l'air jeune et qu'il était simple de le désarçonner.

— Très drôle, chef.

Et il s'est tu. Ce dont j'étais content parce que j'étais justement en train de penser à quel point mes souvenirs d'école primaire étaient vivaces ; et j'avais peur pour Benedict Finch car je savais qu'il était facile de faire du mal à un enfant de cet âge.

RACHEL

Laura et Nicky ne voulaient pas me laisser naviguer sur Internet. Elles disaient qu'il ne fallait pas que je lise tout ce que les gens écrivaient, que j'en serais trop bouleversée. Sur ce sujet, elles étaient solidaires. J'étais encore dans le déni, je refusais de voir les choses en face, étant toujours persuadée que les gens ne m'accuseraient pas vraiment. Même à ce moment-là, quelques heures seulement après mon intervention télévisée, j'étais assez naïve pour avoir encore un peu de cette confiance en soi propre à la petite bourgeoisie. Je pensais être une bonne citoyenne, et que les gens le savaient. J'avais été mariée à un médecin, il ne fallait pas l'oublier.

J'aurais pourtant dû être plus lucide car, dans la rue, les journalistes étaient encore plus nombreux qu'avant, excités par la conférence de presse.

Nous avions débranché le téléphone et, dans l'entrée, bloqué l'ouverture de la boîte aux lettres avec du papier adhésif. Je me cantonnais à la pièce située à l'arrière de la maison, me tenant éloignée d'eux le plus possible.

Quelques minutes seulement après être sortie faire des courses, Nicky est revenue avec des sacs provenant de la petite épicerie du coin.

— Je n'ai pas pu aller plus loin, a-t-elle dit. Ils m'ont poursuivie. Ils ont laissé des ordures partout devant la maison.

Elle a trouvé des sacs-poubelle noirs sous l'évier qu'elle a déposés dehors devant la porte d'entrée en demandant aux journalistes, d'une voix suffisamment forte pour que je l'entende, de nettoyer ce qu'ils avaient jeté sur le trottoir et dans mon jardin grand comme un timbre-poste.

De retour à l'intérieur, toujours énervée, elle a commencé à déballer un grand nombre de boîtes de conserve.

— Ils sont charmants dans cette épicerie, non ? a-t-elle dit. Ils ont fermé derrière moi pour que je puisse faire les courses sans être importunée par les journalistes. Ils m'ont donné ça pour toi.

C'était une enveloppe sur laquelle était écrit : « pour Benedict et sa maman ».

— Ils m'ont dit que tu pouvais commander tout ce que tu voudrais, a ajouté Nicky, en rangeant les boîtes de conserve dans les placards. Et que si nous ne pouvions pas aller au supermarché pour le reste, ils s'en occuperaient ; ce qui serait bien, parce que nous n'allons pas pouvoir nous contenter de ça, a-t-elle précisé en montrant des tranches de pain sous vide.

J'ai ouvert l'enveloppe dans laquelle il y avait une petite carte. Une jolie paire de mains jointes, avec un petit bracelet de perles autour de chaque poignet, était dessinée sur le devant, en un geste de prière.

— De quelle religion s'agit-il ? a demandé Nicky, par-dessus mon épaule.

— Hindoue, je pense.

À l'intérieur de la carte, il y avait un message soigneusement écrit à la main. « Nous avons versé des larmes pour vous, que la force soit avec vous et avec Ben. Nous prions pour qu'il soit vite de retour à la maison. Ravi et Aasha, et leur famille. »

— Je les connais à peine, ai-je dit.

J'ai repensé à mes fréquentes visites dans leur petite épicerie, aux quelques mots échangés avec les propriétaires, un couple charmant, en effet mais, de fait, des inconnus, et j'ai été profondément touchée par leur carte.

— Tu as eu d'autres messages, a dit Nicky. Mais je n'étais pas sûre que tu aies envie d'en prendre connaissance.

— Montre-moi.

Nicky avait pris les commandes de mon téléphone portable, afin de répondre aux appels et aux messages de mes amis et de parents d'élèves que je connaissais plus ou moins bien.

J'avais essentiellement reçu des SMS après le flash info diffusé au journal télévisé. Certains étaient prévisibles :

Effondrés après avoir appris ce qui est arrivé à Ben s'il vous plaît dites-nous si nous pouvons faire quoi que ce soit. La famille Clarke xxx

Je ne peux même pas imaginer ce que tu endures. Nous pensons à toi et à Ben. Sacha x

Un autre, de nature plus pratique, manquait singulièrement de considération :

Inutile de vous inquiéter pour le manteau de Jack vu ce qui se passe nous comprenons parfaitement. Nous pensons à vous. Affectueusement Juliet xx

— Qu'est-ce que ça veut dire ? Merde, de quoi elle parle ? me suis-je écriée.

Nicky a lu le message.

— C'est rien. Peu importe. Ils essaient juste d'être gentils.

— Comme si j'en avais quelque chose à foutre de ce manteau.

— Ils le savent bien. N'y vois rien de mal. C'est censé être gentil.

On m'avait aussi envoyé des e-mails, mais j'en ai eu marre. Les lire me rendait triste, ou pleine d'amertume ou encore, me mettait en colère. Et je l'étais déjà suffisamment. Ce qui me tourmentait était l'absence de réaction d'amis dont j'aurais aimé avoir le soutien.

— Est-ce qu'il y a des messages vocaux ? ai-je demandé à Nicky. Tu ne penses pas que les gens devraient laisser de vrais messages ?

— Un ou deux. Je les ai notés. Les gens ne veulent sans doute pas encombrer la ligne téléphonique.

J'ai parcouru des yeux ceux qu'elle avait soigneusement retranscrits. L'absence de messages d'au moins deux de mes amis me sautait aux yeux. Était-ce par délicatesse qu'ils ne s'étaient pas manifestés ? Était-ce une réaction attentionnée ? Ou bien me fuyaient-ils, maintenant que le malheur s'était abattu sur moi, que j'étais quelqu'un à qui le pire était arrivé, en tête des statistiques : là où personne n'a envie d'être ?

Je suis restée assise, j'avais toujours la carte entre mes mains, pendant que Nicky faisait de nouvelles recherches sur Internet, explorant la toile en quête de conseils et d'informations, de tout ce qui était susceptible de nous aider – un comportement qui était devenu presque obsessionnel.

J'ai eu une furieuse envie de téléphoner à John. Je voulais lui dire que j'étais désolée pour ce qui s'était passé lors de la conférence de presse, et aussi que je regrettais d'avoir laissé Ben partir en courant devant moi dans la forêt. Plus que jamais, j'avais désespérément besoin qu'il me pardonne. J'avais l'impression que c'était la seule manière d'atténuer ma peine. Mais il n'a pas répondu sur son téléphone portable et c'est Katrina qui a pris l'appel sur la ligne fixe.

— Il n'est pas à la maison. Il est parti en voiture, à la recherche de Ben. Il n'est pas rentré depuis la conférence de presse.

— Et tu as vu la retransmission ?

— Oui.

Je ne voulais pas qu'elle m'en parle et je me suis empressée de dire :

— Il faut que j'y aille.

Laura est rentrée chez elle pour nourrir ses chats. Je m'étonnais de voir que les tâches requises par la vie courante continuaient d'être accomplies, même quand le pire était arrivé.

Je m'en voulais même d'avoir à satisfaire les besoins que mon corps réclamait : dormir, manger, boire, les fonctions physiologiques. À mes yeux, la vie aurait dû s'arrêter jusqu'à ce qu'on retrouve Ben. Les aiguilles des horloges auraient dû s'immobiliser, l'oxygène n'aurait pas dû se transformer en gaz carbonique dans nos poumons, nous aurions dû cesser de respirer, et nos cœurs cesser de battre. La vie n'aurait dû revenir à la normale qu'après le retour de Ben.

Tout le reste était une insulte à son endroit et à ce qu'il pouvait endurer comme souffrances.

Nicky a continué à travailler sur l'ordinateur, entraînée par un moteur interne maniaque, comme si ses recherches sur Internet pouvaient faire surgir un indice capital ou être la source d'une révélation. Une fois qu'elle a eu fini, elle a commencé à dessiner un flyer et à imaginer comment le distribuer.

J'en ai eu assez et je suis montée à l'étage, en faisant courir ma main le long du lambris. Juste au-dessus, les marques de doigts de Ben étaient visibles sur la peinture blanche. Il courait toujours en montant comme en descendant l'escalier. Il m'ignorait quand je lui demandais d'aller doucement ; d'une main, il se tenait à la rampe et, de l'autre, au mur pour garder l'équilibre, et je l'entendais galoper. Habituellement, je ne remarquais les marques laissées par ses doigts sales que lorsque j'étais exaspérée mais, désormais, elles me semblaient si précieuses que c'en était insupportable.

Je superposais mes doigts sur ses empreintes tandis que je montais les marches.

Quand nous avions emménagé, la maison était dans un état épouvantable. John, qui l'avait vue, car il en payait une partie, m'avait conseillé de ne pas l'acheter. L'horrible peinture de couleur sombre, les placards bon marché en plastique en auraient rebuté plus d'un mais, sous cette décoration de mauvais goût, j'avais su voir une construction originale et j'avais été excitée par le potentiel qu'elle recélait. Je m'étais d'abord attaquée à la chambre de Ben. Lui et moi avions passé une journée formidable à appliquer la première couche pour recouvrir l'affreuse couleur marron foncé choisie par les anciens propriétaires.

— Vas-y, avais-je dit à Ben, balance juste la peinture par-dessus.

— Comme ça, n'importe comment ? m'avait-il demandé, n'en croyant pas ses oreilles ; un large sourire lui dessinait des fossettes sur les joues.

— N'importe comment, avais-je confirmé.

Et, pour donner l'exemple, j'avais trempé mon pinceau dans le pot de peinture blanche et écris « BEN » en lettres énormes sur le mur. Il avait adoré pouvoir transgresser l'interdiction d'écrire sur les murs et, très vite, il s'était pris au jeu. Nous avions dessiné, écrit des bêtises et nous étions bien amusés en finissant de recouvrir la pièce d'une première couche, irrégulière.

Cela nous avait fait du bien à tous les deux : nous prenions possession des lieux. Plus tard, nous l'avons payé, en quelque sorte, car nous n'avons jamais vraiment réussi à lisser le mur. Et, encore maintenant, malgré les deux couches de peinture bleu pâle passées par-dessus la sous-couche, il était possible de voir, à certains endroits, quelques-uns de nos dessins et ce que nous avions écrit. Mais nous nous en moquions. En fait, cela nous plaisait bien.

Tout à mes souvenirs, je me suis laissée tomber sur le matelas de Ben qui avait maintenant pris la forme de mon corps, effaçant la sienne. J'ai posé ma main sur le mur, cherchant les aspérités.

J'essayais de me concentrer, de repenser à ce qui s'était passé dans la forêt, de me remémorer tous les détails. Je cherchais désespérément un indice, en vain.

Je me suis mise à penser à John en train de parcourir les rues, en voiture, à la recherche de Ben, et j'ai aussi pensé à Katrina, et j'ai regretté toutes les fois, pendant l'année passée, où j'avais laissé Ben avec eux, au lieu de l'avoir avec moi.

Au début, elle n'avait même pas voulu qu'il vienne chez eux. C'était évident, d'après ce que m'avait dit Ben.

— Elle ne me laisse pas faire des glissades sur le sol de l'entrée, s'était-il plaint.

Et j'avais été furieuse en l'imaginant devoir marcher sur la pointe des pieds dans toutes les pièces de leur maison parfaite, incapable de se détendre tant il craignait de faire une bêtise. Je me suis souvenue de la réticence de Ben à passer des week-ends avec eux après la séparation, surtout au début, quand c'était encore tout frais et que la situation était bancale. Avec amertume, j'en suis arrivée, une fois de plus, à la conclusion que Katrina ne méritait pas Ben et que je n'avais pas mérité de devoir passer par Katrina pour parler à John.

Mon esprit tournait dans le vide ; jusqu'à ce que je tombe de sommeil et que je sombre dans mon inconscient. J'ai rêvé que j'étais cernée, entourée par des arbres menaçants, aux feuilles coupantes, au milieu des ombres, perdue dans des tunnels sans fin.

Je me suis réveillée au petit matin et j'ai attrapé mon téléphone. J'ai activé le navigateur Internet et cherché « Benedict Finch » sur Google. Quand les résultats se sont affichés, je n'ai eu qu'à cliquer une ou deux fois pour qu'un sentiment d'effroi s'empare de moi et me glace jusqu'aux os.

JIM

Addendum au compte rendu de l'inspecteur James Clemo pour le Dr Francesca Manelli
Retranscription faite par le Dr Francesca Manelli

Inspecteur James Clemo en consultation avec le Dr Francesca Manelli

Les notes évoquant l'état d'esprit et le comportement de l'inspecteur Clemo, quand les siennes seules ne sont pas suffisantes, sont en italique.

F.M. : Un mauvais jour pour vous donc, le deuxième jour ?

J.C. : Oui. Ça ne s'est pas passé comme je l'aurais voulu certes mais, vous savez, on se ressaisit, on continue, et on essaie de faire en sorte que tout aille bien. À la fin de la journée, nous avions beaucoup de choses auxquelles penser.

F.M. : Avez-vous l'impression que la conférence de presse avait ébranlé votre confiance en vous ?

J.C. : À cause du comportement de la mère ?

F.M. : Oui.

J.C. : Non. Si c'était à refaire, je recommencerais. Personne ne pouvait prévoir qu'elle allait déraper. Pour être honnête, je pense que ce n'était pas juste que ce soit moi qui paye les pots cassés.

F.M. : Vous l'avez dit à Fraser ?

J.C. : Non. J'ai ma fierté, et je ne suis pas suicidaire. De toute façon, il ne s'agissait de rien de plus que de passer sa colère sur moi. Elle est comme ça ; je ne l'ai donc pas pris trop à cœur.

F.M. : Dans l'ensemble, comment progressait l'enquête ?

J.C. : Il se passait des choses. Nous avons tous été réunis ce soir-là, vers 20 h 30. Au début, Fraser a continué à râler, elle pestait à cause de la conférence de presse mais, par la suite, elle s'est calmée car nous avions quelques pistes sérieuses, ce qui nous donnait le sentiment d'avancer.

F.M. : Quelles étaient ces pistes ?

J.C. : Nous nous intéressions toujours aux participants du jeu de rôle. La plupart avaient un alibi mais l'un d'entre eux nous donnait du fil à retordre : il refusait de répondre à nos questions, ce qui tapait sur les nerfs de Fraser. Il n'avait aucun alibi. Ça lui plaisait bien d'en faire un suspect.

F.M. : En quoi vous donnait-il du fil à retordre ?

J.C. : Il prétendait n'avoir de comptes à rendre à personne si ce n'était à l'Ordre des Chevaliers qui gouvernaient son monde de *fantasy* ; ce qui, en gros, voulait dire qu'il refusait de nous parler et de répondre à nos questions. Par principe.

F.M. : En avait-il le droit ?

J.C. : Il était en droit de revendiquer ce qu'il voulait, nous n'avions aucun moyen de le faire parler. Fraser a décidé de l'interroger elle-même. Elle voulait que Woodley et moi l'accompagnions le lendemain pour lui rendre visite chez lui et voir si nous pouvions le secouer et en tirer quelque chose.

F.M. : Et le pédophile ? Celui dont vous essayiez de retrouver la trace ?

J.C. : C'était clairement une priorité. Nous ne l'avions pas encore localisé, mais l'enquêtrice judiciaire qui était sur le coup était à peu près sûre que sa mère savait où il était et que ça la rongeait de ne pas nous le divulguer. Elle devait donc retourner la voir. Le psychologue expert faisait des recherches pour essayer de déterminer le profil du ravisseur et, par ailleurs, nous devions éplucher des listes de gens à interroger, vérifier leurs alibis et traiter toutes les informations téléphoniques que nous recevions suite à l'appel à témoins que nous avions lancé.

F.M. : Vous en avez reçu beaucoup ?

J.C. : Énormément. Nous étions débordés. Fraser avait mis en place une équipe aussi nombreuse que possible mais ça restait quand même difficile de faire le suivi de tous les appels reçus. La priorité était d'identifier le cycliste et le promeneur solitaire que Rachel Jenner avait mentionnés ; c'était ce sur quoi nous étions concentrés.

F.M. : Quelle était l'ambiance au sein de l'équipe ?

J.C. : Nous marchions tous à l'adrénaline. Tout le monde était impliqué, nous voulions tous réussir à retrouver le gosse.

F.M. : Y a-t-il eu des réactions de la part de l'opinion publique après la conférence de presse ?

J.C. : Ça, c'était le problème. Dès le premier soir, sur Internet, il y a eu pléthore de réactions violentes contre Rachel Jenner. Les gens disaient, ou insinuaient, tout et n'importe quoi ; pareil sur les sites d'actualités. Nous redoutions les gros titres des journaux du lendemain.

F.M. : De quel genre de choses s'agissait-il ?

J.C. : L'expression qui revenait le plus était : « Le coup d'éclat d'une mère en colère. » Ce qui n'était pas le pire. C'étaient surtout les commentaires qui nous inquiétaient le plus. Des centaines de gens se sont lâchés sur Facebook. Ils pensaient qu'elle était coupable.

F.M. : Et vous, qu'en pensiez-vous ?

J.C. : C'était une hypothèse à ne pas écarter. Elle pouvait avoir fait du mal à Ben. Nous n'avions pas encore vérifié sa version de l'histoire.

F.M. : Et que disait votre instinct ?

J.C. : Qu'elle était volatile, imprévisible.

F.M. : C'est-à-dire ?

J.C. : Elle pouvait être coupable.

F.M. : La démonstration de son chagrin lors de la conférence de presse ne vous avait pas convaincu de son innocence ?

J.C. : Le chagrin n'est pas une preuve d'innocence. Si elle avait fait du mal à Ben elle pouvait quand même en être bouleversée et souffrir.

F.M. : C'est vrai.

J.C. : J'avais l'impression qu'il était possible qu'elle l'ait assassiné, ou tué, par inadvertance, et qu'elle ait caché le corps et inventé toute cette histoire dans la forêt. Ce scénario était peu probable mais en aucun cas impossible. Nous avons demandé au psychologue expert de regarder l'enregistrement de la conférence de presse et de nous dire ce qu'il pensait de Rachel Jenner.

F.M. : Et en dehors des articles négatifs, étiez-vous satisfait des réactions suite à la conférence de presse ? En est-il ressorti quelque chose de bien ?

J.C. : Certaines réactions étaient bonnes. Comme je l'ai dit, nous avions beaucoup de grain à moudre mais, une fois tous les dingues éliminés, nous espérions qu'il en ressortirait quelque chose, peut-être un témoin, peut-être d'autres gens à ajouter à la liste de ceux que nous devions interroger.

Je l'écoute avec beaucoup d'intérêt. En vérité, à l'époque, l'affaire m'avait fascinée, comme ce fut le cas pour beaucoup de gens. Et il a dû s'en rendre compte, il a dû voir que je trouvais ce qu'il me racontait captivant, car il se penche vers moi et me pose la question qui le tarabuste.

J.C. : Combien de séances pensez-vous qu'il faille avant que nous puissions arrêter et que vous signiez en ma faveur ?

Il faut que je retrouve sans tarder une posture purement professionnelle.

F.M. : Il m'est impossible de le savoir. Tout ce que je peux dire, c'est que vous avez bien progressé jusqu'à maintenant.

Il s'est redressé mais il est nerveux ; son genou droit ne cesse de tressauter.

F.M. : Le travail du psychologue expert m'intéresse. Vous pouvez m'en dire plus ?

J.C. : Il n'avait pas encore fait de rapport écrit mais Fraser et moi lui avions parlé.

F.M. : Et que disait-il ? Quelles étaient ses hypothèses ?

J.C. : Rien de précis.

F.M. : Vous pouvez m'en parler ?

J.C. : Ce n'est pas tout rose.

F.M. : Mais ça m'intéresse. Ce n'est pas si différent de ce que je fais.

J.C. : Pour ce qui est des enlèvements, quand il s'agit d'un enfant, les psychologues experts font la distinction entre ceux qui sont le fait d'un membre de la famille et ceux qui sont le fait d'une personne étrangère à la famille.

F.M. : Et qu'est-ce qui est le plus fréquent ?

J.C. : Statistiquement, la famille. Car il s'agit habituellement des conséquences d'un divorce et de modalités de garde qui ne sont pas respectées. On entend souvent parler de gosses enlevés par l'un de leurs parents. Et, plus rarement, il peut aussi s'agir d'un membre proche de la famille : un oncle ou un beau-père, qui manifeste un intérêt sexuel malsain envers l'enfant. Dans ce cas, la victime est le plus souvent une petite fille.

F.M. : Quand il s'agit d'un membre de la famille, l'affaire est plus facile à résoudre.

J.C. : C'est exact. Quand il s'agit de quelqu'un qui n'est pas de la famille, c'est plus compliqué pour nous. Quand un enfant est arraché à son univers quotidien, sans laisser de trace, le nombre de ravisseurs potentiels augmente. De toute évidence, il faut soupçonner toutes les personnes que l'enfant connaît et, une fois qu'elles ont été mises hors de cause, ce peut être n'importe qui d'autre. Et le temps joue alors contre nous.

F.M. : Les parents doivent vivre un enfer.

J.C. : Oui, on ne souhaite ça à personne.

F.M. : Non, en effet. Pour ça, il y a une expression que nous utilisons : « le deuil pathologique ». Dont on ne guérit pas. C'est comme un deuil non résolu, qui ne se fait pas. C'est aussi ce qu'on peut ressentir si on a un enfant ou quelqu'un de sa famille qui est intellectuellement diminué. Vous pouvez alors déplorer la perte de ce que cette personne aurait pu être si les choses s'étaient déroulées différemment. Cette personne est physiquement présente mais psychologiquement absente. Inversement, et c'est ce qui se passe dans les cas d'enlèvement, et plus communément dans le cas d'un divorce, l'enfant ou la personne est psychologiquement présente mais physiquement absente. Et dans le cas d'un enlèvement, les parents souffrent en plus de l'incertitude de savoir si leur enfant est vivant ou mort.

J.C. : C'est ce que nous voulions éviter. Nous voulions retrouver le gosse sain et sauf. Nous attendions que l'expert mette par écrit le profil psychologique éventuel du ravisseur, mais il avait dit à Fraser qu'il penchait plutôt pour un ravisseur qui ne faisait pas partie de la famille, en raison des circonstances dans lesquelles l'enlèvement avait eu lieu.

F.M. : Pourquoi ?

J.C. : Si l'on prenait en compte l'âge et le sexe de Ben, il s'agissait plutôt d'un ravisseur mâle, avec un mobile sexuel. Quelqu'un qui aurait profité de l'occasion.

F.M. : Et comment l'expert en est-il venu à cette conclusion ?

J.C. : Des cas similaires, dans le passé ; la situation de Ben, et les circonstances de sa disparition. Il nous a conseillé de nous intéresser de près à quelqu'un que nous aurions interrogé et qui nous aurait semblé bizarre, et de fouiller dans les dossiers.

F.M. : Bizarre ? Vous n'aviez certainement pas besoin d'un expert pour vous dire de prêter attention à quelqu'un de bizarre, n'est-ce pas ?

J.C. : Certes. Ce dont je parle ce n'est pas de quelqu'un qui est ouvertement bizarre. Il s'agit plutôt de déchiffrer certains signes. La plupart du temps, ce sont des personnes qui sont dans le contrôle, notamment pour ce qui est des relations sexuelles, mais pas seulement ; ça s'applique aussi à la vie quotidienne.

F.M. : Ce qui, sans doute, collait avec le suspect qui participait au jeu de rôle ?

J.C. : Exact.

Parler de son travail lui avait insufflé une énergie que je n'avais encore jamais vue chez lui. Je change de sujet, en espérant qu'il garde ce souffle pour évoquer sa vie privée.

F.M. : Et Emma ?

J.C. : Eh bien quoi ?

F.M. : Que pensait-elle de tout ça ?

J.C. : À vrai dire, nous n'avions pas eu l'occasion de vraiment discuter. Elle continuait à assumer son rôle. Et Fraser en était satisfaite.

F.M. : Je suis surprise que vous ne vous soyez pas parlé. J'avais cru comprendre que vous viviez ensemble.

J.C. : C'était devenu plus difficile depuis le début de l'affaire. Les horaires sont chamboulés. Quand vous rentrez chez vous, vous n'avez qu'une envie : dormir. Certains soirs, il était plus simple pour nous deux que chacun dorme chez soi. Et de toute façon, il était compliqué, parfois, de savoir ce que pensait Emma.

F.M. : Qu'entendez-vous par là ?

J.C. : Peu importe. Il arrive que les gens se replient un peu sur eux-mêmes et ne communiquent pas beaucoup quand ils sont absorbés par leur travail.

F.M. : Oui, c'est vrai.

J.C. : C'était le cas d'Emma. Donc quand elle préférait rester seule, je respectais sa décision. Et, pour être honnête, l'affaire nous accaparait tellement, elle et moi, que nous n'avions plus vraiment beaucoup de temps à consacrer à notre relation. C'est toujours comme ça.

F.M. : Pensez-vous qu'Emma s'était préparée à cette éventualité ?

J.C. : Absolument.

F.M. : Vous lui aviez confié une lourde responsabilité en la recommandant pour ce poste.

J.C. : Je vous l'ai déjà dit, je croyais en elle.

F.M. : Vous lui en avez parlé ?

J.C. : Je ne voulais pas être condescendant. Cela aurait été déplacé. Et elle n'avait pas besoin de ça.

Il commence à taper du pied d'un mouvement saccadé, pour signaler qu'il sait qu'il ne reste que quelques minutes avant la fin de la séance.

F.M. : Une dernière chose avant que vous partiez.

Il lève les sourcils d'un air interrogateur.

F.M. : Aviez-vous l'impression de pouvoir prendre du recul par rapport à cette affaire ? D'un point de vue personnel ?

J.C. : Que voulez-vous dire ?

F.M. : Par rapport à l'âge de Benedict Finch, et à ce que vous aviez ressenti en allant à son école. À certains moments, en lisant votre compte rendu, j'ai eu le sentiment que vous étiez très affecté et que l'histoire de ce petit garçon vous minait.

J.C. : J'étais professionnel.

F.M. : À aucun moment, je n'ai pensé que ce n'était pas le cas. Je n'ai jamais dit le contraire.

Il me regarde droit dans les yeux.

J.C. : Il n'y a rien de mal à se sentir concerné.

F.M. : Était-ce votre première affaire impliquant un enfant, ou dans laquelle un enfant était en danger ?

J.C. : Oui.

F.M. : Était-ce difficile ?

J.C. : C'était difficile car nous devions le retrouver. Nous étions responsables vis-à-vis de lui. Il n'avait rien fait de mal. C'était juste un gosse. Mais cela n'a influencé en rien mes actes.

F.M. : Pensez-vous que la mort récente de votre père a affecté la manière dont vous avez réagi au cours de cette enquête ?

J.C. : Quoi ? Comment ça ?

F.M. : Parfois, la mort de nos parents nous fait repenser et réfléchir à notre enfance. C'est une réaction qui n'est pas si rare. Peut-être que cela vous a rendu plus vulnérable et enclin à vous identifier à Benedict Finch, et à ce qui lui était peut-être arrivé, non ?

Il ne répond pas. Comme s'il n'en croyait pas ses oreilles.

F.M. : Inspecteur Clemo ?

J.C. : Non. Absolument pas. Vous n'avez rien compris. Je faisais mon travail. N'est-on pas censé en avoir terminé pour aujourd'hui ?

Malgré l'heure bien visible sur mon bureau, il regarde sa montre. Il est évident qu'il n'en dira pas plus pour cette fois.

QUATRIÈME JOUR

Mercredi 24 octobre 2012

Les crimes contre les enfants, et plus particulièrement les enlèvements et les homicides, restent toujours extrêmement problématiques tant comme phénomène de société qu'en termes de responsabilité judiciaire. De tels cas reçoivent systématiquement une immense attention de la part du public, des médias et des forces de l'ordre, ce qui peut très vite gêner les services de police en charge de l'enquête.

Boudreaux MC, Lord WD, Dutra RL., « Child abduction : Age-based Analyses of Offender, Victim and Offense Characteristics in 550 cases Alleged Child Disappearance »,
J Forensic Sci 44 (3), 1999.

Restez solidaires dans votre combat pour retrouver votre enfant. Ne laissez pas le stress généré par l'enquête creuser un fossé entre les membres de votre famille. Quand les émotions se déchaînent, veillez à ne pas vous en prendre aux autres ou à les accuser. N'oubliez pas que chacun réagit différemment aux crises ou à la douleur ; aussi, ne jugez pas les autres s'ils ne se comportent pas de la même manière que vous face à la disparition de votre enfant.

« When Your Child is Missing : A Family Survival Guide », *Missing Kids USA Parental Guide*, U.S. Department of Justice, OJJDP Report.

Email

De : Janie Green <greenj@aspol.uk>
À : Corinne Fraser <fraserc@aspol.uk>
Cc : James Clemo <clemoj@aspol.uk> ; Giles Martyn <martyng@aspol.uk
Date 24 octobre 2012 à 6 h 58

OPÉRATION HUCKLEBERRY – REVUE DE PRESSE DU 24/10/12

Bonjour Corinne,

Vous trouverez ci-dessous un aperçu de la presse de ce matin ayant trait à l'Opération Huckleberry. Il s'agit uniquement de la presse régionale et nationale. En raison de l'énorme quantité de matériau reçu, il nous reste encore à éplucher tout ce qui est en ligne ; je vous ferai suivre ces éléments plus tard. Comme d'habitude, je vous transmets les « points forts » avec les liens qui renvoient aux articles scannés.

À sa demande, je mets en copie le commissaire Martyn. Les informations reçues l'inquiètent et il nous convoquera tous plus tard dans la matinée pour parler de la stratégie à mettre en œuvre. Lui et moi sommes disponibles à 10h et à 11h.

Janie Green
Chargée de communication, Police judiciaire de l'Avon et du Somerset

THE SUN NEWSPAPER

« EN COLÈRE »

Du sang : sur ses mains

De la rage : dans ses yeux

Une balafre : sur son front

THE DAILY MIRROR

« DU SANG SUR SES MAINS »

UNE SOLITAIRE la mère, photographe, explique sur son site qu'elle « aime travailler seule »

Une voisine dit « n'avoir jamais vu Benedict »

THE DAILY MAIL

« FAUT-IL CHERCHER PLUS LOIN ? »

La réponse à la disparition de Benedict Finch ne serait-elle pas à proximité de son domicile ?

RACHEL

Après avoir navigué sur Internet, je n'ai dormi que par intermittence ; les phrases que j'avais lues ne cessaient de me hanter. Quand j'ai ouvert les yeux, pour la énième fois, le réveil Stormtrooper[1] indiquait 4 : 47. Les draps étaient tout tire-bouchonnés ; j'étais épuisée et j'avais froid. Nicky dormait dans ma chambre, porte ouverte. Je n'ai pas voulu la réveiller. J'ai descendu l'escalier sans faire de bruit et sans allumer.

Elle avait laissé son ordinateur sur la table de la cuisine. Je l'ai ouvert et la lumière de l'écran a éclairé mes doigts posés sur le clavier. J'avais besoin du mot de passe. Le curseur clignotait pendant que je réfléchissais. Je savais que ce ne pouvait pas être le prénom de l'une de ses filles. Elle m'avait fait la leçon, un jour, sur l'inanité d'utiliser le prénom de son enfant ou le nom de son animal de compagnie. J'ai essayé « Rosedown », qui était le nom du cottage où nous avions grandi. « Mot de passe incorrect ». J'ai réessayé avec « Crème anglaise » en référence au

1. Les Stormtroopers sont les soldats de l'Empire galactique dans la série *La Guerre des étoiles*.

blog de Nicky. Ce n'était pas non plus le bon mot de passe. J'avais droit à un troisième et dernier essai mais je n'avais aucune idée de ce que ce pouvait être. Sur un coup de tête car, malgré ses conseils, c'était le mot de passe que j'utilisais, et parce que mon cerveau fatigué était incapable de penser à autre chose, j'ai tapé « Benedict ».

C'était bon. J'ai été surprise mais j'ai eu un élan de tendresse pour Nicky : ma sœur, si autoritaire, mais une tante si fière de son neveu qu'elle utilisait son prénom comme mot de passe.

Maintenant que je pouvais naviguer sur Internet, j'ai cherché « Disparition de Ben Finch ». De nouvelles informations provenant de sources différentes sont apparues à l'écran. La nouvelle s'était répandue et l'histoire faisait grand bruit. Des images de moi à la conférence de presse étaient visibles à côté de la photo de Ben : le sang sur mon front, mon visage blême, mes gestes, et mes yeux qui lançaient des éclairs. La plupart des accroches étaient ouvertement agressives à mon encontre.

Mais je n'ai pas pu m'empêcher de les lire.

Tel un papillon de nuit attiré par une flamme, j'ai cliqué sur la page Facebook consacrée à l'affaire.

Des centaines de posts étaient publiés. Le premier était celui d'une personne qui s'appelait Cathy Franklin. La photo de son profil la montrait souriante, mais ses yeux étaient cachés par de grosses lunettes de soleil.

Cathy Franklin La mère lui a fait du mal, c'est évident

Il y a 2 heures. J'aime

Stuart Weston La police ne l'aurait pas laissée parler à la presse si elle était suspectée.

Il y a 2 heures. J'aime

Cathy Franklin Stuart, c'est faux. On a déjà vu, par le passé, des gens reconnus coupables qui pleuraient lors des conférences de presse.

Il y a 1 heure. J'aime

Rich Jameson Certains se trahissent de cette manière. Peut-être que la police a essayé de la piéger. Vous seriez surpris de voir le nombre de personnes à qui c'est arrivé.

Allez voir sur www.ouestbenedictfinch.wordpress.com étonnant

Il y a 42 minutes. J'aime 6

Ajoutez un commentaire…

J'ai cliqué sur le lien. Mon cœur battait à tout rompre. J'avais la bouche sèche.

La page Web est tout de suite apparue :

www.ouestbenedictfinch.wordpress.com

OÙ EST BENEDICT FINCH ? Pour les curieux…

LES FAITS

Posté à 03 h 14 par LazyDonkey, mercredi 24 octobre 2012

Benedict Finch a été porté disparu à 15 h 30 dimanche 21 octobre.

La dernière personne à l'avoir vu est sa mère.

Elle l'a laissé partir en courant devant elle, sans surveillance.

Et elle ne l'a plus jamais revu.

Hier, elle est apparue lors d'une conférence de presse pour lancer un appel à l'aide afin de retrouver Ben.

Ce blog est destiné à attirer votre attention sur des événements du passé.

HISTORIQUE DE CERTAINES AFFAIRES

L'affaire Ian Huntley

Cet homme est apparu à la télévision après la disparition de Holly Wells et de Jessica Chapman. Par la suite, il a été reconnu coupable de leur mort. Il était la dernière personne à les avoir vues vivantes.

L'affaire Shannon Matthews

La mère de Shannon est intervenue à la télévision à de nombreuses reprises après la disparition de sa fille. Par la suite, elle a été reconnue coupable de son enlèvement.

L'affaire Tracie Andrews

Cette femme est apparue à la télévision lors d'une conférence de presse pour lancer un appel à l'aide afin de retrouver le meurtrier de son fiancé. Elle a évoqué une altercation entre automobilistes. Elle a été reconnue coupable, par la suite, du meurtre de son fiancé.

Que pouvons-nous tirer comme conclusion de toutes ces histoires ?

Qu'il ne faut pas se fier aux apparences.

Commentaires

54 personnes ont participé à cette discussion avec **94 commentaires**

Cathy_07926

Ce que je viens de lire est troublant. Pourquoi ne pas cesser de harceler la mère ? N'avez-vous jamais entendu parler de l'expression « innocent jusqu'à preuve du contraire » ?

Jen aime les cookies

Cathy, je suis d'accord avec toi. En tant que personne vivante, capable de respirer, je tends ma main à Rachel, Ben et son père, pour qu'ils sachent que des gens prient pour eux et leur petit garçon. J'ai pensé à eux toute la nuit et à l'épreuve que cette famille était en train de traverser.

Selina Y

Oh, mon Dieu ! Il suffit de regarder la mère pour comprendre qu'elle a fait quelque chose. Pour moi, elle est coupable jusqu'à preuve du contraire ; il faut être réaliste, sinon comment pourrons-nous empêcher des sales tarés de faire du mal à nos enfants ?

Vététiste

Pourquoi la mère a-t-elle laissé partir son fils devant ? Pour s'attirer des ennuis. Et le père, dans tout ça ?

Julia Peachy

Le papa est médecin. Il a sauvé la vie de ma fille. Nous sommes de tout cœur avec lui.

MonsieurToutLeMonde

Un enfant tout seul dans les bois ? Sérieux ? Voulait-elle qu'il lui arrive quelque chose ? C'est pire qu'un cauchemar.

Joker_864

Les arbres peuvent marcher. Le lierre vous agrippe par les pieds. Les branches vous attrapent et vous font disparaître. Les petits pinsons sont la proie des gros oiseaux.

RichNix

Je n'aimerais pas que ce soit ma mère. Elle me fout la trouille.

Nuage99
Elle ne devrait pas avoir d'enfant. Ce qu'elle a fait est déplorable. On ne se rend pas compte de la bêtise des gens avant d'avoir lu ce genre de choses. Un enfant est un don. Je ne laisserai jamais mes enfants s'éloigner de moi : n'était-elle pas au courant des risques ?

FeeDuLogis
Je suis désolée pour Ben qu'il ait une mère pareille. J'espère qu'après ça son père pourra en avoir la garde.

Forever twenty-one
En tant que mère de quatre enfants, je voudrais vraiment que les gens cessent de spéculer et qu'ils prient pour ce petit garçon.

Cartesien24/24
Spéculer est une drogue. C'est ce qui nourrit notre société.

Happyenrobedechambre
Il faut que les gens arrêtent de regarder la télévision et qu'ils se bougent pour aider à retrouver ce petit garçon. La police devrait nous donner plus d'informations. Quoi qu'ait fait la mère, nous devons prier pour protéger ce petit garçon où qu'il soit.

Soudain, la lumière s'est allumée dans la cuisine. Nicky était debout, dans l'embrasure de la porte. Elle avait l'air toute renfrognée et endormie dans sa chemise de nuit.

— Qu'est-ce que tu fabriques ?

J'ai fait un geste en direction de l'ordinateur.

— Qui peut écrire des choses pareilles ? Tu sais ce que les gens disent ?

Elle a jeté un œil à la page Web sur laquelle j'étais avant de rabattre l'écran.

— Arrête ! Il ne faut pas que tu lises ça. Ça ne sert à rien. Ce sont des malades qui se servent de Ben pour avoir leur moment de gloire. C'est grotesque. Ils sont déchaînés. Promets-moi que tu ne recommenceras pas. Promets-le-moi.

— Il n'y a pas que les gens. La presse aussi.

— Promets-moi que tu n'iras plus sur ce site !

J'ai promis mais, longtemps après, mes mains tremblaient encore.

JIM

Juste avant de partir travailler, j'ai parlé à Emma ; un coup de téléphone rapide car, la nuit précédente, elle m'avait manqué.

Elle a répondu immédiatement.

— Comment ça va ? m'a-t-elle demandé d'une voix fatiguée.

Je l'ai entendue bâiller à plusieurs reprises.

— Ça va. Et toi ? Tu as bien dormi ?

— À ton avis ?

— À mon avis, tu as passé la moitié de la nuit sans fermer l'œil, comme moi.

— En effet.

— Tu tiens le coup ?

— J'ai survécu à pire.

— Ça va être la même chose pour tout le monde.

— Je sais.

Elle semblait abattue, ce qui m'a contrarié car ce n'était pas dans ses habitudes de se laisser démonter. J'ai donc voulu l'assurer de mon soutien.

— Mais c'est pour ça qu'on fait ce métier, n'est-ce pas ? Pour ce genre d'affaire, ça vaut la peine, non ?

— Oui, tu as raison. Enfin, si nous réussissons.

Je l'ai entendue bâiller à nouveau.

— J'étais inquiète pour toi, hier, a-t-elle ajouté.

— Comment ça ?

— La conférence de presse, Rachel Jenner qui pète les plombs, et le pays entier qui en est témoin ? Arrête de jouer les idiots.

Je n'ai pas vraiment eu envie de répondre.

— Ça va.

— Tu es sûr ?

— Si je te dis que ça va, c'est que c'est vrai.

— D'accord. Très bien. Excuse-moi, je ne suis pas tout à fait réveillée. Je me suis endormie au petit matin, je crois. Je ne voulais pas te mettre en colère. Je peux te rappeler dans cinq minutes, quand j'aurai fini de me préparer ?

— Je suis prêt à partir, j'allais sortir. Je te verrai à la réunion, tout à l'heure.

— D'accord. À tout à l'heure. Je serai plus en forme, je te promets.

Nous nous sommes dit au revoir, tendrement, mais j'ai raccroché en ayant le sentiment de ne pas avoir été sincère. La conversation ne m'avait pas remonté le moral comme je l'aurais pensé.

Ce matin-là, au bureau, notre priorité était d'aller parler au participant du jeu de rôle qui avait fait quelques difficultés quand deux de nos enquêteurs étaient allés l'interroger. Après vérification, nous avons découvert qu'il avait un casier judiciaire : attentat à la pudeur, rien que ça. Ce qui signifiait qu'il avait gagné le gros lot et se retrouvait numéro un sur la liste des suspects.

L'inspecteur principal Fraser ne lâchait pas le morceau : elle insistait pour l'interroger elle-même.

— Nous irons trouver ce p'tit gars, chez lui, Jim, a-t-elle dit. Mais sans rendez-vous, hein ? Nous allons lui faire une surprise.

Je n'avais pas fait d'interrogatoire en présence d'un supérieur hiérarchique depuis bien longtemps ; j'essayais de chasser de mon esprit l'idée qu'elle voulait m'avoir à l'œil après le cafouillage de la conférence de presse. J'osais plutôt espérer qu'elle restait fidèle à sa réputation : être sur le terrain tout le temps d'une enquête. Elle a demandé à Woodley de venir aussi.

Nous avons pris une voiture banalisée. Je conduisais pendant que Fraser, les lunettes sur le bout du nez, s'occupait de la stéréo. Woodley, à l'arrière, s'était installé sur le siège du milieu pour pouvoir se pencher chaque fois que Fraser disait quelque chose.

Elle a demandé :

– Avez-vous lu la revue de presse envoyée ce matin par e-mail ?

— Oui. Plutôt violent.

— En effet. J'ai une réunion avec le commissaire Martyn vers 11 heures, et ce qui se passe est loin de lui plaire.

Le commissaire Martyn supervisait toute l'affaire ; c'était le supérieur hiérarchique de Fraser. Il était rare que les choses lui plaisent. J'ai attendu qu'elle en dise plus, mais elle a mis la radio en marche.

— Qu'est-ce que vous écoutez Jim ?

— J'ai l'habitude d'écouter 5 Live, chef, ou Radio Bristol.

— Des choix prosaïques : rien que de l'info. Et que diriez-vous d'un peu de culture ? Agent Woodley, la culture, ça vous dit quelque chose ?

— Je jouais de la flûte à bec à l'école, a-t-il répondu.

J'ai jeté un œil au rétroviseur ; son visage était sans expression, difficile de savoir s'il faisait ou non de l'humour. Fraser a eu l'air amusé, elle a choisi une station de musique classique et a monté le son.

— Je parierais que vous écoutez Radio 4, chef, ai-je dit.

— Non. Je ne veux pas prendre le risque d'entendre l'un de nos collègues de Scotland Yard battre sa coulpe et celle de la police dans son ensemble. Je préfère éviter ça autant que possible.

Elle s'est laissée aller en arrière, profitant du repose-tête. J'ai profité d'un arrêt au feu pour me tourner vers elle, et c'est alors que j'ai vu qu'elle avait fermé les yeux.

Nous sommes arrivés à destination à 9 h 00. Notre homme vivait dans un appartement en sous-sol, dans une rue minable de Cotham. Il s'agissait surtout d'appartements loués à des étudiants, dans un ensemble d'anciens immeubles mitoyens datant de l'époque victorienne. Les façades de pierre avaient dû être belles autrefois, mais désormais, faute de moyens, elles étaient sales et fissurées en de nombreux endroits. Aucun de ces bâtiments ne semblait bien entretenu. Des poubelles envahissaient les trottoirs ou s'entassaient dans les petits espaces prévus à cet effet. La plupart débordaient de sacs en plastique noirs. Devant l'appartement de notre homme, une poubelle avait été renversée sur le pas-de-porte.

— Peu regardant sur la propreté, on dirait, a fait remarquer Fraser dont les chaussures à petits talons ont soigneusement évité les ordures.

Il nous a fallu sonner à plusieurs reprises avant que quelqu'un nous réponde. Notre homme a fini par ouvrir la porte d'entrée et nous avons attendu dans le hall qu'il daigne apparaître. Fraser a jeté un œil au courrier jeté en vrac sur une petite table commune à tous les locataires. Des papiers publicitaires jonchaient le sol, seules touches de couleur, avec les chaussures et le rouge à lèvres de Fraser, dans ce lieu glauque. La minuterie s'est arrêtée et la lumière s'est éteinte au moment même où il entrouvrait la porte du sous-sol.

— Edward Fount ? a demandé Fraser.

Il a hoché la tête. Fraser nous a présentés. Nous avons montré nos badges et il a plissé les yeux. Il était frêle, avait la peau très blanche et des cheveux si noirs qu'ils paraissaient teints. Ils encadraient son visage de mèches grasses et lui donnaient un air presque féminin. Apparemment, il vivait seul, dans trois pièces minuscules : sa chambre, un couloir qui faisait office de cuisine et un petit espace qui, à en juger par l'odeur, devait servir de cabinet de toilettes.

— Ils ne l'aiment pas, nous avait expliqué Fraser avant de partir ce matin-là. Les organisateurs des événements *fantasy* – en tout cas, ceux à qui nous avons parlé – se méfient de lui. Il est nouveau et ils ne le connaissent pas très bien. En plus, personne ne l'a vu ressortir de la forêt dimanche. Certains disent qu'il ne respecte pas les règles, ce qui, dans l'univers des jeux de rôle, est manifestement un péché capital. D'autres disent aussi qu'il est sale.

Et, en effet, il l'était. Il sentait fort. Son odeur corporelle nous a saisis à la gorge avant même que nous franchissions le seuil de sa chambre sordide. Il n'y avait qu'une seule petite fenêtre à travers laquelle on apercevait un coin de l'arrière-cour : du béton et les restes hivernaux de plantes sauvages.

La chambre était meublée d'un lit une personne dont les draps n'avaient, probablement, jamais été lavés. Au milieu de la pièce se trouvait un bureau fabriqué avec des planches de récupération où trônaient un PC et un socle d'iPod sur lequel était posé son téléphone. On entendait de la musique celtique accompagnée de paroles en allemand. Un genre musical peu commun. Les murs étaient recouverts d'affiches et de dessins représentant des univers *fantasy* sombres et sanguinolents.

Edward Fount s'est assis sur son lit ; il nous observait, sans vergogne, de sous sa frange. Fraser a pris la chaise de bureau, l'a calée avant de s'installer dessus en croisant les jambes. J'ai vu les yeux de Fount qui regardaient ses chevilles, en s'attardant sur ses chaussures en cuir verni bordeaux foncé. Woodley et moi sommes restés debout, appuyés contre un mur. Nous étions tous à quelques centimètres les uns des autres.

— On peut ouvrir cette fenêtre ? a demandé Fraser.

Fount a secoué la tête.

— En séchant, la peinture a bloqué l'ouverture. Ça n'a pas d'importance. Il fait toujours froid ici.

— Il faut aérer. Sinon, vous allez tomber malade.

— Je prends des vitamines, a-t-il dit.

D'un geste vague de la main, il a montré un tube de vitamine C sur son bureau, près des restes d'un repas tout prêt, réchauffé au micro-ondes.

— C'est bien, alors, a dit Fraser. Il est important de prendre soin de vous.

Fount a opiné du chef.

— D'autant plus que vous vous battez tous les week-ends dans la forêt. N'est-ce pas ? a demandé Fraser.

— Pas tous les week-ends. Une fois par mois. Et ce ne sont pas toujours des batailles. Il s'agit plutôt de représentations de récits narratifs.

— *Récit narratif* est une expression d'adulte, monsieur Fount, a fait remarquer Fraser. De même que *représentation*. Je suis impressionnée. Donc, dites-moi, quel personnage de « récit narratif » incarnez-vous ? Si j'ai bien compris, vous créez vous-même vos personnages, n'est-ce pas ?

— Je suis un Assassin, a-t-il répondu.

Il avait compris que Fraser se moquait de lui ; son regard, furtif, montrait qu'il était tout sauf idiot. Malgré tout, il n'a pu dissimuler la fierté qu'il mettait dans sa réponse.

— D'accord. Et l'Assassin a un rôle important dans le jeu ?

— Très, très important. Les Assassins sont des personnages de l'ombre, ils observent, attendent, et connaissent tous les secrets.

— Comme en ce moment même ?

Il a acquiescé, la tête haute, essayant d'affirmer son assurance.

— Et l'Assassin a-t-il beaucoup de pouvoir ?

Elle a insisté sur les mots, d'une voix moqueuse.

— Oui.

— Un Assassin serait-il de taille à confronter un homme aussi fort que, disons, l'inspecteur Clemo, ici présent ?

— Les Assassins ont leur méthode à eux. Ils n'ont peur de personne et sont craints de tous.

— C'est très malin. Tant mieux pour vous. Au fait, vous n'êtes pas curieux de savoir pourquoi nous sommes ici ?

— C'est au sujet de la disparition du petit garçon ?

— Vous faites preuve d'une certaine indifférence. Pourquoi ?

— Je n'ai rien à voir avec ça. Je n'ai rien vu.

— Par conséquent, ce qui est arrivé à Benedict Finch n'est pas l'un de vos secrets ?

— Je ne partage jamais mes secrets.

— Et pourquoi ça ?

— Parce que c'est secret.

Il s'est mis à rire, brièvement ; un rire aigu, qui lui donnait l'air d'un poisson qui cherche de l'air.

— N'est-ce pas plutôt parce que ces secrets sont honteux ? Vous avez été arrêté pour attentat à la pudeur, n'est-ce pas ? Je comprends que vous souhaitiez garder ça pour vous, sous le manteau, ou peut-être devrais-je dire sous la cape de l'Assassin ? C'est probablement sage de votre part.

— C'est faux.

— Ce n'est pas ce que disent les deux petites filles qui voulaient jouer gentiment au tennis. Quel âge avaient-elles, selon vous ? Je vais vous le dire. Elles avaient onze ans, et vous avez interrompu leur jeu en leur montrant votre petit zizi à travers le grillage qui entourait le court. Je me trompe ?

— Ça ne s'est pas passé comme ça. Je vous le promets.

Fraser s'est penchée en avant et a regardé Fount droit dans les yeux.

— Avez-vous vu Benedict Finch dans la forêt dimanche après-midi ?

Fount a reculé sur le lit jusqu'à pouvoir appuyer son dos le long du mur. Il avait une pomme d'Adam saillante ; et quelques poils belliqueux d'une maigre barbe ponctuaient son menton. Il n'a rien répondu, mais une expression de défi se lisait sur son visage.

— L'avez-vous vu ? a redemandé Fraser. Avez-vous vu Benedict Finch dans la forêt dimanche après-midi ?

Elle ne le quittait pas des yeux.

Fount a croisé les bras.

— Je ne réponds qu'aux figures d'autorité de mon royaume, a-t-il dit.

Fraser a ricané.

— Vous avez trois figures d'autorité dans cette pièce, avec vous, en ce moment même. Que vous faut-il de plus ?

— Je ne réponds qu'aux figures d'autorité de mon royaume.

— Autre question : comment êtes-vous rentré chez vous dimanche ? Personne ne vous a revu après quinze heures.

— Vous ne comprenez pas. J'habite le Royaume de Isthcar. Je ne reconnais que les gouverneurs de ce royaume. Les Assassins n'ont de comptes à rendre qu'aux Chevaliers d'Isthcarie, de l'Ordre du Marteau de Hisuth.

— Quoi ? C'est quoi ces salades ? Vous allez nous répondre. Laissez-moi vous dire quelque chose : vous feriez mieux de grandir, jeune homme, et plus vite que ça. Nous menons une enquête sur la disparition d'un petit garçon. Il y a des faits que nous ne pouvons ignorer : vous étiez là, et vous avez des antécédents judiciaires.

Elle l'a regardé fixement, jusqu'à ce qu'il baisse les yeux. Il tripotait un trou dans son jean, à la hauteur du genou.

— Pouvez-vous nous dire ce que vous avez vu ? ai-je demandé.

J'ai glissé ma question au milieu de cette conversation qui tournait à l'impasse, calmement, alors que je n'avais qu'une envie : lui tordre son cou décharné.

— Ça nous aiderait beaucoup.

Le visage de Fount s'est fermé. Il ne parlerait pas.

— Si je découvre un jour que vous saviez des choses qui auraient pu nous aider dans notre enquête et que vous n'avez rien dit, vous le paierez cher, a conclu Fraser.

Elle s'est levée.

— Vous pouvez me croire. Bon, c'est fini pour aujourd'hui, mais on n'en a certainement pas fini avec vous.

— Je n'ai pas besoin de vous raccompagner, a dit Fount, dans le dos de Fraser.

Il a esquissé un sourire narquois. Nous étions arrivés au pied de l'escalier quand nous nous sommes aperçus que Woodley n'était pas avec nous. Il était resté dans l'embrasure de la porte de la chambre de Fount.

— Isthcar, n'est-ce pas une ancienne tribu ? a-t-il demandé à Fount. Dans la mythologie nordique ?

— La tribu la plus civilisée. La plus noble.

— Ça a l'air fascinant. Est-ce un jeu compliqué ? Woodley semblait impressionné.

— Pour y jouer correctement, il y a beaucoup de règles à apprendre et de choses à comprendre.

— Génial ! a dit Woodley d'une voix calme. Peut-être à bientôt.

Il a fait un petit signe de tête à Fount, d'homme à homme.

Et Fount lui a dit au revoir.

— Quel connard, s'est exclamée Fraser. En fait, quand j'ai affaire à des connards pareils, j'ai envie de retourner dare-dare derrière mon bureau.

Je savais que ce n'était pas vrai. Aussi haut placée était-elle dans la hiérarchie, au fond d'elle-même, elle resterait toujours un flic des rues.

Nous étions de nouveau dans la voiture. Woodley et moi avions déjà attaché nos ceintures de sécurité, prêts à partir ; mais Fraser avait besoin de quelques minutes pour cracher sa colère.

— Je parie qu'il rêverait de pouvoir encore téter le sein de sa mère. Quand pensez-vous ?

— Je pense qu'il nous faut être prudents. Il est presque trop cliché ; en théorie, c'est le suspect idéal. Jeune, célibataire, et tout le reste. Mais je pense aussi qu'il faut faire attention à ne pas émettre trop d'hypothèses à son sujet.

Elle a continué, ignorant ce que je venais de dire.

— Vous savez aussi bien que moi qu'il n'y a pas de fumée sans feu. Merde ! Ce petit con m'a filé la migraine, dans son appartement dégueulasse, avec son seau et sa pelle en plastique, et son idéologie narcissique à deux balles. Il faut qu'il sorte du bac à sable et qu'il atterrisse dans le monde réel. Les Chevaliers d'Isthcar, qu'est-ce que ça veut dire quand on reste enfermé chez soi ?

Elle a soupiré ; elle avait l'air fatigué. Elle ne comptait pas ses heures, cette semaine-là, comme tout le monde.

— Évidemment, ça change de ceux qui demandent à ne parler qu'en présence de leur avocat. J'ai l'impression d'avoir quelque chose dans l'œil, non ?

Elle a sorti un miroir de poche et a soulevé sa paupière.

— Je ne le crois pas coupable, ai-je dit.

Elle a refermé son miroir brusquement.

— Qu'est-ce qui vous fait dire ça ?

— Je reconnais que, en théorie, c'est le suspect idéal, mais il ne pouvait pas s'empêcher de regarder vos jambes et vos…

Soudain, j'étais intimidé.

— … mes quoi, inspecteur Clemo ?

— Vos chaussures, vos chaussures rouges.

— D'accord. J'ai cru un instant que vous alliez dire autre chose.

Woodley, sur le siège arrière, a ricané, en faisant semblant de tousser.

— C'est donc votre point de vue, Jim ?

— Mon idée est que, généralement, quelqu'un qui s'intéresse aux enfants ne fait pas attention aux femmes, et certainement pas de manière fétichiste. Il ne pouvait pas détourner son regard de cette paire de chaussures rouges. Je l'ai observé.

— Je veux quand même qu'on nous l'amène au poste. On ne peut pas l'écarter de la liste des suspects juste parce qu'il regardait mes chaussures. Vous le savez aussi bien que moi. Woodley, j'ai vu ce que vous avez fait, juste avant de partir. Très malin. Quand il sera convoqué au poste, je veux que ce soit vous qui l'interrogiez et que vous alliez creuser ce qu'il a dans sa sale tête, et ce, quelle que soit la manière dont vous vous y prendrez.

— D'accord, m'dame.

J'ai perçu un petit sourire dans la voix de Woodley.

— Je ne suis pas votre « dame », a-t-elle rétorqué. « Chef », ça suffira. Bon, allez Jim. Qu'est-ce qu'on attend ?

RACHEL

Au milieu de la matinée, Nicky m'a annoncé qu'elle avait parlé avec John.

— Il veut que nous nous retrouvions chez lui afin de nous mettre d'accord sur l'affichette pour annoncer la disparition de Ben et en imprimer quelques exemplaires. Il a une imprimante laser.

Je n'étais jamais allée dans la nouvelle maison de John et Katrina. Ou, tout au moins, je n'en avais jamais franchi le seuil. J'avais passé beaucoup de temps dehors, dans l'allée gravillonnée, quand je déposais Ben pour le week-end.

— Est-ce que Katrina sera là aussi ?

— Je pense, oui. Désormais, je crois qu'il faut que tu la voies comme une paire de bras en plus. Elle veut nous aider et nous avons besoin de toute l'aide possible.

J'ai repensé au blog et aux commentaires que j'avais lus quelques heures plus tôt.

— Nécessité fait loi ? ai-je dit.

— Exactement ! a-t-elle répondu, et elle a esquissé un petit sourire.

Nicky aimait que j'utilise cette expression : c'était celle de notre tante Esther chaque fois que nous parlions des circonstances qui nous avaient amenées à vivre avec elle.

« Vous avez essuyé une tempête. Une horrible tempête. Et, nécessité faisant loi, j'ai été le port où vous avez jeté l'ancre.

— À l'abri », ajoutait Nicky, et tante Esther approuvait.

Tante Esther nous avait recueillies après la mort de nos parents. C'était la sœur aînée, beaucoup plus âgée, de notre mère. Elle nous avait emmenées chez elle tout de suite après l'accident qui avait coûté la vie à nos parents et nous y étions restées. Elle nous avait protégées des commérages qui, parfois, nous poursuivaient comme un nuage de moucherons piqueurs. Et, à sa façon, elle nous avait permis d'avoir une vraie enfance.

L'éducation que nous avons reçue n'avait rien de banal. Tante Esther était une vieille fille et avait toujours vécu seule. Elle enseignait la littérature anglaise aux lycéens passant le bac, dans une petite école privée fréquentée par les enfants des familles aisées de la région. Elle jouait au bridge et avait une passion pour les roses. Elle connaissait très bien la poésie et pouvait réciter par cœur de nombreux vers. Elle portait des jupes qui lui arrivaient aux genoux, avec des chaussures plates et des cardigans tout simples ; elle avait les cheveux blancs indisciplinés, coupés au carré, qu'elle essayait de retenir avec des pinces. Dans le réfrigérateur, il y avait toujours une bouteille de lait frais avec un couvercle doré qui, très souvent, avait été piqueté par le bec des oiseaux, le matin, avant qu'elle ait eu le temps d'aller la récupérer devant la porte.

Je ne pense pas que tante Esther ait eu une fibre maternelle naturelle. Elle n'avait pas l'habitude des jeunes enfants sauf une fois par an lorsqu'elle venait nous rendre visite, avant la mort de nos parents. Par conséquent, quand Nicky et moi avions débarqué dans sa vie, elle nous avait traitées comme des adultes miniatures et avait partagé ses passions avec nous. Nous baignions dans l'art, la musique et les livres ; elle nous montrait la beauté de certaines choses de la vie. Nicky s'en était nourrie comme si elle buvait un nectar et s'était réfugiée, reconnaissante, dans le monde de tante Esther.

Pour moi, ce fut différent. Même en grandissant, j'avais eu l'impression d'être toujours le bébé qui était arrivé chez tante Esther, un petit addendum à leurs vies, trop petite pour bien comprendre les choses, toujours couchée au moment où avaient lieu les vraies conversations. Paradoxalement, alors que je n'avais presque pas connu ni ma mère ni mon père, je fus celle qui accepta le moins que tante Esther remplace nos parents, cependant que Nicky, qui avait déjà neuf ans, ne la quittait pas d'une semelle.

Devenue adolescente, je trouvais Esther vieillotte, ringarde, appartenant à une autre époque, comme les grands-parents des autres enfants. Je refusais ce qu'elle nous offrait, je refusais de partager ses passions, ses connaissances, car elles ne m'apportaient aucun réconfort immédiat et ne m'étaient d'aucune utilité pour me guider. Ce ne fut que plus tard, quand je m'étais assise à côté de John au St George Concert Hall et que j'étais tombée amoureuse de lui et de la musique classique, puis quand je m'étais mise à la photographie, que j'avais regretté de ne pas l'avoir remerciée de tout ce qu'elle avait fait pour nous avant de mourir.

Et c'était parce que les choses n'avaient pas toujours été faciles à cette époque que m'entendre dire quelque chose de gentil à propos de tante Esther faisait plaisir à Nicky. Énormément plaisir.

J'ai accepté d'aller chez John. Laura est venue garder la maison ; il m'était encore impossible de la quitter sans que personne n'y soit. Au cas où. Nicky et moi avons dû nous battre pour nous frayer un chemin au milieu des journalistes et parvenir jusqu'à sa voiture. Ils nous bousculaient et criaient en nous posant des questions que nous avons ignorées. C'était violent. Leurs questions étaient agressives, accusatrices. Quelques-uns des journalistes ont couru le long de la voiture tandis que Nicky démarrait, leurs objectifs collés à la vitre, mitraillant nos visages livides et effrayés.

La maison de John et Katrina n'était qu'à dix minutes de route de chez moi, dans un quartier calme de la banlieue de Bristol, là où tout le monde a une allée qui mène à son garage devant lequel, le week-end, sont garées deux voitures. Leur maison mitoyenne était de style Art déco, peinte en blanc, avec des baies vitrées sur le devant à travers lesquelles, normalement, on aperçoit le salon et un bureau. Mais à notre arrivée, les rideaux étaient tirés dans les deux pièces, et des journalistes traînaient, assis sur le muret, comme des adolescents à un arrêt de bus. Dès qu'ils nous ont vues, ils ont tout de suite été aux aguets.

John a ouvert la porte et nous a fait entrer sans plus attendre. Il avait les cheveux ébouriffés et n'était pas rasé.

— Venez dans la cuisine, a-t-il dit.

— John, ai-je commencé à peine à l'intérieur. Je suis désolée pour ce qui s'est passé lors de la conférence de presse. Je suis tellement désolée. Je ne voulais pas…

— Ça va, a rétorqué John. Toi, au moins, tu ne t'es pas mise à pleurer comme un bébé.

Il ne m'était pas venu à l'esprit que John puisse s'en vouloir, lui aussi, de son propre comportement. Je pensais que ce que j'avais fait était tellement pire.

— Il ne faut pas avoir honte, ai-je dit, mais il était déjà parti en direction de la cuisine.

Avant de le rejoindre, je n'ai pas pu m'empêcher de remarquer le parquet dans le couloir et de penser à ce que Ben m'avait dit : « Le sol est brillant mais je n'ai pas le droit de faire des glissades. »

Katrina était assise dans la cuisine, à une petite table ronde. Comme John, elle avait l'air hagard et, d'une certaine manière, semblait défaite. Elle était en jeans et en T-shirt, par-dessus lequel elle portait un gilet. Elle paraissait très jeune. Elle a regardé John comme si elle s'attendait à ce qu'il joue les hôtes et, puisque ce ne fut pas le cas, elle nous demanda :

— Je peux vous offrir quelque chose à boire ? Une tasse de café ? De l'eau ou bien du thé ?

C'était bizarre d'être là, chez eux, je ne dirai pas le contraire. Mais nous avons conçu une affiche, tous ensemble et, en quelque sorte, se concentrer sur un projet constructif était un soulagement.

La photo de Ben prenait presque toute la place sur l'affichette, avec le numéro de téléphone à contacter. L'adjectif DISPARU s'étalait sur toute la longueur, en haut de la page. L'idée était d'en imprimer une centaine tout de suite, et Katrina a proposé de faire d'autres sorties à l'imprimerie du coin. Elle et Nicky ont discuté pour savoir comment et où les distribuer.

Quand nous avons eu fini, Nicky a dit :

— John, Katrina, permettez-moi de vous poser une question : l'un de vous deux aurait-il en tête le nom de quelqu'un susceptible d'avoir fait ça ? Une idée ?

John a répondu sèchement :

— J'ai donné à la police toutes les informations que j'avais.

— Tu ne te souviens de rien d'étrange, ou de quelqu'un, dans son entourage, qui se serait comporté bizarrement ?

Katrina est intervenue.

— Nous n'avons pas arrêté d'en parler et de tourner en rond, n'est-ce pas John ?

Il avait les bras sur la table, les mains posées à plat. On aurait cru qu'il était en pleine reddition. Il a hoché la tête en signe d'acquiescement.

— En effet. Et rien d'autre ne me vient.

J'avais mal pour lui en voyant ses yeux injectés de sang.

— Je me pose des questions au sujet de l'assistant d'éducation, a commencé Katrina.

— Il est arrivé au début du trimestre. Je ne le connais pas, ai-je dit.

— C'est vrai, a ajouté Katrina. C'est ce qui me gêne. On ne sait pas qui il est. C'est une inconnue dans l'équation à résoudre.

— Tu lui as déjà parlé ? m'a demandé John.

— Non. Et toi ?

— Pas une seule fois, il n'est jamais dans la cour de récréation.

John a haussé les épaules, un geste de lassitude.

— De toute façon, la police va interroger tout le monde. Ils me l'ont promis. Je ne vois pas ce que nous pouvons faire de plus.

— Personne d'autre ? a insisté Nicky.

John en a eu assez :

— Qu'est-ce que tu crois ? Je n'ai cessé, à chaque seconde, d'y penser, toute la journée. Je ne vois rien d'autre qui puisse nous aider. Et Dieu sait que j'aimerais bien !

Du plat de la main, il a tapé un grand coup sur la table, la faisant trembler.

— Bien sûr. Excuse-moi, a dit Nicky.

Dans le silence qui a suivi, Katrina s'est levée et a commencé à ranger les tasses. Des yeux, j'ai fait le tour de la pièce, saisissant en un coup d'œil la nouvelle maison de John. Leur cuisine était peinte en blanc, elle étincelait, le plan de travail en granit était immaculé. Le seul élément de désordre était un tableau d'affichage en pin, recouvert de feuilles de papiers. Je me suis levée pour aller voir, irrésistiblement attirée par une image en particulier. C'était un dessin de Ben.

Il représentait trois adultes et un enfant, avec un nom écrit en dessous de chacun : maman, John, Katrina et Ben. Nous étions tous à égale distance les uns des autres. Ben était entre John et moi. « Ma famille » était le titre qu'il avait donné au dessin, et nous étions tous souriants.

À cet instant, je me suis rendu compte que Ben avait réussi à faire ce que je n'avais pas fait et étais incapable de faire : il avait tourné la page, il était passé à autre chose. J'ai commencé à pleurer.

Quelqu'un m'a entouré les épaules d'un bras. C'était Katrina. Ce qu'elle m'a dit m'a permis de comprendre, pour la première fois, qu'elle n'était pas sans cœur et qu'elle aussi, était sensible.

— Est-ce que tu aimerais voir sa chambre ? m'a-t-elle demandé.

— Oui.

Elle m'a accompagnée en haut. Une porte, sur laquelle étaient accrochées trois lettres en bois B-E-N, donnait tout de suite sur le palier. Elle l'a ouverte et je suis entrée.

— Prends tout le temps que tu voudras, m'a-t-elle dit.

Et elle est redescendue.

La chambre était très joliment décorée ; elle était lumineuse, fraîche, peinte de couleurs pâles, avec une housse de couette à rayures. Le lit était soigneusement fait. La couette n'avait pas un pli, elle était soigneusement bordée et quelqu'un avait posé deux ou trois peluches en rang contre les oreillers bien rebondis, accueillants.

Des reproductions des couvertures des deux Tintin préférés de Ben étaient encadrées au mur, avec un poster du jeu vidéo *Minecraft*. Il y avait un bureau dans un coin avec un paquet de feuilles volantes, un pot empli de stylos et de crayons et une lampe rouge en forme d'éléphant. Un dessin à moitié commencé était posé là, en attendant d'être terminé, à côté de l'iPad que John m'avait offert la veille de son départ, mais que Ben avait fini par s'approprier. Prenant en compte l'absence de son père, je n'avais pas pu lui refuser ; il le laissait souvent chez John et Katrina pour ne pas avoir à négocier avec eux l'utilisation du seul ordinateur de la maison.

Le sol était recouvert d'un grand tapis sur lequel était posé un train électrique – une locomotive avec des wagons – prêt à partir. Un abat-jour en forme de lune était accroché au plafond. Trois avions en papier, les uns au-dessus des autres, y étaient suspendus au bout d'un fil.

Je suis restée assise sur le lit un bon moment, jusqu'à ce que John apparaisse dans l'embrasure de la porte.

— Cette chambre est très jolie.

Il était important que je le lui dise.

— C'est Katrina qui s'en est occupée en demandant à Ben ce qu'il voulait, et c'est elle qui l'a peinte.

Il n'y avait aucun reproche dans sa voix – bien qu'il ait été en droit de m'en faire –, rien qu'une profonde tristesse.

Je me rendais compte de l'incroyable attention et du soin qui avait été apportés à la conception de cette chambre. Entendre que c'était Katrina qui s'en était occupée me faisait de la peine. Mais pas autant que de savoir que, pas une seule fois, Ben ne me l'avait décrite.

— C'est beau, ai-je dit.

Et soudain, j'ai vu comment j'avais transformé tout ce que Ben me disait sur sa vie chez son père en quelque chose de sordide où le bonheur n'avait pas sa place.

Pas de glissades sur le sol signifiait que Ben n'avait pas le droit de jouer. Je n'ai pas cherché plus loin. Chaque fois que Ben partait, j'étais pleine de ressentiment et, à son retour, je ne cessais de l'interroger, pour lui extorquer des informations que je pourrais utiliser pour dépeindre leur mariage, et surtout Katrina, sous un mauvais jour. Je ne me suis jamais autorisée à penser que Ben pouvait être heureux ici et que John et Katrina avaient fait des efforts pour que tout se passe bien et que, en réalité, il avait été accueilli à bras ouverts.

J'avais transformé tout ce que mon fils me racontait en un tableau triste ou déplaisant. Jusqu'à ce qu'il arrête tout simplement de m'en parler. C'était un petit garçon sensible. Il savait ce qui me contrariait.

— Je suis vraiment désolée, ai-je dit à John.

— Moi aussi, m'a-t-il répondu.

Le ton de sa voix était empli de ce sentiment de culpabilité que je connaissais bien.

— Je n'arrête pas de penser qu'il doit avoir très peur, sans nous, ai-je dit.

— Tu lui manques même quand il est ici. Ce doit donc être affreux.

— Tu crois qu'il sait que nous le recherchons ?

— Oui, j'en suis sûr.

Sa réponse se voulait rassurante, mais les yeux de John trahissaient sa vraie pensée. J'y ai lu un désespoir aussi profond et de la même nature que le mien, ce qui m'a encore plus effrayée.

Sur le chemin du retour, Nicky et moi avons décidé de nous garer quelques rues plus loin et de voir si nous pouvions approcher la maison en empruntant la venelle qui longeait l'arrière afin d'éviter la foule des journalistes. C'était un passage trop étroit pour les voitures ; on y trouvait essentiellement des poubelles et des renards. Cette allée séparait nos jardins des lotissements. De là, on accédait directement à mon studio, où je faisais de la photo. Une fois qu'on y était, il ne restait plus qu'à traverser les quelques mètres de jardin pour accéder à la maison. C'était un minuscule coin de verdure, juste assez grand pour un petit filet de foot et un Swingball.

Nous avons eu raison ; les journalistes n'avaient pas eu l'idée de s'installer à l'arrière de la maison. Mais, alors que nous pataugions dans la boue, évitant les flaques d'eau, nous avons remarqué la même chose, au même moment. Sur la clôture face à la porte de mon studio, quelqu'un s'était servi d'une bombe de peinture. Des lettres orange vif se détachaient sur le gris des lattes de bois, dégoulinant à certains endroits tant la peinture était encore fraîche : MAUVAISE MÈRE.

Je me suis écroulée sur le sol en pierre, trempé, devant la clôture défigurée ; du gravier s'enfonçait dans mes mains et mes genoux. Nicky s'est accroupie à côté de moi en essayant de me réconforter. Elle m'a emmenée à l'intérieur et a téléphoné à Zhang.

— Qui a pu faire une chose pareille ? ai-je demandé à Nicky.

Elle a secoué la tête, levant les mains au ciel dans un geste qui signifiait « Qui sait ? ».

Je bouillonnais de peur, de colère, de frustration et d'un sentiment terrible d'impuissance. On me persécutait. J'étais confrontée à des attaques personnelles, ce qui était terrifiant. Et il ne s'agissait plus seulement du monde virtuel : cela se passait chez moi.

J'étais aussi furieuse contre moi-même, à cause de Katrina. Je m'étais tellement trompée sur elle et John, et, parce que j'étais amère et stupide, j'avais obligé Ben à me mentir. À huit ans seulement, il avait senti qu'il devait me protéger et ne pas me dire qu'ils étaient heureux tous les deux et qu'ils s'occupaient bien de lui.

Mais, surtout, j'étais en colère contre la personne qui avait peint ces mots car j'avais peur, très peur.

Arrivée dans la cuisine, devant Nicky, j'ai commencé par balancer, à travers la pièce, une assiette qui s'est brisée sur le mur en face de moi ; une autre a suivi puis une tasse et des couverts. Je lançais aussi fort que je pouvais et j'ai cherché d'autres choses à attraper.

— Arrête, m'a crié Nicky. Arrête ! Je t'en prie !

Elle m'a secouée et a réussi à me maîtriser, en agrippant mes bras. Elle m'a assise de force sur une chaise et s'est agenouillée devant moi.

— Où est-il ? ai-je demandé. Qu'est-ce qui lui arrive ?

— Arrête, a dit Nicky, plus doucement, cette fois, son visage tout près du mien. Je t'en prie.

J'ai cessé de lui résister et j'ai pleuré tout mon saoul, jusqu'à ce que ma gorge me fasse mal et que mes yeux soient si gonflés que je n'y voie plus rien.

JIM

Fraser et moi nous sommes vus juste avant que toute l'équipe se réunisse en fin de journée pour faire un point. Elle avait les yeux rivés à l'écran de son ordinateur.

— Woodley a convoqué notre célèbre ami du monde de la *fantasy*, Edward Fount, demain matin, m'a-t-elle dit. Et Christopher Fellowes, l'expert, m'a envoyé un profil psychologique que nous pouvons utiliser si l'on prend en compte l'option d'un enlèvement par une personne étrangère à la famille. Vous ne serez pas étonné d'apprendre que ça correspond presque parfaitement à la description de M. Fount.

— Je ne le crois pas coupable pour autant.

Elle a retiré ses lunettes pour m'observer.

— Je sais, et je vous entends, mais une intuition ne suffit pas à l'écarter de la liste des suspects. Nous ne sommes pas dans un épisode de *Columbo*.

Malgré tout le reste, cette remarque m'a arraché un sourire. *Columbo* était une série policière télévisée que j'aimais beaucoup quand j'étais enfant.

Fraser a continué.

— On peut passer en revue les autres suspects ? Rachel Jenner ?

— Chris m'a envoyé un e-mail à ce sujet.

— Il a abattu du bon boulot aujourd'hui. Tant mieux, car il nous coûte assez cher comme ça. Il aurait dû me mettre en copie. Je peux voir ?

J'ai ouvert ma boîte e-mails sur mon ordinateur portable, et j'ai grimacé en anticipant la réaction de Fraser à la lecture du premier paragraphe.

Email
De : Christopher Fellowes <cjfellowes@gmail.com>
À : James Clemo <clemoj@aspol.uk>
Date 24 octobre 2012 à 15 h 13

Objet : **Rachel Jenner**
Jim,

Merci pour ton message – suis content d'avoir de tes nouvelles.

J'ai eu la possibilité de voir l'enregistrement de la conférence de presse. M'est-il permis de dire que VOUS AVEZ COMPLÈTEMENT MERDÉ ? J'espère que ce n'est pas toi qui risques ta tête et que tu ne vas être tenu pour responsable, car quelqu'un l'est forcément. Nous lui avions préparé un bon communiqué. Quel gâchis !

Tu voulais que je te donne mon avis en ce qui concerne Rachel Jenner comme suspect potentiel. Sachant que nous ignorons toujours s'il s'agit d'un enlèvement ou d'un meurtre, je pense que la prochaine étape est de ne pas oublier que ce sont deux crimes différents qui supposent des mobiles différents et, par conséquent, des profils différents. Je t'ai fait un rapport détaillé :

Enlèvement d'enfant par un membre de la famille

Selon moi, dans le cas présent, la probabilité est faible. En effet, dans la majorité des cas, quand une mère enlève son enfant, elle le garde près d'elle et s'enfuit avec lui dans un endroit où le père ne les trouvera pas et ne pourra pas leur faire de mal. Cependant, il serait judicieux de voir si un autre membre de la famille ne pourrait pas l'avoir aidée à cacher l'enfant pour l'éloigner de son père. Le plus souvent, quand un enfant se fait enlever par l'un de ses parents, c'est après un divorce, quand les modalités de garde sont problématiques.

N.B. : Je n'exclus pas la piste selon laquelle un autre membre de la famille (à savoir quelqu'un qui n'est ni le père ni la mère) pourrait aussi avoir enlevé Benedict pour des mobiles qui n'ont rien à voir avec ceux que j'ai mentionnés plus haut. Ce serait alors un schéma complètement différent.

Infanticide

Là, c'est plus compliqué. La plupart du temps, on peut évoquer plusieurs mobiles différents mais, dans le cadre de notre affaire, la plupart ne seraient guère pertinents. Les deux seules possibilités envisageables dans le cas de la disparition de Benedict Finch, selon moi, sont les suivantes :

Infanticide involontaire/accidentel ; maltraitance/violences physiques – le plus souvent, il s'agit d'un acte impulsif caractéristique d'une perte de sang-froid et qui arrive dans des cas de stress psychosocial et de la part d'une personne qui n'a aucun soutien. S'est-elle mise en colère dans la forêt ? Ou bien à la maison, juste avant de partir et, dans ce cas, aurait-elle caché le corps quelque part ?

Infanticide et Maladie mentale – plus complexe. Pour ces femmes, malades mentales, l'infanticide apparaît souvent comme un acte rationnel ; et, dans ce cas, les victimes sont des enfants plus âgés que ne l'est Ben. Un large pourcentage de ces femmes est déjà connu des services sociaux ou des hôpitaux psychiatriques et présente des symptômes préexistants tels que la mélancolie, la psychose maniaco-dépressive, la schizophrénie, ou des troubles mentaux du même ordre.

Il ne faut pas oublier le syndrome de Münchhausen ; mais, dans ce cas, la famille serait déjà connue des services médicaux, et c'est peu probable vu que le père est toubib.

Il faut aussi considérer deux autres catégories :

L'euthanasie – un meurtre commis par amour pour, le plus souvent, éviter des souffrances à un enfant : soit parce que cet enfant est malade soit parce que la mère est suicidaire et veut éviter que son enfant ne se retrouve seul sans elle. Et, dans ce type de scénario, il n'est pas rare qu'un parent voire les deux se tuent aussi.

La vengeance d'une épouse, qui devient alors infanticide – le meurtre d'un enfant qui n'est autre qu'un geste de vengeance souvent lié à l'infidélité. Le but étant de « récupérer » l'époux infidèle.

Je rappelle qu'il ne s'agit là que de quelques idées, à chaud, mais qu'elles pourront vous donner des pistes. À votre place, je regarderais du côté des disputes concernant le droit de garde, des antécédents de troubles psychologiques ou psychiatriques, de l'intervention des services sociaux, d'une prédisposition de la mère au suicide, des envies de vengeance concernant le mari (l'a-t-il trompée ?).

Penchez-vous aussi sur son entourage. Mais je suis sûr que vous avez déjà pensé à tout ça.

J'aurai probablement besoin de venir sur place pour rencontrer Rachel Jenner si vous souhaitez que je dresse un portrait psychologique complet de la mère. Si j'en crois ce que j'ai vu lors de la conférence de presse, elle peut être sujette à la colère et à des accès de violence totalement incontrôlée et a probablement une tendance à la vengeance (cf. les menaces lancées contre le ravisseur de Ben).

Bien entendu, tout ça n'exclut pas l'hypothèse d'un coupable (qu'il s'agisse d'un enlèvement ou d'un meurtre) qui ne serait pas un membre de la famille – ce dont nous avons parlé avec l'inspecteur principal Fraser. Je suis en train de mettre en forme par écrit mes idées à ce sujet et je les enverrai directement à l'inspecteur principal Fraser, en te mettant en copie.

N'hésite pas à m'appeler si tu souhaites qu'on en discute.

Amicalement,
Dr Christopher J Fellowes

Maître de conférences en psychologie
Université de Cambridge
Membre du Jesus College

— Vous pouvez me le transférer, Jim, s'il vous plaît ? m'a-t-elle demandé après l'avoir lu. Il y a des choses intéressantes. Je vais mettre ça en forme et le passer au reste de l'équipe. Nous devrions prendre en compte ce qu'il dit au sujet des autres membres de la famille.

— La sœur m'intéresse, mais je crois qu'il n'y a personne d'autre dans la famille. Et il y a aussi une amie, Laura Saville, qu'Emma a vue chez Rachel Jenner.

— A-t-elle été interrogée ?

— Pas encore. Mais c'est une priorité. En plus, l'école a envoyé une très longue liste de gens avec lesquels Ben aurait pu être en contact.

— Est-ce que quelqu'un sort du lot ?

— J'ai rencontré le directeur et la maîtresse de Ben. Ils sont, et c'est normal, très tendus, mais ils ont essayé de nous aider. Le directeur était un peu sur la défensive ; de toute évidence, c'est un cauchemar pour lui, d'autant plus qu'il n'occupe ce poste que depuis cette année. Ils nous ont fait part de deux ou trois choses inquiétantes au sujet de Rachel Jenner, mais vous êtes déjà au courant.

— Vous voulez parler du bras cassé de l'enfant ?

— Oui. Mais je n'y vois aucun signe de malveillance. Je pense malgré tout qu'elle est déprimée et, me semble-t-il, c'est sans doute là le point essentiel à retenir pour nous.

— L'institutrice ?

— À peine trente ans, je dirais, désireuse de nous aider ; elle n'a sûrement pas inventé la poudre, mais elle paraît gentille. Ils agissent tous comme des gens qui essaient de tenir le coup dans une situation difficile.

— Ce qui se comprend.

— Le seul qui attire notre attention est l'assistant d'éducation.

— Mais il a un alibi, n'est-ce pas ?

— Oui, en effet ; de même que le directeur et que la maîtresse. Des alibis que nous avons vérifiés.

— Qu'est-ce qui vous préoccupe, alors ?

— Je ne sais pas, il a l'air louche. Woodley pense la même chose.

— Qui a été chargé de l'interroger officiellement ?

— Je ne sais plus.

— Personne n'a tiré la sonnette d'alarme ?

— Non.

— Voulez-vous l'interroger vous-même ?

— Non. C'est juste une impression et je ne veux pas semer la panique à l'école à moins d'avoir une bonne raison de le faire. Le directeur a envoyé hier soir la liste complète des gens susceptibles d'avoir été en relation avec Ben, et je pense qu'il faut d'abord voir ce que l'on peut en tirer. Il y a une bonne vingtaine de personnes dont nous devons vérifier le casier judiciaire et que nous devrons interroger ; tout ça va prendre du temps. En attendant, on va laisser l'assistant tranquille.

— Je suis d'accord. Pas de chasse aux sorcières. Ça suffit comme ça. D'ailleurs, avez-vous vu le blog ?

— Quel blog ?

Elle a regardé sa montre.

— Il faut y aller. Nous devons faire le point. J'en parlerai pendant la réunion.

Nous sommes arrivés dans une salle pleine de monde. Le commissaire Martyn présidait en bout de table.

— Vous permettez que je me joigne à vous, inspecteur principal Fraser ? a-t-il demandé, d'une voix exceptionnellement basse.

Sa présence à la réunion était la preuve qu'il s'agissait d'une affaire importante. Il était en uniforme. Ses cheveux bouclés étaient si fins qu'on aurait dit de la barbe à papa. Il avait de grosses bajoues et un nez rouge d'alcoolique. Il me faisait penser à certains amis de mon père. Il devait se rendre à une soirée officielle à l'hôtel Marriott, nous a-t-il dit, et il ne pourrait donc pas rester trop longtemps avec nous.

Sa présence était déprimante ; elle donnait un caractère formel à cette réunion et effaçait l'atmosphère de complicité que Fraser entretenait d'habitude. Elle a donné le coup d'envoi. Elle nous a d'abord annoncé que le nombre d'appels sur la ligne dédiée aux gens qui avaient des informations à nous transmettre restait élevé. Elle s'en réjouissait.

Elle a fait part de l'évolution de l'enquête et de nos points de vue à ce sujet avec le reste de l'équipe ; puis elle a parlé du rapport que Chris Fellowes avait envoyé. Enfin, elle a effectué le partage des tâches et confié une mission à chacun. En priorité, il s'agissait d'éplucher la liste que l'école avait transmise.

— Parlez à autant de personnes sur cette liste que vous le pourrez. Nous avons besoin d'avoir une idée claire de l'univers de cet enfant.

Fraser a demandé que chacun fasse un point. Une enquêtrice aux traits anguleux, répondant au nom de Kelly Dixon, a commencé. Elle nous a précisé qu'elle avait retrouvé la trace du pédophile. Il était à un salon de la bande-dessinée à Glasgow dimanche après-midi : il avait tenu un stand. En aucun cas il n'avait donc pu approcher Benedict Finch. Cependant, il avait eu l'occasion de croiser un bon nombre d'adolescents de moins de seize ans au cours de cet après-midi-là, et il avait donc enfreint les conditions de sa remise en liberté. Par conséquent, il marinait de nouveau en prison.

— Mon Dieu ! s'est exclamée Fraser. Enfin, on peut quand même appeler ça un résultat.

Puis elle a évoqué le blog. Si, jusqu'à maintenant, ce qui se passait ne présageait rien de bon pour Rachel Jenner, ce n'était rien comparé à ce qui se profilait.

— Il n'aura échappé à personne, a dit Fraser, que la mère de notre victime s'est comportée de manière imprévue lors de la conférence de presse, hier…

— C'est le moins qu'on puisse dire, s'est exclamé le commissaire Martyn.

Fraser a essayé de contenir son agacement.

— Ce comportement a, semble-t-il, incité quelqu'un à écrire un blog très vindicatif, qui prend pour cible, avec beaucoup d'agressivité, Rachel Jenner, et qui sous-entend qu'elle est responsable de l'enlèvement de Ben, voire plus. Woodley, voulez-vous bien expliquer ?

Woodley s'est éclairci la voix. Il avait la bouche sèche, il était nerveux.

— Normalement, on ne s'attendrait pas à ce qu'un blog de la sorte attire autant l'attention, a-t-il dit. Mais l'auteur a créé plusieurs liens sur

Facebook qui, inévitablement, vous y amènent et sont partagés, sans compter qu'il en est question sur Twitter et que les commentaires ne cessent d'être retwittés. Le blog a déjà été vu par des milliers de visiteurs.

Il a regardé Fraser qui a dit :

— Traduisez, s'il vous plaît, pour les plus vieux.

— C'est devenu viral, a-t-il précisé

— On n'est pas plus avancés.

J'ai vu Emma sourire discrètement. Nous savions tous qu'en langage informatique, Fraser s'y connaissait plus qu'elle ne voulait bien le laisser entendre, mais certains, dans la salle, avaient besoin d'éclaircissements.

— Tout le monde s'y intéresse. Le site a été visité par des milliers de gens, ce qui laisse présager que ça va s'étendre et être partagé par des dizaines de milliers de gens.

Fraser a continué.

— Exact. Et donc, ça peut devenir un problème pour nous au sens où ce blog est susceptible d'échauffer les esprits. La dernière chose dont on a besoin, c'est d'un procès via Internet. Nous ne devons pas oublier que, malgré son comportement devant la presse, nous n'avons aucune preuve, à ce stade, d'une quelconque culpabilité de Rachel Jenner. Et si, par la suite, elle est inculpée, ce peut être un cas d'outrage à magistrat.

— Pouvons-nous identifier l'auteur de ce blog ? a demandé le commissaire Martyn.

— Ce n'est pas évident, a dit Woodley. C'est quelqu'un qui utilise le pseudonyme de *LazyDonkey*, mais il est impossible de savoir de qui il s'agit.

— Nous le surveillons de près, en espérant que les choses se calment un peu. Si ce n'est pas le cas d'ici vingt-quatre heures, je demanderai un recours judiciaire. Bien ! Autre chose à ajouter ?

Des yeux, elle a fait le tour de la pièce.

— Excusez-moi, chef, a dit Emma tandis que son téléphone vibrait. C'est le numéro de Rachel Jenner.

— En parlant du loup, a fait le commissaire Martyn.

Il tripotait une grosseur sur son cou.

— Je peux répondre ? a demandé Emma.

Fraser a hoché la tête en signe d'assentiment.

RACHEL

Après avoir appelé la police, Nicky, accompagnée de Laura, est ressortie pour nettoyer la clôture. Elles n'ont pas voulu que je les aide par crainte des journalistes et, de toute façon, je n'étais pas en état de le faire.

Je suis restée assise sur le canapé, enveloppée d'une couverture, m'efforçant d'arrêter de trembler, pendant qu'elles s'échinaient, dehors dans le froid, à effacer la preuve que quelqu'un voulait que tout le monde pense que j'avais fait du mal à mon fils.

Mais c'était vain, tel Sisyphe et son rocher, car pendant qu'elles frottaient, les doigts gelés, les bras douloureux, nous savions tous que d'autres personnes, ailleurs, diffusaient le même message, plus efficacement et sans avoir besoin de se salir les mains.

Être publiquement calomniée, être violemment attaquée par autrui est totalement destructeur, quand bien même vous essayez de rationaliser les choses en vous disant que seule la pire engeance est capable de commettre de tels actes.

Je me sentais cernée par la haine et j'avais physiquement peur. Si quelqu'un était assez culotté et motivé pour venir peindre des graffitis juste à côté de ma maison, qu'est-ce qui pourrait l'empêcher d'aller encore plus loin ? Pouvait-on entrer chez moi par effraction et me faire du mal ?

La peur que j'éprouvais pour Ben, depuis dimanche, était inscrite dans chacune de mes cellules et dictait toutes mes pensées, toutes mes actions ; mais, à partir de cet instant, elle s'accompagnait d'autre chose : j'avais peur pour moi aussi.

JIM

Pendant qu'Emma s'esquivait pour prendre l'appel de Rachel Jenner, le reste de l'équipe s'est mis à bavarder tranquillement, à voix basse. La boîte de biscuits était vide ; des boissons énergisantes étaient dispersées un peu partout sur la table et les gens se frottaient les yeux, qui piquaient de fatigue. Bennett a tenté de cacher un bâillement monstrueux derrière une liasse de papiers. Nous essayions tous de lutter contre l'amenuisement de notre énergie et nous ne voulions pas nous laisser décourager par cette enquête qui progressait peu.

Fraser a conclu par un résumé de la situation :

— Nous avons deux pistes principales, une approche parallèle : la famille ou quelqu'un d'étranger à la famille. Gardez tous bien ça en tête. Dans les deux cas, les modes opératoires sont très différents. Ne l'oubliez pas.

Emma l'a interrompue.

— C'était la sœur. Elles sont terrorisées. Des graffitis injurieux ont été peints sur le mur derrière la maison.

Fraser a ravalé un juron.

— On n'avait vraiment pas besoin de ça, a-t-elle dit après avoir retrouvé un vocabulaire approprié. Comment va la mère ?

— Elle est sous le choc, apparemment, a répondu Emma. Comme on le serait tous. Et elle est effrayée.

Fraser a soupiré.

— Nous devons réagir. Le problème étant que si l'on décide de poster un agent devant la maison, il en faut un derrière aussi.

Le commissaire Martyn a secoué la tête.

— À ce stade, il est inconcevable de débloquer un budget pour ça. Si on décide dès maintenant d'assurer la protection des lieux, ça va durer jusqu'à quand ? Que fera-t-on si on ne retrouve pas l'enfant ? Pour pouvoir justifier cette action, il faut attendre de voir si les menaces prennent de l'ampleur.

Fraser en a pris note.

— Je vais quand même demander à des hommes de la patrouille de faire des rondes en voiture la nuit et de surveiller l'allée à l'arrière du jardin quand ils seront dans les parages. Montrer qu'on est là ne nous fera pas de mal. La famille a besoin de savoir qu'elle a notre soutien.

— Ils ont réclamé une protection ? a demandé Martyn.

— Non, a répondu Fraser. Mais je pense que c'est préférable d'anticiper ce genre de choses. Si nous prenons ces menaces au sérieux dès maintenant, nous serons en mesure d'anticiper une situation de panique.

Martyn a approuvé ses propos en opinant du chef. La solution de Fraser était simple et ne coûtait rien. Je me suis demandé si les tableaux de chiffres des dépenses de son département ne défilaient pas en permanence devant ses yeux.

— Ont-elles précisé la teneur du graffiti ? a demandé Fraser.

— Il y avait écrit « mauvaise mère », a répondu Emma.

— Nom de Dieu !

— Ça ne me surprend pas, a ajouté Emma.

Fraser a relevé la tête brusquement.

— C'est-à-dire ? Qu'entendez-vous par là ?

Emma a rougi.

— Excusez-moi. Je voulais seulement dire qu'au vu de la violence des réactions qu'elle suscite déjà, je ne suis pas étonnée. Rien de plus, chef. N'y voyez là aucune insinuation.

— C'est bon, alors. Je préfère ça.

Avant de continuer, elle a jeté un regard inquisiteur à Emma. J'ai vu un sourire narquois se dessiner, sournoisement, sur les grosses lèvres de Bennett et j'ai eu envie de l'étrangler.

— Ce qui m'amène au point suivant, car je pense qu'il serait sage d'en informer la famille en personne.

Ce qu'elle a révélé a été à l'origine d'une grande déception pour nous tous. Les experts scientifiques avaient rendu leur rapport : ils n'avaient découvert aucun indice sur les vêtements de Ben retrouvés dans la forêt. Fraser pensait qu'il était préférable que quelqu'un avertisse la famille. Après avoir regardé sa montre, elle a envoyé Emma chez Rachel Jenner.

— Allez-y maintenant, pendant qu'il n'est pas encore trop tard. Ce ne serait pas une bonne idée d'aller frapper à leur porte en plein milieu de la nuit.

Et, quand vous serez là-bas, jetez donc un œil au graffiti. Jim pourra vous tenir au courant de la suite de notre réunion.

J'ai gardé les yeux baissés sur mon carnet de notes.

Fraser l'a interpellée :

— Emma ?

— Oui, chef.

— Continuez à faire du bon boulot. Votre rôle est d'observer, mais aussi d'apporter un soutien à la famille, donc prenez garde à ce que vous dites.

— Je comprends, chef. Je suis désolée. Je ne voulais pas…

— Je sais.

Fraser l'a coupée.

— Ça suffit, allez-y maintenant.

Tandis qu'elle s'éloignait, j'ai vu qu'Emma avait toujours le feu aux joues.

Nous n'avons pas dit grand-chose de plus. Nous avons évoqué la possibilité d'interroger les parents à nouveau puis avons décidé qu'il fallait d'abord bien y réfléchir. Dans tout cela, Fraser trouvait encore l'énergie de s'énerver au sujet d'Edward Fount. Elle voulait qu'on revérifie ses antécédents judiciaires et elle a donné l'ordre de passer à l'action : les enquêteurs disponibles devaient interroger toutes les personnes de son entourage.

Quand ce fut fini, Martyn s'est levé pour faire un petit discours sur le travail en équipe, le dévouement, et pour nous dire que cette affaire était très importante et que le pays entier surveillait chacun de nos gestes. Puis il a remis sa casquette et est parti au Marriott pour retrouver les grands de ce monde.

Nous sommes sortis de la salle chacun à notre tour, ramassant nos papiers, certains retournant à leur bureau, prévoyant de travailler tard dans la nuit. Nous en étions au stade où rien en dehors de l'enquête n'existe plus : c'est épuisant, c'est obsédant et ce n'est jamais assez. Vous êtes sur les nerfs et vous carburez à l'adrénaline et au café. Il est difficile de faire des choses normales car vous ne pensez à rien d'autre. C'est comme une drogue.

Fraser et moi étions les derniers. Elle avait l'air fatiguée et préoccupée.

— Ça va, chef ?

— Ça va. Rentrez chez vous, Jim. Dormez un peu.

RACHEL

Zhang est arrivée tout de suite après que Nicky et Laura sont rentrées, les jointures des phalanges rouges et gonflées à force d'avoir frotté.

Elle était venue nous annoncer en douceur que les prélèvements scientifiques sur les vêtements de Ben n'avaient rien donné. Ce qui signifiait que les vêtements n'avaient livré aucun indice précis mais, pour autant, a-t-elle ajouté, la police était sur plusieurs « pistes intéressantes ».

— Quelles sont-elles ? a demandé Laura.

— Malheureusement, je ne peux pas vous en dire plus, a répondu Zhang.

Elle m'a pris la main.

— Mais sachez que nous faisons tout notre possible. Ne perdez pas courage.

Elle s'est tournée vers Laura.

— J'ai appris que vous étiez journaliste.

— C'est vrai.

Laura n'avait pas peur de lui répondre en la regardant droit dans les yeux, mais son malaise se traduisait autrement : elle ne cessait de tourner et retourner un bracelet en soie noire avec une rose en jade qu'elle portait au poignet.

— Pourquoi cette remarque ?

— Cette situation ne vous met-elle pas en porte-à-faux, d'un point de vue professionnel ?

— Je m'occupe de l'édito d'un magazine féminin, a précisé Laura. En ce moment, j'écris sur le lancement d'un nouveau rouge à lèvres de chez Harvey Nichols. Je travaille sur ce genre de sujets. C'est un autre monde.

— Oh ! a fait Zhang.

Elle a hésité avant de demander :

— Vous recevez beaucoup d'échantillons ou de produits cadeaux ?

La tension dans la pièce s'est un peu relâchée et Laura s'est radoucie.

— C'est l'un des avantages de mon métier, certainement. Même si, parfois, je me demande ce que je vais bien pouvoir faire de mes six flacons de vernis à ongle noir.

— Les donner à mes filles, a dit Nicky. Elles ont l'air d'apprécier tout ce qu'il y a de pire en matière de mauvais goût.

Après ces quelques échanges, un silence gêné s'est installé dans la pièce. Zhang s'est excusée et nous a dit qu'elle voulait surveiller l'allée derrière la maison, mais Nicky a insisté pour qu'elle boive d'abord une tasse de thé. Nicky avait désespérément besoin de parler de ce qu'elle tramait.

— Si Ben n'a pas été retrouvé d'ici la semaine prochaine, je crois qu'il faudra organiser une marche silencieuse, a-t-elle dit. C'est ce qu'ils font en Amérique. Pour que la population reste mobilisée.

Ayant à cœur d'entreprendre tout ce qui était possible, Nicky était en contact par e-mail avec quelqu'un qui travaillait pour le site *Missing Kids*[1] aux États-Unis, à qui elle demandait conseil.

Zhang a bu une gorgée de thé. La tasse avait été décorée par Ben quand il était encore très petit, lors d'une visite dans un atelier de poterie. De grandes taches bleues, avec plein de nuances, étaient supposées représenter la mer. Il avait été très fier de lui à cette époque-là ; désormais, ayant grandi, il était un peu gêné.

— C'est un truc de bébé, avait-il dit la dernière fois où je l'avais sortie.

— Je ne veux pas m'en débarrasser, avais-je répliqué. Je l'adore.

Zhang nous a donné son avis :

— Vous pouvez faire tout ce que vous voulez, bien sûr. Mais, à votre place, je serais très prudente avec cette histoire de marche silencieuse. La presse ne connaît d'autre loi que la sienne. Vous ne savez jamais comment les journalistes peuvent réagir et nous ne devons pas compromettre l'enquête.

— Ce qui serait vraiment utile, alors, ce serait d'organiser une réunion officielle avec la police, vous et nous, pour parler de ces choses-là ensemble et se mettre d'accord sur les différentes actions à mener. Nous ne voulons rien entreprendre qui puisse nuire au bon déroulement de l'enquête ; mais nous pouvons sûrement nous rendre utiles.

— Je vais demander, a dit Zhang. Je vous le promets. Mais sachez qu'ils consacrent tous tout leur temps à cette enquête, donc modérer vos

1. Site dédié aux enfants disparus.

attentes et, pour le moment, il est préférable que les questions passent par moi.

Avant de repartir, elle est allée à l'arrière de la maison à l'endroit où le graffiti avait été peint. Le projecteur de sécurité des voisins l'éclairait et elle est restée là à regarder la clôture fraîchement grattée : les mots avaient été effacés mais des traces orange persistaient. Tout à coup, j'ai été frappée de voir à quel point elle était soignée. Bien qu'elle soit chaleureuse, elle était très réservée, et n'était démonstrative ni dans ses paroles ni dans la manière dont elle s'habillait ; j'étais tout à la fois impressionnée et presque intimidée.

— Je vais faire un tour de ronde dans l'allée en partant, a-t-elle dit. On se parle demain.

L'allée était plongée dans le noir. Nous l'entendions fourrager de l'autre côté de la clôture. Un peu plus loin, le vent a fait grincer et taper un portail.

— Rentrez chez vous. Restez à l'abri, m'a-t-elle dit.

JIM

Je suis rentré chez moi, mais l'appartement m'a paru vide et froid, et j'étais mal à l'aise. J'ai appelé Emma.

— Où es-tu ? lui ai-je demandé dès qu'elle a décroché.

— Dans l'allée derrière la maison de Rachel Jenner.

— Et ?

— Elles ont lavé la clôture et presque toute la peinture est partie mais on voit encore des traces là où les mots ont été écrits en grand.

— Comment vont-elles ?

— Rachel n'est pas au mieux. Elle est terrorisée. En fait, elle a l'air malade. C'est Nicky qui tient les rênes, elle est solide, elle prend des initiatives, je l'aime bien ; et il y a aussi l'amie de Rachel, Laura.

— Tu y retournes ?

— Je ne crois pas que ce soit nécessaire. Pour le moment, elles s'en sortent. J'ai froid, Jim, je vais rentrer.

— Tu passes ?

— Je dois aller voir John Finch pour l'informer des résultats de l'expertise scientifique.

— Et après ?

— Je suis crevée. Je vais rentrer chez moi.

— S'il te plaît, Em. Tu m'as manqué, la nuit dernière.

Elle n'a pas répondu tout de suite. La ligne était mauvaise, le vent sifflait dans l'émetteur et il était difficile d'entendre ce qu'elle disait :

— Tu crois vraiment que c'est une bonne idée, maintenant que je travaille pour toi ?

— Avec moi, et non pas « pour moi ». Et cela ne change rien, bien sûr que non. S'il te plaît, viens.

— Je passerai après avoir vu John Finch. Mais je te préviens, je ne serai bonne à rien.

— Est-ce que ça va ?

— J'espère seulement être à la hauteur pour ce travail.

— Bien évidemment. Évidemment ! Ne commence pas à te monter la tête à cause de ce qui s'est passé pendant la réunion. Fraser sait que ce n'est pas ce que tu as voulu dire.

— La manière dont elle m'a regardée…

— Honnêtement, ne t'inquiète pas. Surtout pas. Elle a déjà probablement oublié. Crois-moi. Tu es la bonne personne pour ce travail. Ce soir, tu es fatiguée, c'est pour ça que tu ne te sens pas très bien. Mais rappelle-toi pourquoi tu fais tout ça : pour retrouver ce petit garçon. Emma ? Tu es toujours là ?

— Oui. Et je t'entends. C'est pour retrouver ce petit garçon.

— Tu viens ?

— Je serai là d'ici une heure. Ne m'attends pas pour te coucher.

Après que nous avons parlé, j'ai allumé toutes les lampes dans l'appartement et j'ai mis le chauffage. Puis je suis allé à l'épicerie du coin acheter de quoi préparer le petit déjeuner le lendemain matin et une barre de Mars pour Emma qui aime le chocolat. Je me suis fait un café et je l'ai attendue. J'étais impatient de la retrouver, mais je voulais qu'elle soit comme d'habitude, qu'elle me taquine, qu'elle me sorte de moi-même, et qu'elle m'aide à oublier un peu le travail. Je voulais la serrer dans mes bras.

RACHEL

Quand je suis rentrée, Nicky m'a tendu le téléphone.

— C'est John.

— La maison de retraite a appelé, a-t-il dit. Ma mère est bouleversée parce que tu n'es pas allée lui rendre visite, aujourd'hui, avec Ben.

— Oh, mon Dieu.

J'avais oublié Ruth. Ben et moi lui rendions visite régulièrement, toutes les semaines. Passer du temps avec son petit-fils était la seule chose qui lui faisait plaisir.

— Elle est au courant ?

— Non, m'a répondu John, calmement. Je leur ai demandé de la tenir à l'écart des informations.

Je savais qu'il n'était pas difficile de la tenir éloignée de la télé. Elle faisait peu de cas des pièces communes de la maison de retraite, et elle n'en avait pas dans sa chambre, où elle aimait rester seule. Mais elle adorait écouter Radio 3, et je me suis demandé comment ils l'en empêchaient. Elle devait dépérir, sans radio.

John devançait mes questions.

— Ils lui ont fait croire que son poste de radio était cassé, et Katrina est passée lui apporter des CD avec un lecteur. Cela devrait l'occuper quelque temps.

— Il faut que tu ailles la voir, ai-je dit.

— J'en suis incapable.

Sa voix était à peine audible.

— Bon, il faut qu'au moins l'un de nous y aille. Nous ne sommes pas obligés de lui dire.

Je voulais que ce soit lui qui lui rende visite. Je ne voulais pas la regarder dans les yeux et lui mentir au sujet de Ben – cependant, la vérité lui briserait le cœur.

— Non. Ne me demande pas d'y aller. J'en suis incapable.

— John !

— Je suis désolé.

Et il a raccroché. Je suis restée là, le téléphone à la main, perplexe.

— Qu'est-ce qui le pousse à croire que je me débrouille mieux que lui ?

— Je pense qu'il ne tient pas le coup.

— Personne ne tient le coup.

— Il est sur la brèche, prêt à craquer.

— Nous sommes tous sur la brèche.

— Ne vous disputez pas, a dit Laura qui essayait d'être le « gardien de la paix ».

— Je ne vois pas pourquoi tout le monde s'inquiète tant pour John.

— Nous devons aussi penser à lui. Tu n'es pas la seule à être touchée par ce qui se passe.

— Oh, bien sûr, et c'est tellement difficile pour toi, avec ton mari parfait, tes filles parfaites, toutes en sécurité, dans leur maison parfaite.

Nicky en a eu le souffle coupé.

— Ce n'est pas juste.

Elle s'est levée pour quitter la pièce. J'avais dépassé les bornes.

— Elle ne méritait pas ça, a dit Laura.

— Je sais.

— Elle essaie de t'aider et d'être utile.

Je savais que j'aurais dû aller m'excuser auprès de Nicky mais je ne pouvais m'y résoudre. Elle est redescendue très peu de temps après, les yeux rouges, mais calme.

— Rachel, je comprends. C'est insupportable. Mais nous sommes tous avec toi et, même à l'extérieur, d'autres personnes te soutiennent. Il n'y a pas que des choses négatives sur Internet. Les gens essaient de retrouver Ben. Des gens que nous ne connaissons même pas.

— Ils s'organisent en ligne, a dit Laura. En utilisant les réseaux sociaux.

— Et nous allons pouvoir bientôt parler avec la police, a ajouté Nicky. N'oublie pas ce qu'a dit Zhang. Nous allons travailler main dans la main avec eux, pour retrouver Ben. Ainsi, nous mettrons toutes les chances de notre côté.

Elle a pris ma main et l'a serrée doucement dans la sienne. Mais je ne pouvais penser à rien d'autre qu'aux gens qui se cachaient sur Internet, derrière des pseudonymes ou des surnoms ou encore des blogs anonymes, et à ceux qui étaient au chaud, payés par les journaux. J'ai repensé à la manière dont ils avaient commencé à me harceler dès l'instant où j'avais perdu les pédales pendant la conférence de presse. Et je me suis sentie devenir une proie. Comme mon fils.

JIM

Dans la nuit du mercredi 24 octobre, après avoir travaillé non-stop, jusqu'au moment où j'ai été sur le point de m'effondrer, littéralement, j'ai rêvé d'Emma, et de Benedict Finch aussi. Je m'en souviens, parce que juste avant de me réveiller vraiment, à cet instant où le rêve était le plus prégnant, je me suis agrippé à elle et l'ai tirée vers moi, en croyant qu'elle comprendrait pourquoi. Car après tout, elle était avec moi dans ce rêve.

Au lieu de quoi je lui ai fait peur. Elle a poussé un cri et s'est assise, désorientée d'avoir été réveillée brutalement.

— Quoi ? Que se passe-t-il ? a-t-elle demandé.

J'ai compris que je m'étais trompé. Sa voix, sa vraie voix, avait chassé les fantômes de mon rêve.

— Excuse-moi, ai-je dit.

Elle s'est détendue, s'est laissée tomber sur les oreillers et m'a regardé d'un air endormi.

— Tu as l'air épuisé. Quelle heure est-il ?

J'avais oublié que les rêves étaient de l'ordre de l'intime.

Mon rêve commence à la piscine en plein air de Portishead. J'ai rendez-vous avec Emma pour boire un café. Je suis assis en face d'elle. Nous sommes les seuls clients. De l'autre côté de la salle, sur l'une des innombrables tables vides, se trouve un petit écriteau « Réservé ». Dehors, l'eau du canal de Bristol est grise et tourmentée ; des nuages bas et sales assombrissent le ciel. J'ai comme une impression de fin du monde. Je meurs d'envie de fumer une cigarette.

— J'aime bien cet endroit, me dit Emma.

— Vraiment ? J'ai l'impression d'être dans un tableau d'Edward Hopper.

Elle rit.

— *Les Noctambules* ? Je vois ce que tu veux dire.

— Oui, quelque chose comme ça. Je ne connais pas le titre du tableau, je sais qu'on y voit un bar sombre, quatre personnes seulement, des couleurs sourdes, avec pour thèmes, essentiellement, l'ennui, la désolation et la solitude.

— Tu n'aimes pas ce tableau ? demande Emma.

— Si, ça va. C'est beau.

Emma se met à parler très vite. Elle déborde d'idées qui s'échappent de sa bouche et qui partent dans toutes les directions comme après avoir renversé un panier rempli de balles de tennis qui rebondissent dans tous les sens, trop rapidement pour qu'il soit possible de les rattraper.

Ses yeux noirs, brillants, jettent des regards fébriles, et sa peau, veloutée, est marron foncé. Ses lèvres sont pleines. Au repos, son visage est parfaitement proportionné, symétrique. Quand elle s'anime, elle respire l'intelligence, la passion, le charme. Et son sourire est étonnamment malicieux.

Tout en parlant, Emma démêle la ficelle de son sachet de thé, entortillée autour de l'anse de sa tasse, pour finir de l'égoutter. Des traces plus sombres, telles des fioritures, apparaissent dans l'eau chaude et m'hypnotisent. Je profite de ce moment, j'aime sa compagnie ; mais, soudain, cette transe agréable est brisée par un lourd silence plein d'attente angoissée, comme une respiration en suspens. Emma a arrêté de parler et regarde, fixement, la table à l'autre bout de la salle, celle qui était réservée.

— Jim. Il est là, juste sous notre nez. Regarde, dit-elle en murmurant.

Je me retourne et je le vois. Benedict Finch est assis quelques mètres plus loin et je comprends que la table a été réservée pour lui. Il porte son uniforme scolaire, comme sur la photo que nous avons distribuée. C'est vraiment un beau petit garçon.

Je me lève, mais mes mouvements sont lents et je ne peux pas m'approcher de lui aussi vite que je le voudrais. L'air, autour de moi, est visqueux, incroyablement lourd. Je suis sans force.

Alors que je n'avance que de quelques pas, Benedict Finch se lève, ôte son pull et sa chemise, puis son pantalon, ses chaussures et ses chaussettes. Il est en maillot de bain. Il me sourit et dit :

— Je vais faire un plongeon.

Et je ne peux toujours pas bouger plus vite. Je n'ai même pas encore parcouru la moitié de la distance qui nous sépare.

Benedict Finch se dirige tranquillement vers les portes en verre du café, qui ouvrent sur la piscine, et les traverse, tel un fantôme. J'atteins les portes juste après lui, mais je suis comme prisonnier derrière les vitres. J'entends Emma me dire :

— Il faut y aller. Je crois qu'il ne sait pas nager.

À l'extérieur, Benedict Finch est debout sur un très haut plongeoir. Je ne comprends pas comment il est arrivé là car je m'aperçois que l'accès en est interdit et que l'échelle a été enlevée. Je tape sur les portes, je secoue les poignées, et je crie jusqu'à ne plus avoir de voix, mais Benedict Finch, plein d'audace, saute, et c'est là que je prends conscience du pire : il n'y a pas d'eau dans la piscine. Elle est vide.

Je suis incapable de regarder. Je prends Emma dans mes bras.

Bien sûr, à ce moment-là, je ne rêvais plus. J'étais réveillé, j'avais réveillé Emma en la prenant dans mes bras, et j'ai dû m'excuser. Je lui ai dit qu'il était trois heures du matin et qu'il fallait qu'elle se rendorme.

Ce qu'elle ne fit pourtant pas. Au bout d'un moment, je l'ai entendue :

— Jim, tu es réveillé ?

— Oui.

— Rachel Jenner m'inquiète. Il y a quelque chose en elle qui me gêne.

— C'est-à-dire ?

— Elle est instable, fragile.

— Je sais.

— Même sa sœur la traite comme si elle était en porcelaine.

— Où veux-tu en venir ?

— Je n'ai pas confiance en elle.
— Tu penses qu'elle a fait du mal à Ben ?
— Je ne sais pas. C'est juste une intuition. Mais je pense que c'est possible, en effet.
— Écoute ton instinct. Parles-en à Fraser, et garde les yeux grands ouverts quand tu es avec elle. Si Rachel Jenner est coupable de quoi que ce soit, elle se trahira.
— D'accord. Je vais continuer.

Je me suis approché d'elle pour lui caresser le bras, sa peau toujours aussi douce. Je somnolais, mais Emma s'est levée.

— Où vas-tu ?
— Je n'arrive pas à me rendormir. Je vais lire à côté. Ça va. Dors.

Une fois qu'elle a été partie, je me suis rendormi par à-coups, ma main posée à l'endroit où elle avait été allongée.

CINQUIÈME JOUR

Jeudi 25 octobre 2012

Vous et les forces de l'ordre êtes solidaires : vous poursuivez le même but – retrouver votre enfant, perdu ou enlevé – et, en tant que partenaires, il vous faut établir une relation qui est basée sur le respect mutuel, la confiance et l'honnêteté.

« When Your Child is Missing : A Family Survival Guide », *Missing Kids USA Parental Guide*, U.S. Department of Justice, OJJDP Report

PAGE WEB
WWW.OUESTBENEDICTFINCH.
WORDPRESS.COM

OÙ EST BENEDICT FINCH ? Pour les curieux…

DE QUOI VOUS FAIRE RÉFLÉCHIR
Posté à 04 : 47 par LazyDonkey, jeudi 25 octobre 2012

Lundi 22 octobre, la police a découvert un sac de vêtements dans la forêt de Leigh Woods, près de Bristol.

Ils appartiennent à Benedict Finch.

Selon sa mère, il s'agit des vêtements qu'il portait le jour de sa disparition.

C'est la raison pour laquelle la police n'en a rien dit.

Parce qu'ils ne savent pas.

Parce qu'ils doivent croire la mère sur parole.

La croiriez-vous ?

RACHEL

J'ai de nouveau passé la nuit dans le lit de Ben, respirant son odeur, inquiète qu'elle ne s'efface. Je n'imaginais pas dormir ailleurs.

Quand je me suis réveillée, j'avais mal partout ; mon corps réclamait de quoi se nourrir véritablement, ce qui n'avait pas été le cas depuis plusieurs jours. Je sentais les os de mes hanches qui ressortaient et mon ventre qui s'était creusé.

Mes yeux enregistraient tout ce qu'ils pouvaient dans la faible lueur de l'aube.

J'ai aperçu les posters de Ben, les figurines de *Dr Who*, les boîtes de Lego empilées.

J'ai deviné la tache sur la moquette là où il avait posé un crayon-feutre sans son bouchon et je me suis rappelée avoir été très en colère contre lui.

Nous étions dans la maison depuis quelques semaines seulement et je me demandais comment j'allais faire pour payer toutes les factures, maintenant que je n'avais plus le salaire de John pour me soutenir financièrement. Je m'étais mise en colère et il avait pleuré. Avait-il une idée, lui avais-je demandé en criant, furieuse, combien d'heures il fallait travailler pour pouvoir payer une moquette pareille ? Se rendait-il compte de ce qu'était la vie pour la plupart des gens ? J'étais si fâchée.

Ce souvenir était douloureux. Je me suis assise dans le lit, ai attrapé un coussin que j'ai serré contre mon ventre, et, tête baissée, j'ai pleuré à chaudes larmes. Je me suis détestée : j'étais égocentrique et superficielle. Je me suis alors demandé si j'avais vraiment fait ce que je devais pour Ben, surtout depuis un an. Et si je l'avais négligé, interprétant ses besoins en fonction des miens et laissant la colère et la dépression nous séparer, ce qui n'aurait jamais dû être le cas.

Je ne pouvais pas me le pardonner.

Un raffut, dehors, m'a fait me lever. Le craquement d'un portail, suivi du bruit sourd d'un poids qui atterrit sur le sol. Dans le jardin, derrière la maison, il y avait un homme ; debout, dans l'ombre, à côté de mon studio, à moitié dissimulé par les buissons – mais à moitié seulement. Il portait un manteau noir et un bonnet à pompon. Un appareil photo lui cachait le visage, un énorme objectif braqué en direction des fenêtres à l'arrière de ma maison. Il a d'abord visé la fenêtre de la cuisine puis s'est déplacé vers moi. C'était un charognard, comme le renard. J'ai reculé et fermé le rideau dans la chambre de Ben. Et j'ai tapé sur la vitre en criant :

— Partez ! Allez-vous-en !

Ma sœur est arrivée en courant. Elle m'a écartée et a regardé à travers les rideaux pour voir l'ombre disparaître par-dessus la clôture, dans le jardin des voisins. L'escalier a tremblé quand elle s'est précipitée en bas et est sortie pour une confrontation. Mais il était déjà parti.

Devant, les journalistes faisaient comme si de rien n'était. Pendant que je les observais depuis la fenêtre de ma chambre en tremblant de froid, Nicky est allée dans la rue, vêtue de sa seule chemise de nuit ornée de petits boutons de rose, les cheveux gras en bataille, les tétons pointés, la peau hérissée par la chair de poule, afin de leur dire ce qu'elle pensait d'eux.

— Bande de vandales !

Elle criait et sa voix a retenti dans toute la rue silencieuse, brouillée seulement par le chœur du cliquetis des appareils photos qui se mettaient en marche.

JIM

Parfois, au cours d'une affaire, certaines informations sont comme chargées d'électricité statique, surtout quand vous ne vous y attendez pas.

Je me suis réveillé juste avant six heures, encore engourdi par mon rêve qui m'a hanté jusqu'au petit matin ; la fatigue se mêlait à la déception d'être confronté à une enquête qui n'avançait pas autant que nous l'aurions tous souhaité.

Mais je me suis vite ressaisi car, en regardant mon téléphone, j'ai vu que, très tard dans la nuit, j'avais reçu un e-mail de l'un de nos informateurs.

C'était un élément qui apportait du nouveau sur l'une des personnes proches de Benedict. Pour être sûr de ne pas commettre d'erreur, je devais d'abord calmer mon excitation et suivre la procédure. Je devais m'assurer d'agir correctement.

Pour ce faire, j'ai parlé à quatre personnes avant d'aller chez Rachel Jenner.

6 h 15 : FRASER

J'ai fait les cent pas dans ma chambre en attendant qu'elle réponde. Elle a vite décroché.

— Jim, j'espère que vous avez une bonne raison de me réveiller. Vous savez que le matin, tant que je n'ai pas bu mon café, je suis d'une humeur de dogue, n'est-ce pas ?

— Nicola Forbes, ai-je dit.

— Quoi ?

— Elle ne nous a pas tout raconté. C'est le moins qu'on puisse dire.

Je lui ai fait un résumé.

— C'est bon. Rendez-vous dans mon bureau dans une heure.

— Si vous le permettez, chef, j'aimerais d'abord aller parler à John Finch.

— Ne pensez-vous pas qu'il serait préférable de parler en premier avec Rachel Jenner ?

— J'ai l'impression qu'elle ne sait rien de tout ça.

— D'accord. Tenez-moi au courant.

6 h 45 : EMMA

J'étais debout et habillé, j'avais déjà avalé un expresso et la cafetière bouillait de nouveau sur la plaque chauffante. Car même si j'étais plus excité que je ne l'avais été depuis plusieurs jours, je dois avouer que le manque de sommeil commençait à se faire sentir et je devais absolument combattre cette fatigue si je voulais être à la hauteur.

Emma, sur le canapé, était complètement sonnée, son front chiffonné par les marques du sommeil ; elle essayait d'émerger. Je me suis agenouillé près d'elle, lui glissant à l'oreille que je lui avais préparé une tasse de café et je l'ai approchée de son nez pour qu'elle en sente la bonne odeur. Quand elle a enfin réussi à ouvrir les yeux, je l'ai mise au courant de ce que je venais d'apprendre. Ce fut comme une décharge d'adrénaline : soudain, elle était complètement réveillée.

7 h 00 : Ex-CAPITAINE TALBOT

Talbot, un ex-capitaine, était celui qui m'avait donné le tuyau. Il était officiellement retraité mais, de temps à autre, pour certaines affaires, il intervenait en tant que civil quand nous en avions besoin. Nous aimions collaborer avec lui. C'était un fin limier. Il avait fouillé dans le passé des personnes les plus proches de Ben et était tombé sur cette information concernant Nicola Forbes. Je voulais plus de détails. Et je voulais qu'il me les donne directement pour être certain que j'avais bien compris le sens de son e-mail.

8 h 30 : JOHN FINCH

La dernière personne à qui j'ai parlé avant d'aller chez Rachel Jenner voir Nicky Forbes a été John Finch. Il a ouvert la porte de sa maison en bas de pyjama à carreaux et T-shirt froissé. Des lunettes de lecture étaient relevées sur sa tête. Ses jambes ont semblé se dérober sous lui, et je me suis rendu compte que j'aurais dû l'appeler pour le prévenir de ma visite.

— Je suis désolé, ai-je dit. Je n'ai rien de nouveau concernant Ben mais, si vous le permettez, je voudrais vous parler de Nicola Forbes.

Il s'est tout de suite repris, de façon spectaculaire. Cet homme avait des nerfs d'acier. Au moment où sa femme arrivait en bas de l'escalier dans l'entrée, en s'enveloppant d'un peignoir blanc, il avait ouvert grand la porte pour m'inviter aimablement à entrer.

RACHEL

Nicky est allée ouvrir. Nous étions en milieu de matinée, et l'inspecteur Clemo se tenait derrière la porte, en compagnie de Zhang.

— Vous avez du nouveau ? a demandé Nicky.

C'était comme si nous n'avions rien d'autre à nous dire les uns aux autres, ce qui, me semblait-il devenait pathétique ; comme si nous allions être punis un petit peu plus chaque fois que nous posions la question, comme si un dieu vengeur, quelque part là-haut, comptait chaque fois que nous faisions preuve d'un optimisme déplacé.

Il n'y avait rien de nouveau. Clemo a déclaré qu'ils étaient venus pour « bavarder » ; cependant, au ton de sa voix, j'ai deviné qu'il s'agissait d'autre chose. J'étais méfiante mais Nicky a eu l'air de ne s'apercevoir de rien.

— J'aurais préféré qu'on me prévienne, a-t-elle dit, pour pouvoir me préparer à la discussion, mais je suis ravie que vous preniez le temps de venir parler avec nous. Nous vous sommes très reconnaissantes. Nous avons tellement de questions à vous poser.

Elle a rassemblé ses papiers et a ouvert son ordinateur.

— Ah, voilà mon fichier. J'ai fait une liste des sujets que nous devrions évoquer ensemble. En gros, nous avons deux catégories de questions : d'une part, celles qui concernent l'enquête et, d'autre part, celles qui ont trait à des suggestions pour faire avancer les recherches. Par quoi souhaitez-vous commencer ? Vous prendrez du thé ? À moins que vous ne préfériez du café ?

Je regardais les deux policiers. Clemo attendait que Nicky ait fini. Zhang avait les yeux baissés sur son carnet de notes, qu'elle avait soigneusement posé sur la table devant elle, et elle jetait des regards en biais vers Clemo. Quoi qu'ils aient à dire, c'était lui qui le ferait, et j'ai commencé à comprendre que cela n'avait rien à voir avec la liste de Nicky.

— Du café, s'il vous plaît, a demandé Clemo.

Ce à quoi Zhang a acquiescé.

Tandis que Nicky remplissait la cafetière d'eau bouillante avant de la poser devant nous sur la table, je me suis aperçue que Clemo l'observait d'un air qui m'a fait froid dans le dos.

— De notre point de vue, c'est très précieux, a-t-elle continué. Comme vous pouvez le voir – elle leur a adressé un sourire – j'ai effectué des recherches sur Internet. Partout il est dit que plus les relations entre la police et la famille sont étroites, plus les chances de retrouver un enfant sont grandes. Alors, je vous remercie. Merci beaucoup. Servez-vous en sucre et en lait.

Elle a posé sur la table un sucrier et un petit pot en porcelaine d'où s'échappait de la vapeur ; elle avait pensé à faire chauffer le lait.

L'inspecteur Clemo a ouvert son carnet et a jeté un œil à ses notes, avant de le refermer. Nicky a finalement pris conscience du silence qui l'entourait.

— Je suis désolée, a-t-elle dit. Je jacasse, n'est-ce pas ? Désolée.

Elle s'est assise et a porté son attention sur Clemo et Zhang.

Clemo s'est éclairci la voix avant de parler :

— L'une de vous deux connaîtrait-elle Andrew et Naomi Bowness ?

J'ai secoué la tête.

— Non.

— Nicky ? a-t-il demandé.

Elle est devenue livide. C'était incroyable.

— Oh, mon Dieu, non, a-t-elle répondu.

Les tendons de son cou étaient saillants ; elle m'a d'abord regardée puis s'est tournée de nouveau vers Clemo, comme si elle cherchait une réponse sur nos visages. Elle s'est levée brusquement mais sans avoir l'air de savoir quoi faire.

— Ce serait plus simple que vous vous asseyiez et que nous en parlions, a dit Clemo.

— Non, a répliqué Nicky. Ne faites pas ça.

Elle serrait les mains, et le bout de ses doigts blanchissait sous la pression.

— S'il vous plaît, asseyez-vous, a insisté Clemo.

Elle ne s'est pas assise : elle s'est recroquevillée sur sa chaise comme s'il lui avait donné un coup dans le ventre.

— Et leur fils, Charlie Bowness ? a demandé Clemo en contrôlant le ton de sa voix pour que la question paraisse anodine.

Il a rapproché sa chaise de celle de Nicky. Elle refusait de le regarder.

— Nicky ? Vous les connaissez, n'est-ce pas ? a-t-il demandé.

— Vous savez bien que oui, a-t-elle répondu dans un murmure.

— Et vous ? m'a-t-il demandé. Vous les connaissez ?

— Je n'ai jamais entendu parler de ces gens, ai-je dit.

Voir ma sœur si vulnérable, tout à coup sans défense, me sidérait. J'avais conscience que j'aurais dû intervenir, aller vers elle, mais quelque chose d'horrible s'était mis en route, que rien ne pouvait plus arrêter.

— Elle ne sait rien, a dit ma sœur. Elle n'est pas au courant, et c'est mieux ainsi.

La haine s'était insinuée dans sa voix et était destinée à Clemo.

Il a insisté.

— Et qu'en est-il d'Alice et Katy Bowness ? Savez-vous de qui il s'agit ?

Furieuse, Nicky a secoué la tête.

— Alice et Katy Bowness, a-t-il répété. Vous savez qui elles sont ?

Il parlait lentement, distinctement, en insistant sur chaque mot qui devenait comme une pierre jetée dans l'eau.

Elle l'a regardé droit dans les yeux, ce qui a semblé lui coûter un gros effort. Son visage exprimait tout à la fois du défi et un sentiment de défaite. Elle a répondu, calmement :

— Je les connais.

— En avez-vous entendu parler ? m'a demandé Clemo.

— Non ! Merde, c'est qui ? Elles détiennent Ben ?

— Êtes-vous sûre de n'en avoir jamais entendu parler ?

— Non ! Elle dit la vérité, a répliqué ma sœur.

Clemo restait de marbre. Il m'a regardée attentivement, avant de poser ses yeux sur ma sœur. J'ai senti ma poitrine se serrer.

— Vous allez lui dire, ou faut-il que ce soit moi ? a demandé Clemo à Nicky.

— Espèce de salaud !

Zhang s'apprêtait à parler mais Clemo l'a arrêtée.

— Faites attention, a-t-il dit à Nicky.

— Vous me faites peur. Je ne comprends rien, ai-je dit.

Nicky s'est tournée vers moi. J'étais assise au bout de la table. Elle a voulu me prendre la main et je l'ai laissée faire.

— Qui sont ces gens ? ai-je demandé.

— Andrew et Naomi Bowness..., a commencé Nicky.

Elle avait du mal à parler. Un sanglot lui a échappé.

— Je suis désolée Rachel, a-t-elle dit.

Elle a lancé un regard à Clemo qui lui a fait un petit signe de tête pour l'encourager à continuer. Elle a posé ses mains tremblantes l'une sur l'autre, emprisonnant la mienne. J'ai vu dans ses yeux qu'elle avait perdu la bataille.

— Rachel, a-t-elle dit. Andrew et Naomi Bowness sont nos parents. Notre père et notre mère.

— Qu'est-ce que tu racontes ? Non, ce ne sont pas nos parents. Ils ne s'appelaient pas comme ça.

J'ai essayé de retirer ma main, mais Nicky s'y agrippait.

— Si. C'est leur vrai nom, a dit ma sœur.

Ses yeux me suppliaient de comprendre, mais j'en étais incapable.

— Et Charlie Bowness ? ai-je demandé.

— C'était...

Les larmes lui sont de nouveau montées aux yeux, mais elle s'est contrôlée.

— C'était notre frère.

— Notre frère ?

Je n'avais jamais eu de frère.

— Et les deux autres ? Je suppose que c'étaient nos sœurs, n'est-ce pas ?

— Racontez-lui toute l'histoire, a insisté Clemo.

Il avait eu raison de Nicky, et lui avait ôté toute volonté de se battre. À son expression, j'ai vu qu'elle souffrait énormément, qu'elle était des plus vulnérables. Et le plus terrifiant était qu'elle semblait implorer qu'on la pardonne.

— Nous sommes Alice et Katy Bowness. C'étaient nos noms avant qu'ils aient été changés. Nous étions, nous sommes, Alice et Katy Bowness.

Clemo a brusquement sorti un papier de son carnet de notes. C'était un article de journal.

S'il ne me l'avait pas montré, à cet instant, je ne suis pas sûre que je les aurais crus. J'avais toujours entendu dire que nos parents étaient morts dans un accident de voiture. Cela tenait en quelques mots, et c'est ce que j'avais raconté pendant des années : nos parents sont morts des suites d'une collision frontale avec un camion. Ce n'était la faute de personne, rien d'autre qu'un accident tragique. Un défaut dans la direction du camion en fut la cause. Mes parents furent incinérés et leurs cendres dispersées. Il n'y avait pas de pierre tombale. Fin de l'histoire.

Sauf que, apparemment, ce n'était pas le cas.

Je n'étais pas la personne que je croyais être, et Nicky n'était pas non plus celle que je croyais.

Clemo m'a tendu une photocopie de l'article daté du 30 mars 1982, il y avait vingt-huit ans de cela. On y voyait la photo d'un couple que j'ai reconnu comme étant mes parents. Ma tante Esther en avait une encadrée sur sa cheminée et cette image floue était la même. La seule différence était que, sur la photo de l'article, on les voyait avec trois enfants.

J'ai reconnu ma sœur. Elle était debout, à côté de notre mère. Je pouvais aussi y voir un bébé, une petite chose potelée d'un an environ, habillée d'une robe à smocks, et j'ai supposé que c'était moi. Mais je n'ai pas reconnu le petit garçon assis au milieu. Il paraissait avoir quatre ans, et la ressemblance avec Ben, qui était frappante, m'a laissée sans voix. Il avait les mêmes cheveux ébouriffés, le même visage symétrique, la même allure, le même sourire capable d'illuminer toute votre journée, et les mêmes petites taches de rousseur éparpillées sur le nez. Il était niché entre mes deux parents. Le tableau était charmant, il donnait à voir la famille parfaite.

Le gros titre qui l'accompagnait racontait une tout autre histoire.

LA MALADIE DE BATTEN : UNE FAMILLE SE DONNE LA MORT

J'ai parcouru l'article, dont des bribes me sautaient aux yeux : « Un couple de la région, Andrew et Naomi Bowness ont choisi de mourir... ils ont été conduits au suicide par manque de soutien dans leur combat pour sauver leur fils malade en phase terminale... pas de grands-parents survivants... les amis et les voisins ont exprimé leur surprise... s'en sortaient si bien... sont désolés pour leurs deux filles... ils voulaient abréger ses souffrances. »

Effondrée, j'ai levé les yeux vers Nicky, qui me regardait.

— Ils se sont tués ?

— Et Charlie avec eux.

La manière dont elle a prononcé son prénom, la tendresse, le chagrin dans sa voix, m'ont fait comprendre que, avant tout, c'était Charlie qu'elle pleurait.

— Mais nous ?

Nicky a regardé ailleurs.

— Pourquoi nous ont-ils laissées ?

— Tu crois que je ne me suis pas posé la question, au cours de toutes ces années ?

— Et pourquoi ne m'as-tu rien dit ?

Elle n'a pas répondu.

J'ai de nouveau baissé les yeux sur l'article, en fixant la photo.

Clemo s'est raclé la gorge.

— Il y avait un rapport du médecin légiste. Voulez-vous en prendre connaissance ?

— Je l'ai lu, a dit Nicky.

— Je veux savoir, ai-je dit.

Il a sorti une autre feuille de son carnet de notes et l'a parcourue du regard.

—Il y est dit que votre frère Charlie, à l'âge de cinq ans, a été diagnostiqué comme ayant la maladie de Batten, et que très vite son état de santé s'est dégradé. Le diagnostic a été établi environ un an après votre naissance, Rachel, à peu près au moment où la photo a été prise; mais les symptômes étaient déjà là.

—Il a l'air d'aller bien, sur la photo, ai-je fait remarquer.

Et c'était vrai. Il était adorable: radieux, plein d'énergie, chouchouté par sa famille.

—Non, a dit Nicky. Il commençait déjà à perdre la vue. Observe bien la photo. Tu verras qu'il ne regarde pas directement l'appareil. Il regarde au-dessus. À ce moment-là, il n'avait déjà plus qu'une vision périphérique des choses. Il devait forcer pour voir vraiment.

Elle avait raison. Le petit garçon fixait un point au-dessus de l'appareil.

—Peu de temps après, il est devenu aveugle, a expliqué Nicky. Puis il n'a plus été capable de marcher, ni de parler, et il était nourri par un tube car il était incapable d'avaler. Il avait des crises d'épilepsie. La maladie l'a emporté petit à petit.

—Tu l'aimais beaucoup.

—Je l'adorais.

Ses mots sont restés suspendus entre nous, pendant un instant. Et quand elle s'est remise à parler, elle chuchotait.

—Il ne méritait pas ça. J'aurais pu les aider. Je les aurais aidés à s'en occuper, jusqu'au bout, mais ils n'ont pas pu supporter de le voir souffrir. Maman s'en voulait.

— Pourquoi ?

— C'est une maladie génétique.

— Mais nous ne l'avons pas.

J'essayais de comprendre.

— Les enfants ne sont pas tous atteints. C'est une question de chance.

— Et donc, ils ont sauté d'une falaise avec lui ? C'est un geste radical…

Nicky s'est contentée de hocher la tête. Elle regardait ailleurs, et je ne voyais que son profil ; elle avait les yeux perdus dans le lointain, tournés vers la faible lumière d'hiver dispensée par la fenêtre de la cuisine, qui teintait de gris son visage.

— Mais pourquoi faire une chose pareille quand il vous reste deux autres enfants ? ai-je demandé.

C'est Clemo qui a répondu.

— Le rapport du médecin légiste nous éclaire un peu à ce sujet. Apparemment, étant donné que cette maladie est génétique, on vous a fait des examens. Ils attendaient les résultats quand ils se sont suicidés.

— Mais je vais bien. Pourquoi n'ont-ils pas attendu d'avoir ces résultats ?

— Votre mère était persuadée, et avait convaincu votre père, que vous seriez malade. À cette époque-là, pour autant qu'on puisse le savoir, elle était très déprimée et imprévisible. Elle a dit à sa sœur, votre tante Esther, qu'elle ne pourrait pas le supporter si vous étiez, vous aussi, diagnostiquée avec la maladie de Batten ; quant à votre père, il n'avait jamais bien su comment faire face à tout ça. Le rapport dit qu'elle se sentait très seule.

À cette époque-là, le handicap mental et physique était stigmatisé et votre mère n'était pas très solide, émotionnellement parlant. Le médecin légiste en a conclu que la tension nerveuse qui résultait des soins à apporter à Charlie avait profondément affecté vos parents. Ils ont eu le sentiment de ne pas avoir le choix.

— Ça n'a aucun sens.

— Les choses ne font pas toujours sens, a dit Clemo. Surtout quand les gens agissent sous la contrainte. On voit des réactions que vous ne pouvez même pas imaginer.

La manière dont il essayait de me rassurer, alors qu'il venait juste de bouleverser l'univers qui était le mien, m'a déplu. Et je ne voulais pas que ses paroles distraient mon attention car j'avais une autre question.

— Pourquoi nos noms ont-ils été changés ?

Nicky a répondu :

— Tante Esther pensait que c'était mieux. Elle ne voulait pas que les rumeurs nous poursuivent. Elle croyait que les gens allaient nous juger, et qu'ils diraient que c'était honteux. Heureusement pour nous, la guerre des Malouines a éclaté quatre jours plus tard, et cet article est le seul qui a attiré l'attention sur notre petite famille. Après ça, les journaux ne parlaient que de batailles et de sous-marins. Cependant, deux précautions valent mieux qu'une, disait notre tante Esther, et les services sociaux ont approuvé l'idée du changement de noms. C'est moi qui les ai choisis, tu sais ! Je nous ai rebaptisées !

Elle a fait montre, dans sa voix, d'un enthousiasme sarcastique mais, sur son visage, rien ne donnait à penser qu'elle en tirait une quelconque satisfaction.

J'ai repris l'article et regardé attentivement la photo. Je ne m'étais jamais vue bébé. J'étais joufflue, et je n'avais jamais su que mes cheveux étaient bouclés. J'étais assise en équilibre sur l'un des genoux de mon père, mes petits bras potelés dépassant des manches de ma robe. Mes mains étaient floues, comme si j'étais en train d'applaudir. Ma sœur était debout, à côté de ma mère. Elle était vêtue d'un short et d'un T-shirt et une de ses mains était posée, de manière décontractée, sur l'épaule de ma mère. Elle était pieds nus et avait les jambes maigres des filles prépubères. Elle arborait un large sourire. En observant de près le visage de mes parents, j'ai ressenti une nouvelle émotion : un violent sentiment de trahison. Ils m'avaient laissée, volontairement. Que j'aie été malade ou non, ils avaient renoncé à s'occuper de moi. Ils m'avaient abandonnée et ils avaient aussi abandonné Nicky, de manière on ne peut plus définitive.

J'ai dégluti et ce petit réflexe physique m'a demandé un gros effort. J'avais l'impression que j'étais vidée de tout mon sang, comme ce fut le cas pour ma sœur quelques minutes plus tôt. Je n'avais plus aucune force, aucune envie de lutter. J'étais comme une cosse vide, dépouillée de tout ce qui avait été moi, de toutes les choses qui me tenaient en vie.

— Je suis Alice ou Katy ? ai-je demandé.

— Katy, a répondu Nicky dans un murmure, le visage déformé par les larmes, comme l'était le mien.

Sur la photo, l'expression sur le visage de mes parents était indéchiffrable. Ils souriaient tous deux à l'appareil et j'ai essayé, en vain, d'imaginer les pensées qui étaient les leurs. J'ai regardé mon frère. Il était assis au milieu, protégé par leurs corps : un petit garçon malade, en phase terminale, qui ne vivrait jamais une vie normale. Je me suis alors demandé s'ils l'avaient su avant que la photo soit prise ou si, à ce stade, ils ne se préoccupaient que de ses problèmes de vue, trouvant que c'était déjà assez affreux, sans se douter de l'horreur qui attendait leur petit garçon. Un petit garçon qui était la copie conforme de Ben.

— Pourquoi me racontez-vous tout ça maintenant ? ai-je demandé à Clemo.

Il s'est adressé à Nicky.

— Nous avons parlé à l'ex-mari de votre sœur, ce matin.

Elle l'a regardé d'un air méfiant et a relevé légèrement la tête, avec une pointe de défi. Elle a lâché ma main. La lumière, dans la cuisine, changeait ; la pièce était devenue de plus en plus sombre au fur et à mesure que les nuages s'amoncelaient dans le ciel.

Elle est intervenue :

— Je sais ce que vous allez dire, et ce sont des conneries.

— Qu'est-ce qui vous le laisse entendre ?

— Je sais ce que vous essayez de faire, mais vous avez tort.

— Et qu'est-ce que j'essaie de faire ?
— Je ne veux rien entendre de tout ça.
— Je pense que nous le savons tous les deux.
Elle a croisé les bras en baissant les yeux.
J'étais tout simplement en état de choc. Désormais, je savais malheureusement que vous pouviez perdre votre enfant en quelques minutes, mais découvrir que vous pouviez gagner pour le perdre aussitôt un frère qui était le portrait craché de votre fils, et des parents qui étaient aussi loin que possible de l'image même la plus imparfaite que vous aviez pu forger, me rendait muette.
Clemo s'est de nouveau adressé à Nicky :
— John Finch nous a dit que, lorsque Ben est né, il s'était inquiété de ce que nous pourrions appeler un intérêt malsain de votre part à son égard. Voulez-vous nous en dire plus à ce sujet ?
— Vous êtes répugnant, a dit ma sœur. Vous n'avez aucune idée de qui a pu enlever Ben, et donc vous avez décidé que c'était moi. C'est plus facile de s'en prendre à un proche, n'est-ce pas ? Ça vous évite d'avoir à trop travailler.
Clemo ne la quittait pas des yeux.
— Souhaitez-vous en parler ? a-t-il demandé. Je serais très intéressé d'entendre ce que vous avez à dire.
— Je n'en doute pas, a-t-elle répliqué.
— Je suis sûr que votre sœur serait, elle aussi, intéressée, a-t-il ajouté.
Nicky m'a regardée.
— J'ai fait de mon mieux, et pendant très longtemps, pour essayer de te protéger. Je voulais juste que tu ne te sentes pas rejetée. Je voulais

que tout se passe bien pour toi, que tu aies une vie normale. Mais tu étais si…

Elle cherchait le bon mot, frustrée de ne pas le trouver.

— Quoi ?

— Difficile, ingrate.

— En quoi ? En quoi étais-je ingrate ?

— Et irresponsable ! Tu ne comprenais jamais rien. Tu prenais tout pour argent comptant. Tu n'en faisais qu'à ta tête. Tu étais insouciante. Tu n'avais aucun deuil à porter.

— J'avais celui de nos parents, ai-je répliqué, doucement.

Et j'ai compris qu'elle avait eu à affronter beaucoup de choses, mais que maintenant, elle était en colère ; et moi aussi je l'étais.

— Tu ne savais rien ! Absolument rien !

— Et comment aurait-il pu en être autrement, puisque tu ne m'avais rien dit ? Ce n'est pas ma faute.

Elle n'a rien répondu. Elle en avait gros sur le cœur.

— Tu ne m'as jamais remerciée.

— De quoi ?

— De t'avoir protégée.

— Comment pouvais-je le savoir ?

— Ils ne m'ont jamais remerciée non plus.

Brusquement, elle s'est effondrée, comme si cette déclaration résumait tout son désespoir.

Clemo s'est penché vers elle.

— Qui ne vous a jamais remerciée ?

— Ma mère et mon père.

— De quoi ne vous ont-ils jamais remerciée ? a-t-il demandé.

— D'aimer Charlie, de m'occuper de lui quand ils n'en pouvaient plus, de le faire sourire quand ils étaient fatigués et qu'ils ne pouvaient plus faire face.

Le chagrin voilait son regard. Il l'observait attentivement.

— Nicky. Avez-vous été jalouse quand Rachel a eu Ben ?

Elle lui a répondu du tac au tac, comme s'il s'agissait d'un questionnaire.

— Oui, j'étais jalouse, oui, en effet.

— Mais tu avais les filles, ai-je dit.

— Je ne m'attendais pas à ce que tu comprennes.

— Pourquoi étiez-vous jalouse ? a demandé Clemo.

— Parce qu'il ressemblait à Charlie, tout bébé déjà. Quand je le regardais, je voyais Charlie.

— Pensiez-vous que Rachel n'était pas capable de s'occuper de Ben comme il le fallait ?

— J'étais inquiète, a-t-elle simplement répondu.

Elle s'est retournée pour me faire face.

— Tu avais l'air si jeune, si irresponsable, incapable.

Ma sœur parlait comme si elle avait répété toutes ces phrases depuis des années. Son discours s'accélérait, comme si elle se confessait enfin.

— Tu déconnais depuis des années, tu faisais n'importe quoi à l'école, même si tout le monde s'accordait à dire que tu aurais pu réussir brillamment si tu t'en étais donné la peine. Tu te fichais de tout et, soudain, tu as rencontré John. On se demande bien comment car, à l'époque, tu foutais ta vie en l'air, tu faisais tout le temps la fête. Mais, soudain, tout est devenu parfait : et qu'as-tu fait pour mériter ça ? Rien.

— Nous sommes tombés amoureux, ai-je dit.

Mais elle ne m'a pas entendue. Elle ne pouvait plus s'arrêter.

— J'ai tout de suite su que tu aurais un garçon quand tu m'as dit que tu étais enceinte. Et quand il est né et que je suis venue le voir et que je l'ai tenu dans mes bras, j'ai vu Charlie. On aurait dit Charlie. Comme si Charlie renaissait. Il était si précieux et je n'étais pas sûre que tu puisses t'en occuper.

— Alors, vous avez appelé John Finch, a dit Clemo.

— Oui, juste pour vérifier qu'elle s'en sortait et qu'elle faisait ce qu'il fallait.

— M. Finch nous a dit que vous appeliez souvent.

— Eh bien, oui, mais il ne voulait rien me dire !

Je les ai interrompus.

— John ne m'en a jamais parlé.

Ils ont ignoré ma remarque. Ils se regardaient droit dans les yeux. Ceux de Nicky, qui était furieuse, lançaient des éclairs, ceux de Clemo étaient de glace ; leur horrible dialogue faisait sauter toutes les coutures qui tenaient encore ma vie. J'étais reléguée au rôle de spectatrice.

— Nicky, a-t-il dit. Aviez-vous envie d'avoir Ben avec vous ? Afin de pouvoir vous en occuper correctement ?

— Eh bien, c'est ça le truc : non, ce n'est pas ce que je voulais. Je ne voulais pas qu'elle ait Ben, mais je ne voulais pas non plus l'avoir pour moi.

Il m'aurait rappelé, chaque jour, ce que j'avais perdu. Et c'est en ça que vous vous trompez.

— En quoi je me trompe ?

— Par pitié !

Elle a ri. Un son strident, dérangeant.

— Arrêtez d'essayer de jouer au plus fin avec moi ! Qu'est-ce que je ferais de lui ? Où croyez-vous que je puisse l'avoir caché ?

— Je pense que vous aimeriez l'avoir pour vous. Je pense que vous avez toujours eu envie de l'avoir avec vous.

Les mots crus qu'il venait d'employer, sa façon de les dire, calmement, lentement, ont fait taire ma sœur. Il lui a fallu se ressaisir avant de continuer, comme si elle venait de prendre conscience que les émotions seules ne pouvaient l'aider à contrer les accusations.

— Bien, mais vous n'êtes pas sûr de ce que vous avancez, n'est-ce pas ? Si vous aviez la moindre preuve, vous m'arrêteriez. C'est donc une tentative pitoyable de me faire avouer une chose que je n'ai pas commise.

Elle se penchait désormais vers lui.

— Vous m'avez obligée à raconter à ma sœur l'histoire de notre famille. C'était un coup bas. Mais vous n'aurez rien d'autre. Je vous ai dit que je n'avais rien à voir avec la disparition de Ben et c'est tout ce que vous avez besoin de savoir. Le reste est privé. Pourquoi ne partez-vous pas d'ici pour aller à sa recherche avant qu'il soit trop tard ?

Elle s'est levée et est sortie dans le jardin en claquant la porte de la cuisine derrière elle. Zhang l'a suivie.

J'étais seule avec Clemo.

Il s'est éclairci la gorge.

— Je suis désolé de vous avoir accablée avec ça, et de cette façon-là. J'espère que vous comprenez que nous devons creuser toutes les pistes que nous avons.

Je l'ai simplement regardé, en me demandant comment quelqu'un pouvait être capable de faire ce genre de travail et, pour la première fois, j'ai vraiment pensé qu'il mettrait tout en œuvre pour retrouver Ben.

JIM

Addendum au compte rendu de l'inspecteur James Clemo pour le Dr Francesca Manelli

Retranscription faite par le Dr Francesca Manelli

Inspecteur James Clemo en consultation avec le Dr Francesca Manelli

Les notes faisant allusion à l'état d'esprit et au comportement de l'inspecteur Clemo, quand les siennes seules ne sont pas suffisantes, sont en italique.

F.M. : Si vous le permettez, j'aimerais parler de l'entretien que vous avez eu avec la mère de Ben et sa tante.

J.C. : Allez-y.

J'ai du mal à déchiffrer son comportement, aujourd'hui. Il semble plus coopératif, plus enclin à parler que d'habitude mais, en même temps, il a gardé son masque professionnel, il contrôle ses émotions.

F.M. : Quel extraordinaire coup de théâtre ! Je trouve ça à peine croyable que Nicky Forbes ait pu cacher la vérité à sa sœur pendant toutes ses années.

J.C. : Elle n'était pas la seule. Sa tante aussi.

F.M. : Comment Rachel Jenner a-t-elle réagi ?

J.C. : Elle était sous le choc, de toute évidence. Je ne sais pas ce qui s'est passé après notre départ, mais ça n'a pas dû être joli.

F.M. : Ai-je tort de penser que, pour vous, à cette étape de l'enquête, ce fut un moment de triomphe ?

J.C. : Fraser était contente. Oui. D'autant plus que, ce matin-là, Edward Fount, le participant au jeu de rôle, venait d'être écarté de la liste des suspects.

F.M. : Vous aviez donc raison à son sujet ?

J.C. : Oui. Quand Woodley est allé le chercher – pendant que j'étais avec Nicky Forbes –, il l'a trouvé qui l'attendait en compagnie d'une femme, un autre membre du jeu de rôle, qui lui a fourni un alibi. Ce dimanche-là, après avoir passé l'après-midi dans les bois, ils étaient rentrés ensemble à l'appartement de Fount, pour baiser sauvagement, vous excuserez mon langage, et ce, bien qu'elle ait à peu près deux fois son âge.

F.M. : Et pourquoi aucun des deux n'en avait parlé avant ?

J.C. : Pour une raison vieille comme le monde : elle était mariée, et avec le « Grand Magicien », apparemment.

F.M. : Bigre !

J.C. : Oui. Ça sentait l'embrouille. Un sacré bordel. Je ne répéterai pas ce que Fraser a dit en l'apprenant.

Il sourit presque.

F.M. : Vous avez donc pu laisser tomber cette piste et poursuivre votre enquête en vous focalisant sur Nicky Forbes.

J.C. : Absolument. Fraser se réjouissait de la manière dont les choses s'étaient passées, mais elle s'inquiétait de savoir comment s'y prendre avec Nicky Forbes. Elle pensait que la meilleure des choses à faire était de l'interroger de nouveau le lendemain. Ce qui leur laissait, à Rachel Jenner et à elle, le temps de se calmer.

F.M. : Nicky Forbes avait-elle un alibi pour le dimanche après-midi ?

J.C. : Elle nous a dit qu'elle était à un salon culinaire. Un gros événement, beaucoup de stands, beaucoup de monde. Elle y était pour les besoins de son blog. Nous avons envoyé certains de nos enquêteurs pour interroger toutes les personnes qu'elle aurait été susceptible d'avoir rencontré là-bas mais, comme vous pouvez l'imaginer, c'étaient des gens qui venaient des quatre coins du pays ; il nous faudrait un certain temps pour arriver à reconstituer son emploi du temps et ses déplacements.

F.M. : Avez-vous parlé à son mari ?

J.C. : Là aussi, Fraser pensait qu'il valait mieux attendre un peu. Sa stratégie était de vérifier d'abord l'alibi et de laisser la famille tranquille pendant que nous avancions dans notre enquête pour savoir si Nicky Forbes était un suspect ou non.

F.M. : Et vous étiez d'accord ?

J.C. : Absolument. Il fallait assembler les pièces du puzzle dans le bon ordre. Rassembler les preuves est l'objectif le plus important quand vous avez un suspect. Ça, et éviter d'être poursuivi en justice par la famille de la victime. Vous ne pouvez pas continuer à exercer une pression sur le suspect tant que vous n'avez pas de preuve.

F.M. : Sous peine de vous mettre à dos la famille ?

J.C. : Exactement. Sans compter qu'elles auraient pu parler à des journalistes. On ne pouvait l'exclure ; ce qui n'aurait pas été bon pour nous. À ce moment-là, la presse s'était emparée de l'affaire et ils auraient bien aimé pouvoir s'en prendre à nous aussi. Et, d'un point de vue pratique, nous étions loin de comprendre comment Nicky Forbes aurait procédé à l'enlèvement. Sa famille était à Salisbury et, par conséquent, son environnement ne paraissait pas idéal pour enlever un enfant.

F.M. : À moins qu'elle n'ait voulu retirer Ben à sa sœur et qu'elle l'ait tué.

J.C. : C'était l'une de mes hypothèses, et les ravisseurs n'ont pas toujours de mobile pour tuer ; parfois les choses se passent mal et c'est ce qui finit par arriver. De toute façon, il nous fallait monter un dossier solide avant d'aller plus loin. J'ai demandé à Chris Fellowes, le psychologue expert judiciaire, de me faire un rapport sur ce qu'il pensait de Nicky Forbes.

F.M. : Mais le profil que le psychologue avait esquissé pour vous, celui qui collait parfaitement à Fount, ne vous avait pas été très utile.

J.C. : Je ne suis pas d'accord – nous n'avions pas renoncé à l'hypothèse d'un ravisseur extérieur à la famille et, dans ce cas, un grand nombre de suspects auraient pu correspondre au profil. Le problème des profils psychologiques est que vous ne pouvez pas les rattacher à un seul suspect. En tant que policier, il vous faut utiliser d'autres moyens qui sont à votre disposition. Les profils psychologiques ne suffisent pas à résoudre des enquêtes mais, parfois, ils peuvent vous aider à réfléchir différemment, ou à regarder les gens sous un jour nouveau. Et c'est toujours bien d'avoir une autre expertise, surtout quand tous ceux qui sont étroitement impliqués dans l'enquête commencent à être fatigués et qu'il est difficile d'avoir du recul.

F.M. : Que pensait Emma de Nicky Forbes ?

J.C. : En vérité, cet après-midi-là, je l'ai à peine vue. J'étais trop occupé à mettre en place une stratégie, terré dans le bureau de Fraser.

F.M. : Et ce soir-là, l'avez-vous vue ?

J.C. : Elle m'a dit qu'elle était crevée et qu'elle préférait rentrer chez elle pour avoir une bonne nuit de sommeil et je ne lui en ai pas voulu. J'étais dans le même état. J'aurais pu m'endormir sur mon bureau.

F.M. : Mais j'ai l'impression qu'en même temps vous étiez gonflé à bloc.

J.C. : Oui. Nous l'étions tous. Sans aucun doute. J'avais le sentiment que les choses commençaient à se mettre en route.

RACHEL

Les conséquences immédiates de ce que je venais d'apprendre inauguraient une longue série de coups durs.

Nicky a ramassé tout ce qu'il y avait sur la table, tous ses papiers, et les a rassemblés à la hâte en essayant de les fourrer dans son sac. Ses gestes étaient brusques et maladroits.

— Arrête, ai-je dit. Ne pars pas.

J'avais l'impression qu'elle s'effondrait là, sous mes yeux, brisée. Et je me suis demandé si elle avait été dans le même état lorsqu'elle était arrivée la première fois chez tante Esther, pour y vivre, tout de suite après la mort de nos parents et de notre frère, quand je n'étais encore qu'un bébé, et que son chagrin devait être insupportable.

Et j'ai compris que, désormais, je me poserais des questions sur tout.

À partir de cet instant, il me serait impossible de démêler chaque détail de mon histoire, chaque présomption qui m'avait amenée à comprendre le sens de mon existence et de celle de Ben. Mon passé n'était plus qu'une boule de papier froissé qui avait été jetée au feu et j'allais devoir fouiller les cendres, sans autre guide que Nicky. Nicky, qui m'avait menti depuis si longtemps ; Nicky qui avait dit avoir menti pour me protéger ; Nicky dont j'avais besoin.

— Je vais te laisser, a-t-elle dit. Tu seras mieux sans moi. Tu sais, jamais, au grand jamais, je ne ferais de mal à Ben. Tu permets que je te dise au moins ça ? Je ne ferais jamais de mal à Ben, a-t-elle dit, d'une voix que le désespoir rendait perçante.

Je suis allée la réconforter.

— Je sais.

Elle a laissé tomber son sac, l'a jeté sur la table, et tous les papiers s'en sont échappés. Elle a posé sa tête sur mon épaule : son corps était secoué de sanglots.

Êtes-vous surpris de ma réaction ? De mon désir d'accepter ce que je venais d'entendre et de lui offrir ma consolation ?

Ce n'était pas fini. Bien sûr que non. Quand j'y repense, je peux me rappeler chacune des étapes que j'ai traversées. J'imagine que c'est comme les phases d'un deuil, bien que ce soit autre chose. Il s'agissait d'une trahison, et de la perte insidieuse de toute confiance.

Après que la porte s'était refermée sur un Clemo gonflé à bloc et une Zhang, pour la première fois incapable de croiser mon regard, ce geste envers Nicky, cette réaction à son égard, n'ont été rien d'autre qu'un réflexe, comme une urgence, pour la garder près de moi, et faire comme si de rien n'était. Elle avait été mon point d'ancrage, le rocher auquel me raccrocher, depuis toujours, et je ne pouvais pas envisager qu'il en soit autrement. Ce n'était pas dans mes gènes. Ou, tout au moins, je ne pensais pas que c'était possible.

C'était la première étape.

Après cette étreinte, nous nous sommes séparées. Nicky a défait son sac, avec des gestes automatiques, puisant dans cette profonde réserve d'énergie qui la clouait à la table de la cuisine : ce qui lui permettait de tenir, c'était de se plonger dans ses recherches sur Internet.

Je suis partie me réfugier dans la chambre de Ben, comme pour m'immerger en lui, ce qui devenait une habitude. C'était le seul endroit où je me sentais en sécurité. Comme dans un ventre maternel.

J'en arrivais à la deuxième étape.

Je me suis laissée tomber sur le pouf, et j'ai eu l'impression d'être emportée au loin sur une petite coque de noix, perdue dans une brume grise et humide. Et chacune de ces millions de fines gouttelettes suspendues dans l'air contenait des bribes de ce que je venais d'entendre, des éclats de la bombe qui avait explosé. À ce stade, j'en étais juste enveloppée, j'en percevais l'existence mais sans en comprendre la signification. J'étais sans attache, désorientée, perdue.

Bien évidemment, la troisième étape était celle, inévitable, des pensées qui tournaient en rond dans ma tête, un mécanisme et ses conséquences, que j'avais appris à connaître. Ce fut le moment où les gouttelettes ont commencé à me mouiller et l'humidité à me transpercer. Je ne pouvais plus nier ce que j'avais appris, c'était une partie de moi et c'était irréversible. Je devais y faire face.

Et, enfin, j'ai atteint la quatrième étape.

Quand ma confiance a commencé à s'éroder. C'est le moment où les gouttelettes sont devenues acides et se sont mises à me brûler, une sensation violente et douloureuse, comme des fourmis dans la tête et le corps : une impression si sinistre et dérangeante que je ne pouvais rester en place.

Je me suis relevée pour regarder par la fenêtre et j'ai vu Nicky dans le jardin, en bas, avec le chien ; elle le caressait et l'encourageait à faire ses besoins. Elle est restée là, sur la pelouse trempée, en mauvais état, à côté du mini but de Ben, abandonné comme une relique, avec son filet déchiré en certains endroits, et l'herbe labourée là où il avait l'habitude de jouer. Je me suis reculée, non pas pour ne pas être vue des journalistes mais de ma sœur.

Et comme la nuit, de nouveau, tombait, éteignant les dernières lueurs du jour, j'ai repensé à tout ce qui s'était passé jusqu'à ce que j'en arrive à ce matin : le photographe dans mon jardin, ma sœur en colère contre lui, son éclat dans la rue, sa fidélité.

Puis je me suis souvenue de la veille : j'avais fait des recherches sur Internet, avec l'ordinateur de Nicky, qui requérait un mot de passe : le prénom de Ben.

Chacune de mes respirations m'arrachait les poumons et mon esprit tournait en boucle. J'ai pensé à Nicky qui n'était pas heureuse avec ses filles, et à ce que Clemo avait dit sur son désir d'avoir un fils. Puis j'ai repensé à ses mots à elle : « On aurait dit Charlie. Comme si Charlie renaissait. »

Et de chaudes larmes, silencieuses, ont commencé à rouler sur mes joues, mordantes comme l'était ma respiration : la nunny de Ben, que je pressais contre mon visage, était trempée.

Quand j'ai entendu Nicky monter l'escalier, je me suis couchée dans le lit de Ben, me suis cachée sous la couette et j'ai essayé de respirer lentement pour qu'elle croie que je m'étais endormie.

Quand elle a passé sa tête dans l'embrasure de la porte pour me demander si je voulais manger, je n'ai pas répondu.

Quand elle est revenue quelques minutes plus tard, avec un plateau, je n'étais toujours pas capable de la regarder ni de lui parler.

— Je ne voulais rien d'autre que te protéger, a-t-elle dit.

Elle a refermé doucement la porte derrière elle, respectant mon besoin d'intimité ; je ne ressentais rien d'autre que ce qui ressemblait à des palpitations : les pulsations du temps passé depuis la disparition de Ben. Et c'était comme si, à partir de maintenant, le temps s'accélérait.

JIM

Email
De : Christopher Fellowes <cjfellowes@gmail.com>
À : James Clemo <clemoj@aspol.uk>
25 octobre 2012 à 21 : 37

Objet : **Nicola Forbes**
Jim,
C'était bien de se parler ! Rebondissement très intéressant !

Je t'enverrai un rapport détaillé demain mais, comme convenu, voici un petit résumé : chez Nicola Forbes, les marqueurs psychologiques qui seraient des prédispositions à un comportement sociopathe ne doivent pas être oubliés : tendance excessive à tout vouloir contrôler, instabilité affective (ce qui inclut la jalousie et une identité diffuse), un intérêt malsain pour Ben – tu as déjà évoqué cette hypothèse, si l'on en croit le père. D'autres signes plus généraux sont à surveiller : des troubles obsessionnels compulsifs et/ou troubles délirants (qui peuvent ne pas être évidents).

Il est vrai qu'elle est vite arrivée sur les lieux de l'enlèvement, ce qui pourrait vouloir dire qu'elle se réjouit de l'attention que cette affaire attire sur la famille (ce n'est qu'une hypothèse mais peut-être est-ce lié à un désir non assouvi de célébrité quant aux événements de son enfance qui ont été discrètement occultés par sa tante ?).

Ce n'est pas tout. Je te transmets un rapport détaillé dès que possible. Tu l'auras demain, au plus tard en fin de journée.

Amicalement,
Dr Christopher J Fellowes
Maître de conférences en psychologie
Université de Cambridge
Membre du Jesus College

Email
De : Corinne Fraser <fraserc@aspol.uk>
À : Alan Hayward <alan.hayward@haywardandmorganlaw.co.uk>
Cc : James Clemo <clemoj@aspol.uk>; Giles Martyn <martyng@aspol.uk> ; Brian Doughty <doughtyb@aspol.uk>
25 octobre 2012 à 23 h 06

Guerre des blogs

Alan,
Une fois de plus, le monde bizarre et merveilleux d'Internet interfère avec notre travail et nous avons donc besoin de vos services. Pouvez-vous, s'il vous plaît, porter une grande attention, d'un point de vue légal, à ce blog : www.ouestbenedictfinch.wordpress.com

Vous verrez que c'est en lien avec l'affaire Benedict Finch (Opération Huckleberry).

J'ai deux sujets principaux de préoccupation.

Premièrement, il pourrait y avoir outrage à magistrat, en cas de procès.

Deuxièmement, sur ce blog, certaines informations me dérangent car elles ne devraient pas avoir été rendues publiques. Nous craignons que quelqu'un impliqué dans cette enquête (la famille ou un membre de notre organisation) soit l'auteur de ce blog ou ne lui fournisse des informations.

Je souhaite savoir s'il est possible de trouver qui est l'auteur du blog, ce « LazyDonkey » et ce que nous devons faire pour en arrêter la publication. Est-ce d'ailleurs possible ?

Je mets en copie le commissaire Martyn et Bryan Doughty, le patron des Affaires Internes.

Bien évidemment, une réponse rapide serait la bienvenue.

Merci,
Corinne

SIXIÈME JOUR

Vendredi 26 octobre 2012

Les affaires judiciaires dans lesquelles les victimes sont des enfants sont non seulement lourdes à gérer en termes d'enquête mais elles induisent en plus une grande fatigue nerveuse. Les forces de l'ordre sont habituellement obligées de suivre dans l'urgence de nombreuses pistes et, souvent, avec des moyens insuffisants (par exemple, manque de moyens financiers, logistiques, manque de ressources humaines).

Boudreaux MC, Lord WD, Dutra RL., « Child abduction : Age-based Analyses of Offender, Victim and Offense Characteristics in 550 Cases Alleged Child Disappearance »,
J Forensic Sci, 44(3), 1999

À moins que vous ne préfériez l'épisode 257
« Admets que tu es une mauvaise mère et que tu ne peux pas t'occuper de tes enfants. »

PAGE WEB WWW.OUESTBENEDICTFINCH. WORDPRESS.COM

OÙ EST BENEDICT FINCH ? Pour les curieux…

RIEN À REGARDER ?

Posté à 05 : 03 par LazyDonkey, vendredi 26 octobre 2012

Ce blog vous recommande de voir quelques épisodes d'une émission de téléréalité.

Allez à : http://www.itv.com/jeremykyle

Essayez l'épisode 198

« Je ne peux pas te faire confiance pour garder ton fils ! Tu passes tout ton temps à envoyer des textos au lieu de le surveiller. »

À moins que vous ne préfériez l'épisode 237

« Admets que tu es une mauvaise mère et que tu ne peux pas t'occuper de tes enfants. »

Juste une idée en passant. C'est comme vous voulez.

Ah, encore une chose :

Saviez-vous que Benedict Finch s'était fracturé le bras l'année dernière et que sa mère ne l'avait pas fait soigner ? Il a dû avoir très mal. Mais probablement qu'elle s'en moquait. Ou peut-être était-elle occupée à autre chose ?

RACHEL

À peine nous sommes-nous retrouvées le lendemain matin à la table de la cuisine, l'une en face de l'autre, en peignoir, n'échangeant que des regards furtifs dans une atmosphère électrique, que Nicky m'a annoncé qu'elle allait partir.

— Je pense que nous avons toutes les deux besoin de passer un peu de temps loin l'une de l'autre, a-t-elle dit.

C'était un constat, énoncé d'une voix posée, froide, mais j'y percevais, sous-jacentes, les traces de ce que nous avions traversé la veille.

— Juste un jour ou deux, et puis je reviendrai. Tu penses que ça ira ?

J'ai dû me racler la gorge avant de pouvoir lui répondre d'une voix que moi aussi je voulais calme afin de préserver la parfaite neutralité de notre conversation. L'autre option aurait été les cris ou les pleurs, ou encore les accusations lancées à la hâte, sans réfléchir. Après avoir passé la nuit à imaginer le pire, à broyer du noir, la présence de ma sœur, réelle et familière, et ses propres tentatives pour garder son sang-froid, m'obligeaient à me contrôler.

— D'accord, ai-je dit. Ça va aller.

—C'est à cause des filles, a-t-elle ajouté en se retournant pour faire griller du pain.

—Bien sûr ; il faut que tu rentres.

Et j'ai un peu culpabilisé, car les filles de Nicky aussi avaient besoin d'elle.

De la vapeur s'échappait de la bouilloire et recouvrait de buée les portes de mes placards de cuisine. Skittle traînait difficilement sa patte plâtrée et est venu atterrir sur mes pieds. Nicky a brûlé ses toasts, et je la voyais de dos, penchée au-dessus de l'évier pour y laisser tomber les miettes noircies qu'elle grattait à l'aide d'un couteau, d'un geste vif.

—Fais-en griller d'autres, ai-je dit.

—Je voulais qu'il y en ait pour toi.

—Ne t'inquiète pas, je vais... ai-je commencé à dire.

—Tu dois *manger*, Rachel !

Elle a explosé, incapable de se maîtriser plus longtemps et a fait tomber le toast et le couteau. Elle s'est penchée, en s'appuyant lourdement des deux mains sur le bord de l'évier : ses omoplates ressortaient. Elle a levé les yeux vers la fenêtre ; le ciel était encore sombre, et son reflet dans la vitre était très net : nos regards se sont croisés ; elle a été la première à baisser les yeux.

—Désolée. Je suis désolée. Je peux te montrer quelque chose ?

C'était un e-mail qu'elle avait reçu des États-Unis pendant la nuit. En se servant du site *Missing Kids*, Nicky avait contacté une autre famille dont l'enfant avait aussi été enlevé et ils lui avaient répondu en lui envoyant un message de soutien.

—Lis-le, m'a dit Nicky. Ils nous comprennent.

Elle m'a passé son ordinateur portable. Deux pages étaient visibles à l'écran : son blog et ses e-mails. Je n'ai pas pu m'empêcher de remarquer qu'elle avait mis son blog à jour :

« Chères amies, chères abonnées de *Crème anglaise & Ketchup*,

De tout cœur, je vous demande de bien vouloir m'excuser pendant quelque temps. Je regrette d'avoir à vous dire que, pour des raisons familiales, il me faut momentanément arrêter d'alimenter mon blog. J'espérais vous occuper avec la préparation de nouvelles friandises pour Halloween, mais cela n'a pas été possible. Si vous avez besoin d'idées, vous pouvez toujours aller voir ce que j'ai posté sur mon blog l'année dernière. Vous y trouverez plein de choses drôles à faire et à décorer. À suivre : Les Réjouissances de Noël ! Surveillez ce blog, je serai bientôt de retour...

Nicky x »

Elle a vu ce que je lisais.

— C'est Simon qui a rédigé cette page. Il fait parfois la mise à jour pour moi, a-t-elle dit. Je me demande si nous ne devrions pas créer une page Web pour Ben. Je pourrais mettre un lien sur mon blog.

Je ne savais pas quoi répondre. Je regardais fréquemment le blog de ma sœur. Le plus souvent, j'étais fascinée, notamment par la manière dont elle mythifiait et professionnalisait la vie de famille. La présentation ressemblait à celle d'un magazine de luxe dédié à la cuisine ou encore à celle d'une gazette mondaine qui fait rêver. Ce n'était pas mon univers.

J'ai ouvert l'e-mail.

Email

De : Ivy Cooper ivycooper@brettslegacy.com
À : Nicola Forbes nicky_forbes@yahoo.com
25 octobre 2012 à 23 : 13
Objet : Ben

Chère Nicky,
LA DEVISE DE BRETT « FAIRE QUELQUE CHOSE DE BIEN »

C'est un moment de grande douleur pour vous et votre famille. Nous prions pour Ben, et pour votre famille.

Notre fils Brett nous a été enlevé il y a déjà sept ans et, depuis, nous avons traversé des épreuves que nous n'aurions jamais pensé vivre. Avant sa disparition, la phrase préférée de Brett était « Maman, faisons quelque chose de bien », et nous avons décidé que cette devise guiderait nos actions dans le futur : ainsi, nous pourrions aider les autres familles qui seraient dans la même situation que la nôtre.

Nous avons pris cette décision il y a cinq ans, peu de temps après que le corps de Brett a été retrouvé, et…

J'ai arrêté de lire. J'ai regardé ma sœur.

— Qu'est-ce qui lui est arrivé, à Brett ? ai-je demandé.

— Tu as tout lu ? Il faut que tu lises l'e-mail en entier. Ils comprennent ce que c'est. C'est un tel soulagement, honnêtement. Je peux à peine te dire à quel point je suis soulagée. J'ai tellement cherché pour trouver quelqu'un qui sait ce que…

— Qu'est-ce qui lui est arrivé ?

Il fallait que je sache. Je n'aimais pas le contenu de cet e-mail ; je ne voulais pas faire partie de ce club : une famille de familles anéanties. Je n'étais pas encore prête. Ben allait me revenir. Je ne voulais pas leur rassembler.

— Peu importe, a dit Nicky.

— Non, ça m'importe.

— Brett est mort. Malheureusement.

— Comment est-il mort ?

— Rachel, s'il te plaît.

— Comment est-il mort ?

— Il a été tué par son ravisseur. Mais ce n'est pas le problème ; ils n'auraient jamais su ce qui lui était arrivé si la famille ne s'était pas battue pour que la police ne lâche pas l'affaire.

— Ben reviendra.

— J'espère que oui, Dieu sait que je l'espère, tu le sais – elle serrait nerveusement un torchon entre ses mains – mais nous devons accepter l'éventualité qu'il ne revienne pas avant longtemps et que quelqu'un ait pu lui faire du mal. Ça fait déjà six jours.

Je ne voulais pas l'entendre. Ni de la part de Nicky, ni de la part de qui que ce soit. Pas maintenant. Jamais.

— Je vais voir Ruth, ai-je dit.

— Je suis désolée. J'aurais voulu que cette matinée se passe autrement.

JIM

Quand vous travaillez sur ce genre d'affaires, vous ne rêvez que d'une chose, d'avoir une piste. Et quand vous en tenez une, vous ne lâchez rien ; c'est exactement ce que je ressentais avec Nicola Forbes. J'étais prêt à aller jusqu'au bout.

En revanche, vous redoutez que quelque chose d'aussi intéressant surgisse dans le même temps car, si c'est le cas, vous êtes comme devant un stand de tir à devoir décider quelle cible viser, et à savoir laquelle est un leurre et laquelle est réelle. Ami ou ennemi ? Sur quoi devez-vous porter votre regard ?

Vous ne pouvez pas toujours le savoir du premier coup ; mais, parfois, une évidence s'impose, claire et immédiate, et il ne fait aucun doute que vous devez y prêter attention.

Et le sixième jour, c'est ce qui s'est passé. Une lettre est arrivée qui a complètement changé la donne.

Nous l'avons reçue au courrier du matin. L'enveloppe portait le code postal du district BS7 et était adressée à Fraser directement, à Kenneth Steele House. C'est la secrétaire de Fraser qui l'a ouverte. On a entendu le cri qu'elle a poussé jusque dans la salle de commandement et elle s'est immédiatement précipitée hors de son bureau.

Fraser nous a tout de suite fait entrer. La lettre se trouvait déjà dans une pochette plastique pour les indices et la secrétaire se faisait prendre ses empreintes à l'encre dans le bureau d'à côté afin qu'elles soient éliminées. Elle tremblait et était en pleurs, une réaction qui paraissait exagérée pour quelqu'un ayant l'habitude de classer des photos de scènes de crime.

— Jim, a dit Frascr après avoir refermé la porte de son bureau, amenez-moi John Finch.

Emma était là, elle aussi. Elle avait l'air de ne pas avoir fermé l'œil de la nuit. Sous son maquillage, sa peau était terne et ses traits tirés. N'importe qui aurait pu croire que rien n'avait changé – qu'elle était juste fatiguée – mais moi, je percevais quelques petits signes, nouveaux, de confusion. Ses cheveux n'étaient pas aussi bien coiffés que d'habitude, sa chemise ne paraissait pas nette. Ce n'était possible de remarquer ces petits changements que si, comme moi avec Emma, vous vous efforciez de connaître l'autre dans le moindre détail et mieux que vous ne vous connaissez vous-même. J'aurais voulu passer mon bras autour de ses épaules, lui demander comment elle s'en sortait mais, bien évidemment, il n'en était pas question. Ce n'était ni l'endroit ni le moment.

Le téléphone d'Emma a sonné au moment même où Fraser finissait de nous mettre au courant. Elle a regardé l'écran :

— Chef, c'est Rachel Jenner, dois-je la prévenir ?

— Non, non, a répondu Fraser. Pas un mot. Pas tout de suite.

RACHEL

Zhang a été d'accord pour m'accompagner à la maison de retraite. Elle conduisait prudemment et nous étions silencieuses.

Assise à côté d'elle, c'était la première fois, depuis la disparition de Ben, que j'étais réveillée, présente au monde, une pulsion intérieure qui m'incitait à sortir la tête du sable et à arrêter de ressasser mes souvenirs liés à Ben ; au lieu de quoi, il fallait que je regarde autour de moi et que je sois plus vigilante.

Je devais prêter attention aux gens et les observer à la manière d'un détective, comme Clemo, et il fallait que je m'y mette dès maintenant ; j'avais fait confiance à mon mari et à ma sœur et j'avais la preuve qu'ils n'en étaient pas dignes, qu'ils étaient peu fiables.

Je devais aussi remettre en cause certaines de mes certitudes.

J'avais placé ma confiance dans une société qui n'était civilisée qu'en apparence ; les mensonges qui nous étaient servis tous les jours nous portaient à croire que, fondamentalement, la vie était belle et que la violence n'existait que pour ceux qui le voulaient bien, qu'elle ne ternissait que les trophées déjà dépolis. C'est la même chose que cette assertion, vieille comme le monde, selon laquelle une femme violée l'a certainement mérité. C'est en suivant cette logique, sans me poser de question, que j'avais été persuadée que même si Ben partait devant dans la forêt, il ne lui arriverait rien, car j'étais convaincue d'être une bonne personne.

Et, dans ce cas, c'était pire ; la trahison allait à double sens. Ben m'avait fait confiance, de cette façon propre aux enfants, et j'avais déçu sa confiance tout autant que la micnnc l'avait été : d'une manière pitoyable et sans doute pour toujours.

J'ai regardé les mains de Zhang posées sur le volant, à 10 h 10. Elle s'y agrippait si fermement que les jointures de ses doigts étaient blanches et j'ai pris conscience qu'au-delà de ma première impression, je ne m'étais jamais posé la question de savoir qui elle était réellement et qui elle pourrait être.

— Vous avez une famille ? lui ai-je demandé, au moment où la voiture ralentissait à un carrefour.

— J'ai une mère et un père, a-t-elle répondu.

— Je voulais dire, avez-vous des enfants ?

En lui posant la question, je me suis rendu compte qu'elle était probablement trop jeune.

— Non.

Elle a secoué la tête.

— Je n'en aurais pas de sitôt, si jamais j'en ai un jour.

— Oh, comment savoir ?

— Je le sais.

— Je peux vous demander pourquoi ?

— Parce que je ne suis pas encore prête à être responsable de la vie d'une autre personne.

Elle a répondu si simplement que j'ai frissonné car elle savait déjà, à son âge, ce dont je venais seulement de m'apercevoir : qu'il faut bien réfléchir avant de sauter le pas, avant d'accorder sa confiance, avant de s'engager ; et le fait que cette jeune femme l'ait compris avant moi m'a donné l'impression d'être une idiote.

Je n'ai pas su quoi lui répondre et je me suis contentée de regarder par la vitre ce qui se passait autour de nous. Dehors, le ciel était lourd, d'un gris qui paraît permanent, et le vent plaquait les vêtements des gens contre leurs corps. Je me suis réfugiée dans le silence et le tourbillon de mes pensées : je commençais à douter de tout ce que j'avais cru savoir.

En cet instant, où tout me paraissait pesant et où la méfiance envahissait peu à peu chaque recoin de mon esprit, je n'avais qu'une seule consolation : j'étais en route pour aller rendre visite à Ruth. J'avais désespérément besoin de la voir car elle était l'une des personnes que j'aimais le plus au monde. Depuis la naissance de Ben, elle avait été une présence rassurante, et elle m'avait toujours offert, avec gentillesse, un soutien inconditionnel ; notre amitié avait grandi en même temps que mon fils.

Ruth n'avait pas eu une vie facile. Pour ceux qui ne la connaissaient pas, elle avait l'air digne, fière et fragile, toujours élégante dans son tailleur foncé rehaussé d'un éclat de couleur par un foulard en soie noué autour du cou. Jeune femme, elle avait été une violoniste concertiste talentueuse mais son hypersensibilité l'avait fait souffrir.

Le père de John avait été captivé par son jeu au violon. « Je suis tombé amoureux d'elle dès la première fois où je l'ai vue jouer », racontait fièrement, à tout le monde, Nicholas Finch, avec son accent de Birmingham. Et d'ailleurs, tous les gens qui l'avaient entendue jouer avaient été fascinés. Elle avait répété et donné des concerts pendant des années, mais avait fini par trouver que se produire en public engendrait, pour elle, une pression insupportable. Quand elle avait eu une vingtaine d'années, peu de temps après s'être mariée avec le père de John, elle avait sombré dans le premier des épisodes dépressifs profonds dont elle a souffert toute sa vie.

J'ai rencontré Ruth pour la première fois en 2003, une bonne année pour elle. Elle se réjouissait de la retraite de son mari. Après une longue carrière de médecin généraliste, à travailler jour et nuit, il était maintenant à ses côtés, ce qui la stabilisait. Ils projetaient d'acheter un petit appartement dans les Alpes, et, l'année d'avant, ils avaient fait un voyage à Vienne pour voir les immeubles et les quartiers où avaient grandi les parents de Ruth. Avant la guerre, Lotte et Walter avaient tous deux aussi été des concertistes renommés et respectés ; mais ils s'étaient enfuis de Vienne, devenus réfugiés, après la Nuit de Cristal, alors que Lotte était enceinte de sa fille.

À l'été 2003, John et moi étions allés pour la première fois rendre visite à ses parents à Birmingham. Je les avais trouvés charmants et accueillants. Leurs personnalités si dissemblables m'intriguaient. Nicholas était grand, chaleureux, un homme qui avait le cœur sur la main, calme et détendu, ce qui lui avait valu de nombreux amis parmi ses patients. Sa bonhommie contrastait avec la nervosité de Ruth ; elle m'avait d'abord accueillie de manière circonspecte.

Les parents de Ruth sont morts tous les deux en 2004 et elle a accusé le coup. En leur hommage, elle a perpétué nombre de leurs traditions longtemps après leur mort. Lotte Stern avait gardé une petite nappe blanche spéciale qui avait pour unique usage la préparation de la subtile pâte à strudel dont elle était si fière. Ruth ne s'en est jamais débarrassée et, plus d'une fois, elle a fait avec Ben ce qu'elle appelait le « Strudel de Lotte », lui demandant de mélanger la garniture tandis qu'elle lui montrait comment étendre puis rouler délicatement la très fine pâte.

Ce fut Benedict Finch, un tout petit bébé de seulement 3 kg à la naissance en juillet 2004, qui nous rendit Ruth telle qu'elle était avant la mort de ses parents. Elle l'avait immédiatement adoré, l'avait accueilli à bras ouverts et, par la suite, ne l'avait plus jamais laissé s'éloigner d'elle. À notre grande surprise à tous, elle m'avait incluse dans cette étreinte. Tout de suite après l'arrivée de Ben, elle était venue s'installer à la maison et m'avait aidée à surmonter les difficultés des premières semaines et des premiers mois et, depuis, elle n'avait jamais cessé de m'apporter son soutien. Elle était devenue un compagnon, une amie pour moi, et une grand-mère merveilleuse pour Ben.

Un jour, John m'a raconté une histoire au sujet de Ruth. C'est l'une des rares confidences à propos de son enfance qu'il m'ait faites, tout de suite après que nous nous soyons rencontrés. Je pense qu'il voulait m'aider à la comprendre. C'était une histoire qui montrait sa part obscure tout autant que sa part lumineuse.

Quand John avait environ neuf ans, un soir en rentrant de l'école, il était allé voir Ruth. C'était pendant l'une des phases dépressives de sa mère, et on l'avait fait entrer doucement dans la chambre aux rideaux tirés pour qu'il puisse lui montrer un prix qu'il avait gagné ce jour-là.

Ruth avait examiné attentivement son certificat scolaire et l'avait posé sur sa table de nuit. Elle avait tapoté le lit pour l'inviter à s'asseoir. C'était si rare, que John s'était assis en faisant très attention, craignant de rompre ce moment privilégié, n'osant rien faire d'autre que regarder autour de lui. La chambre, à laquelle les rideaux tirés conféraient une atmosphère de clair-obscur, donnait à John l'impression que lui et sa mère étaient des personnages de livre pour enfants.

— Là où je suis faible, tu seras fort. Comme ton père, lui avait-elle dit cet après-midi-là.

Elle lui avait pris la main tendrement, en examinant le bout de chacun de ses doigts avec les siens. Il se souvenait de cette sensation. Puis elle lui avait parlé de musique. John m'a expliqué que même quand elle n'avait plus envie de vivre, la musique continuait à l'animer. Et c'était là ce qu'elle lui offrait même quand elle n'avait plus assez d'énergie pour le réveiller le matin, pour préparer son déjeuner ou l'accompagner à l'école.

Après être resté assis avec sa mère jusqu'à ce qu'elle soit trop fatiguée pour parler, John était sorti de la chambre le cœur battant, soulagé d'échapper à l'intensité de cet instant et, en même temps, désireux de le prolonger.

En arrivant à la maison de retraite, Zhang m'a dit qu'elle m'attendrait dans la voiture.

Ruth était dans sa chambre, l'une des plus belles de l'étage, spacieuse, avec une grande fenêtre qui donnait sur le jardin aux arbres centenaires. C'était mille fois plus agréable que tous les endroits gris et glauques que nous avions visités avant de placer Ruth ici.

Ces foyers sont comme de vulgaires enclos où les pensionnaires attendent la mort et ne sont guère mieux traités que des cadavres. La solitude, la confusion, la souffrance, et l'odeur de l'urine et de la nourriture bouillie sont leurs lots quotidiens tandis que leurs vies s'éteignent lentement. Ces endroits m'ont souvent fait frissonner et parfois pleurer.

La leçon à retenir : *Carpe diem, cueillir le jour présent sans se soucier du lendemain.* C'est ce que j'avais essayé d'enseigner à Ben quand je l'avais laissé filer devant moi dans la forêt.

Profiter de la journée, saisir l'occasion – être courageux – être indépendant – être attentionné – ne pas avoir peur de commettre des erreurs – ne jamais cesser d'apprendre – tout, tout le temps. Et quelqu'un l'avait enlevé. Quelle idiote je faisais !

Ruth était assise dans son fauteuil, face à la fenêtre, ses mains déformées par l'arthrose, les articulations gonflées et enflammées, posées sur les accoudoirs. Le début d'une dégénérescence maculaire lui affectait la vue et elle devait pencher la tête de côté pour me voir correctement. Quelqu'un l'avait maquillée, avec du fard à joue sur sa peau cireuse et un peu de rouge à lèvres de sa couleur préférée.

De la musique classique jouait en sourdine, et je fus soulagée de voir que c'était un CD, comme John l'avait demandé, et qu'elle n'avait plus de radio ; elle ne pouvait donc pas être au courant de ce qui était arrivé à Ben.

— Rachel, ma chérie, a-t-elle dit en prenant mes mains dans les siennes, un geste qui lui était familier. Où est Ben ? Vous m'avez manqué mercredi. On pense que je perds la tête, mais quand nous sommes mercredi, je le sais bien.

Elle affichait un air bravache, en essayant de rester digne mais le personnel soignant m'avait dit qu'elle avait été en proie à une plus grande agitation qu'elle ne le laissait paraître. Elle était aussi beaucoup plus lucide que je ne m'y attendais, et je me demandais si je devais m'en réjouir ou non.

— Il a voulu essayer le club d'échecs, ai-je dit. Et j'avais prévu de passer avec lui après mais, quand je suis allée le chercher, il était souffrant. Je suis désolée. J'aurais dû téléphoner.

— Oui, tu aurais dû me prévenir, a-t-elle répliqué. Ruth était très à cheval sur les bonnes manières.

— J'ai pensé que c'était déjà les petites vacances et que j'avais oublié. Tu sais, j'oublie beaucoup de choses maintenant, m'a-t-elle dit comme si c'était nouveau, comme si je ne suivais pas attentivement les progrès destructeurs de la démence sur son cerveau, depuis le moment même où le diagnostic avait été posé.

— Mais la Sœur m'a dit qu'elle était certaine que c'était la semaine prochaine.

Et moi, j'avais oublié, bien évidemment, que les vacances du trimestre allaient commencer.

— Qu'est-ce qu'il a eu ? a demandé Ruth.

— Il avait un mal de gorge, et un peu de fièvre. Je pense que c'était un virus.

— Il est retourné à l'école ? Est-ce qu'il est suffisamment bien couvert ?

— Oui, ai-je répondu, la gorge serrée par mon mensonge.

— Est-ce qu'il travaille beaucoup ? a-t-elle demandé.

Ses yeux se sont voilés, et son incapacité physique a semblé reprendre le dessus.

— À l'hôpital ?

Elle confondait Ben et John ; ce qui lui arrivait souvent. Et j'ai fait comme si de rien n'était.

— Ça va. Il se débrouille bien.

— Il faut qu'il s'entraîne, dès qu'il ira mieux. Et lorsqu'il sera assez grand et assez bon, c'est lui qui aura le Testore.

Le Testore était le violon de Ruth : un très bel instrument, fabriqué à Milan au XVIIIe siècle, son bien le plus précieux.

— Il n'est pas encore prêt à travailler sur autre chose que son petit violon d'étude, ai-je dit.

— Non, mais ça viendra. Ils grandissent, tu sais, a-t-elle dit.

Un petit sourire s'est dessiné sur ses lèvres, perdue qu'elle était dans ses souvenirs, puis a disparu.

— Que joue-t-il en ce moment ?

— Oskar Rieding. Concerto en B mineur.

— En entier ?

— Non, seulement le troisième mouvement.

— Il doit faire attention à bien maîtriser son archet. Surtout pour ce morceau.

Ruth s'cst mise à fredonner le concerto de Rieding, sa main battant la mesure. Pour la musique, elle avait une mémoire extraordinaire. Chacune des notes qu'elle avait jouées ou enseignées paraissait s'être logée pour toujours dans un coin de sa tête et continuer à résonner. Elle avait insisté pour payer des leçons de violon à Ben dès qu'il avait eu six ans. Il montrait des dispositions musicales prometteuses, transmises par la famille de Ruth, et elle en était ravie.

Elle a brusquement arrêté de fredonner.

— Tu as bien compris ce que je viens de dire ? m'a-t-elle demandé, comme si j'étais son élève.

— Oui, et je lui rappellerai ce conseil.

Elle s'est penchée en avant. Sa robe a remonté sur ses genoux squelettiques, découvrant le haut de ses bas de contention qui bouchonnaient sur ses chevilles. J'ai remarqué une tache sur son joli foulard de soie jaune. Sur la table, à portée de main, une friandise enveloppée de papier doré attendait posée sur un napperon. Elle s'est escrimée à l'attraper, une entreprise qui semblait vaine, mais je me suis bien gardée de lui proposer mon aide :

elle en aurait été agacée. Finalement, ses doigts ont réussi à s'emparer du bonbon.

— C'est pour Ben. Je l'ai mis de côté pour lui.

Les rares fois où Ruth prenait part aux activités dans la salle commune, elle n'avait de cesse de récupérer des friandises qui leur étaient parfois offertes en guise de récompense. Elle en faisait provision pour Ben.

— Merci, ai-je dit.

Elle a recommencé le même manège pour attraper quelque chose d'autre : un livre, qu'elle m'a tendu.

— Regarde. Je l'ai trouvé à la bibliothèque. Ça ne te rappelle rien ?

Elle a souri, ce qui, désormais, était rare et habituellement réservé à Ben.

J'ai pris le livre, j'en ai caressé la couverture dont les coins étaient cornés. C'était une monographie sur Odilon Redon.

— Le musée, ai-je dit. La fois où nous avons emmené Ben voir les dinosaures et que nous avons fini par aller admirer les peintures.

— Oui ! J'ai marqué la page. Tu l'as trouvée ?

J'ai ouvert le livre là où elle avait glissé un marque-page en cuir d'un jaune criard avec une reproduction du pont suspendu de Clifton en relief, et dorée. C'était l'un des rares objets affreux qu'elle possédait, mais elle le gardait car c'était Ben qui le lui avait acheté lors d'une sortie scolaire.

— Nous avons d'abord vu le tableau de William Scott, tu te souviens ? a-t-elle dit.

Je m'en souvenais. C'était une toile immense, de la taille d'un mur, avec un fond noir recouvert de quatre formes abstraites, comme de grosses taches, blanches, noir très foncé et d'autres avec des nuances de bleu, censées évoquer la côte ensoleillée de Cornouailles.

— Qu'est-ce que c'est ? avait demandé Ben, sa petite main dans la mienne.

— Cela peut être ce que tu veux, avais-je répondu.

— J'aime bien, avait répliqué Ben. C'est aléatoire.

« Aléatoire » était un nouveau mot que Ben avait appris à l'école, et il l'utilisait chaque fois qu'il en avait l'occasion.

Dans la salle d'à côté, il avait été attiré par une petite toile d'Odilon Redon, reproduite à la page marquée par Ruth. Au musée, Ben s'était posté devant, à quelques centimètres seulement, pendant que Ruth et moi nous tenions derrière lui.

— Et celui-là, c'est quoi ? nous avait-il demandé.

Au centre du tableau était peinte une silhouette blanche, chevauchant un cheval blanc qui se cabrait, avec à la main un long bâton au sommet duquel se trouvait un drapeau vert qui paraissait flotter au vent. En arrière-plan, deux bateaux ressortaient à peine du fond peint d'une épaisse couche de noir qui laissait deviner la lande, la mer, les nuages et le ciel dans des nuances fanées de marron et de bleu un peu ternes.

— C'est un peu brouillon, avait fait remarquer Ben.

— L'artiste l'a fait exprès, lui avait dit Ruth. Il voulait évoquer un rêve, un monde qui raconte des histoires et qui fait travailler ton imagination.

— C'est quoi l'histoire ?

— Comme te l'a dit ta maman à propos de l'autre tableau, tu peux imaginer l'histoire que tu veux. Ce peut être n'importe quelle histoire ou pas d'histoire du tout.

— J'aimerais bien avoir un drapeau vert.

— Et tu pourrais être un aventurier, comme le personnage dans le tableau. Est-ce que tu aimerais avoir un cheval blanc ?

Et Ben avait hoché la tête.

— Et un bateau ? lui avait demandé Ruth.

— Non, merci, avait-il répondu.

Et je savais quelle serait sa réponse, car Ben avait peur de la mer.

— Tu sais ce que je vois dans ce tableau ? lui avait demandé Ruth.

Il avait levé les yeux vers elle.

— Je vois quelqu'un de courageux qui chevauche un cheval magnifique et je me demande où va ce personnage et d'où il vient, avait-elle dit. Et je vois aussi de la musique.

— Où est la musique ? avait-il alors demandé.

— C'est là. Dans le tableau, les couleurs, la mer et le ciel et l'histoire de ce personnage et de son cheval, et dans les bateaux aussi. Toutes ces choses me font penser à de la musique que j'entends dans ma tête.

— Et moi aussi, avait-il dit, en lui souriant, le visage rayonnant. C'est rempli de notes rapides, comme une aventure.

— Et lentes, aussi. Tu vois, là, cette épaisse couche de peinture, à l'endroit où le peintre l'a étalée avec son pinceau ? Pour moi, c'est une note lente.

Ben avait regardé attentivement ce qu'elle lui montrait, en réfléchissant.

— Maman, tu l'entends, toi aussi ?

— Bien évidemment, avais-je répondu.

Et à ce moment-là, rien que le son de sa voix, empreinte d'innocence, et son désir d'écouter avaient suffi à ce que je l'entende. Ce jour-là, mon fils avait sept ans, et je me doutais déjà qu'il ne serait pas le genre de petit garçon à gagner une course à pied, ou à être champion de rugby ; aussi, de voir combien il était réceptif à la peinture était une joie pour moi. Cette sensibilité qui était la sienne, sa manière de réagir aussi positivement à la beauté et au monde des idées, me donnaient beaucoup d'espoir pour son avenir. J'avais l'impression qu'il serait en mesure de créer des réserves dans lesquelles puiser quand il en aurait besoin, et je savais que je pourrais lui servir de guide ou, au moins, l'aider à trouver sa voie.

Ce dont je ne m'étais pas rendu compte ce jour-là, tandis que Ruth et moi l'emmenions boire un thé et manger des pâtisseries, c'est qu'il aurait besoin de ces réserves très bientôt. Avant même d'être prêt. Ou qu'il n'aurait peut-être jamais la chance d'en emmagasiner assez avant même qu'elles ne soient détruites à jamais.

— Tu veux que je te prête le livre ? m'a demandé Ruth.

J'étais perdue dans mes pensées, dans cette image, et sa voix m'a ramenée au présent.

— Il plaira sans doute à Ben.

Que pouvais-je répondre ? Comment dissimuler mes émotions ? Je n'ai pas été capable de dire autre chose que :

— Oui, j'en suis sûre. Merci.

— Viens avec lui, la semaine prochaine. Promets-le-moi.

Je faisais de gros efforts pour ne pas m'effondrer. Je me suis tournée vers la fenêtre afin qu'elle ne puisse pas lire sur mon visage, et j'ai regardé les parterres de rosiers défleuris dans le jardin, en bas, et les branches d'un vieux cèdre qui se balançaient avec grâce. Mais Ruth, malgré la sénilité, n'était pas dupe.

— Que se passe-t-il, ma chérie ? m'a-t-elle demandé.

— Ça va.

— Je n'aime pas te voir comme ça. Viens là, assieds-toi, parle-moi.

J'aurais tellement aimé pouvoir tout lui raconter. Mais je savais qu'elle en serait anéantie. Je n'ai donc rien dit.

— Il faut que j'y aille, maintenant. On se voit la semaine prochaine.

Je me suis approchée d'elle pour lui dire au revoir et l'embrasser. Elle a pris ma tête dans ses mains et, pendant quelques instants, nos visages ont reposé l'un contre l'autre. Sa peau était aussi douce que de la gaze, et ses joues, creuses et délicates, semblaient à peine exister.

— Au revoir, ma chérie. Sois forte. N'oublie pas : tu es mère. Tu dois être forte.

JIM

J'ai demandé à l'un de nos enquêteurs d'aller chercher John Finch en voiture et de le ramener au commissariat. Il est arrivé à peine une heure plus tard. Il paraissait plus mince qu'il ne l'était en début de semaine. Je lui ai montré la lettre.

— Ne la sortez pas du sac.

Il a soulevé le sachet plastique. Ses ongles étaient rongés jusqu'au sang. Ses mains tremblaient. Il a lu à haute voix.

Désormais, John Finch saura ce que c'est que de perdre un enfant.

Il l'a bien mérité.

Il a été arrogant et, maintenant, il sera humble.

« La médecine peut prolonger la vie, et pourtant la mort rattrapera aussi le médecin. »

Je l'observais attentivement. Il avait l'air de quelqu'un à qui j'aurais donné un coup de gourdin sur la tête.

— Qui a envoyé cette lettre ? Qu'est-ce que ça veut dire ?

— C'est arrivé au courrier de ce matin. Nous ne savons pas qui l'a envoyée. Nous espérons que vous pourrez nous aider.

Il s'est mis à trembler.

— Est-ce ma faute ? Qu'est-ce que j'ai fait ?

— Ne parlons pas de faute. À ce stade, ça ne nous mènera nulle part. Avez-vous une idée de qui aurait pu envoyer cette lettre ? Nous avons tout lieu de croire qu'il s'agit de quelqu'un que vous auriez rencontré dans le cadre de vos activités professionnelles. Je sais que je vous ai déjà posé la question, mais j'ai besoin que vous y réfléchissiez vraiment : quelqu'un a-t-il des raisons de vous en vouloir ? Un ancien patient ?

À cet instant, personne au monde n'aurait eu l'air plus abattu que John Finch. Dans son effort pour se maîtriser, sa voix était devenue sourde. Pour être honnête, cet interrogatoire était pénible pour moi aussi ; et je pense que c'était parce que je me reconnaissais en lui. Je savais que si j'étais lui, je serais anéanti et, d'une certaine manière, même si j'étais conscient que je ne le devrais pas, j'en étais très affecté. Je ne sais pas si c'était la fatigue ou de voir les efforts qu'il faisait pour rester digne – ou peut-être les deux – mais je me sentais solidaire de ses émotions ; et je n'aurais pas dû m'y autoriser.

— Inspecteur, mes patients sont des enfants. Et ils ne sont pas rancuniers. En fait, leur vision du monde est souvent merveilleusement simple, et juste.

Il s'est frotté les yeux.

— Mais ils ont une famille et, parfois – rarement –, un enfant meurt au cours d'une opération chirurgicale, et la famille ne peut l'accepter. Et elle vous tient pour responsable. Même quand vous n'auriez rien pu faire. Même quand l'opération était la seule solution et que, sans elle, l'enfant serait mort.

— Est-ce que vous pensez à des familles qui pourraient être dans ce cas ?

— Et m'en vouloir au point de se venger en kidnappant mon fils ? Œil pour œil ?

— Oui.

Il a secoué la tête.

— Comme je vous l'ai déjà dit, une ou deux ont essayé d'intenter un procès à l'hôpital. Mais cela n'a rien d'exceptionnel. Ça fait partie des risques du métier.

Il s'est passé la main sur le front et s'est massé les tempes.

— Mais je n'imagine personne en arriver à une telle extrémité, vraiment pas. Pourtant, je me souviens d'une famille plus acharnée que les autres. Je peux vous donner le nom de l'enfant, et vous trouverez les coordonnées du père dans les dossiers à l'hôpital.

Je lui ai tendu un papier et un crayon.

— Écrivez-moi le nom, ai-je dit. Celui qui vous est venu à l'esprit. Et aussi le nom de la personne à contacter à l'hôpital.

Il a écrit. Et m'a rendu le papier.

— Rachel est-elle au courant ? m'a-t-il demandé.

RACHEL

Sur le chemin du retour, je n'ai pas essayé d'entamer la conversation avec Zhang.

Je regardais par la vitre de la portière et je pensais à Ruth et à Ben, et à combien ils aimaient être en compagnie l'un de l'autre. J'étais comme hypnotisée par la vue des écoliers rentrant chez eux avec leurs parents, ou en groupes, excités, livrés à eux-mêmes, criant, riant, se bousculant, laissant tomber par terre des papiers que le vent faisait tourbillonner. C'était le début des petites vacances scolaires, comme Ruth l'avait dit, et les enfants étaient d'humeur joyeuse.

— Pouvons-nous aller à l'école de Ben ? ai-je demandé.

— Oui. Pourquoi ?

— Je voudrais récupérer ses affaires. C'est les vacances.

Elle n'a hésité qu'un court instant.

— Bien sûr.

Elle a ralenti devant une station-service pour faire demi-tour et nous sommes restées coincées derrière une autre voiture. Il était impossible de ne pas voir les gros titres des journaux, même flous, placardés sous les plastiques du kiosque de la station-service.

Deux quotidiens affichaient en première page une photo de moi prise lors de la conférence de presse, avec celle de ma sœur dans sa chemise de nuit en train de s'en prendre aux journalistes devant la maison.

J'ai eu le temps de lire les accroches avant que Zhang redémarre.

LES FURIES FINCH

DES INTIMIDATIONS : la tante de Ben se laisse aller.

DEUX SŒURS : qui n'ont pas peur d'avoir l'air de **SAUVAGES**

LA PEUR GRANDIT : déjà cinq jours.

Et à la une d'un autre journal, sous la photo de mon fils :

LES VÊTEMENTS DE BEN : LE MYSTÈRE

À lire dans ce journal la chronologie de la disparition de Ben.

Zhang est restée silencieuse. Je ne savais pas si elle avait vu les journaux. J'ai relevé la capuche de mon manteau et je me suis enfoncée dans le siège passager. J'avais peur que quelqu'un me reconnaisse et, si c'était le cas, de ce que les gens diraient.

Quand nous sommes arrivées, l'école de Ben était presque déserte. Nous avons dû manœuvrer autour de cônes de circulation en plastique orange qui avaient été disposés devant l'aire de stationnement réservée aux enseignants pour en bloquer l'entrée. Il ne restait plus que quelques voitures, et la plupart des places étaient vides. Zhang s'est garée à un endroit d'où nous pouvions voir la cour de récréation, un petit terrain goudronné avec des poteaux de football dessinés sur l'un des murs, les autres étant recouverts de peintures murales. C'est une petite école, avec un bâtiment principal de style victorien, et des constructions plus modernes, sans prétention, qui avaient été ajoutées au fil des ans.

Jusqu'à ce que nous nous garions, j'avais pensé que c'était une bonne idée de venir voir l'école de Ben ; mais quand Zhang a détaché sa ceinture de sécurité et éteint le moteur, je me suis retrouvée comme paralysée.

En arrivant dans la cour de récréation, je me suis souvenue que c'était là le monde de Ben, son autre monde en dehors de la maison, et que la dernière fois que j'avais été là datait du vendredi précédent quand j'étais venue le chercher.

Alors que Zhang se tournait vers moi, se demandant pourquoi je restais immobile, des images ont afflué dans ma tête.

La cour de récréation, vendredi : très animée, comme d'habitude, avec une foule de parents qui attendaient que leurs enfants, tous dans des états différents, sortent les uns après les autres de leurs classes.

Certains semblaient catapultés dehors, avec pour unique but de dépenser un excès d'énergie, se courant les uns après les autres au milieu des petits groupes de mères, d'autres avaient l'air épuisé, leurs sacs pesant sur leurs épaules. D'autres encore arboraient fièrement des sweat-shirts avec des marques de sport, quelques-uns éclataient en sanglot à la vue de leurs parents après une longue journée difficile.

Toutes ces scènes me revenaient en de brefs éclairs : des poussettes, des mères chargées comme des baudets, la distribution de goûters, les comptes rendus d'injustices ou d'actions triomphantes. Des enfants qui étaient renvoyés en classe pour rechercher des affaires oubliées. Un enseignant avec une tasse de thé à la main ; le directeur avec une cravate neuve pour l'une de ses rares apparitions en dehors de son bureau et quelques parents qui se pressaient autour de lui. Des silhouettes découpées, en carton, accrochées sur un fil aux fenêtres de la classe derrière lui.

— Avez-vous changé d'avis ? m'a demandé Zhang.

— Non. Je veux y aller.

J'ai retrouvé mes esprits, et j'ai pris une grande inspiration. En face de moi, la cour de récréation était vide, mis à part un cerceau en plastique vert, qui avait été abandonné là, et le reste de marques à la craie dessinées sur le sol et qui n'avaient été que partiellement effacées par la pluie. Je suis sortie de la voiture.

— Sachez que l'école a fait appel à une société de sécurité pour éloigner les journalistes, m'a prévenue Zhang alors que nous traversions la cour de récréation. Ils en ont attrapé un qui fouinait dans le bureau du secrétariat de l'école.

Tandis que nous avancions, c'était comme si mes jambes ne fonctionnaient pas normalement, j'avais la tête qui tournait et la poitrine serrée. Autour de moi, tout paraissait sortir d'un dessin animé dans lequel la presse devenait une plante luxuriante, aux racines et aux tiges qui ne cessaient de pousser pour envahir chaque recoin de ma vie et de celle de Ben, en se nourrissant de chacun de nos gestes et de toutes les informations possibles. Je me sentais vraiment mal, et je me demandais si je ne devrais pas retourner à la voiture et laisser Zhang entrer seule dans l'école ; mais nous étions arrivées devant la porte et j'étais incapable de formuler à haute voix ce que je ressentais.

Nous avons été admises à l'intérieur du bâtiment par un homme de forte carrure que je n'avais jamais vu auparavant. Il avait le crâne rasé, une boucle d'oreille et un ventre impressionnant de buveur de bière. Il a vérifié les papiers de Zhang puis nous a laissées entrer.

Je me suis dirigée vers la classe de Ben. Je voulais juste récupérer son sac de sport, accroché à la patère au-dessus de laquelle son nom était inscrit, et les affaires qu'il aurait pu oublier à l'école. C'est ce que j'aurais fait, en temps normal, au moment des petites vacances. J'aurais lavé ses vêtements de sport, et vérifié qu'il ne lui manquait rien de ce dont il aurait besoin les semaines suivantes, jusqu'à Noël, à la fin du premier trimestre. Ne pas le faire m'aurait paru bizarre.

Cependant, la tâche n'allait pas s'avérer aussi facile. En approchant de la classe, j'ai repéré un panneau illustré avec, au milieu, un dessin que j'ai reconnu parce que Ben en était l'auteur. Mes jambes se sont dérobées sous moi.

À la suite de quoi je ne me souviens que très vaguement de ce qui s'est passé et de ce qui m'entourait : un sentiment de confusion car, quand j'ai repris connaissance, j'étais par terre dans le couloir, avec Zhang qui essayait de me remettre sur pied. Mes yeux se sont de nouveau posés sur les dessins, et j'étais comme en proie à des hallucinations : je voyais des feuilles et des branches, peintes dans toutes les nuances de marron, d'orange, de vert et de noir, qui s'enroulaient autour de Ben et le faisaient disparaître tandis que nous étions dans la forêt ; j'avais la certitude que je pouvais apercevoir ses empreintes dans la peinture qu'il avait étalée avec ses doigts, et j'avais envie de me mettre debout, pour poser mes doigts là où les siens avaient été, mais sans en être capable.

Après que l'on m'a eu relevée et que tout le monde a été sûr que je n'allais pas m'évanouir à nouveau, on m'a emmenée dans la classe pour m'asseoir sur la chaise de la maîtresse.

Mlle May était là et l'assistant d'éducation aussi. J'ai entendu la voix de Zhang qui disait :

— Elle voulait récupérer ses affaires, c'est tout. C'est pourquoi nous sommes là.

J'ai regardé l'institutrice se diriger vers les patères alignées le long d'un mur et prendre le seul sac qui était encore accroché là, et au dos duquel nous avions cousu une étiquette : la photo d'un chien noir et blanc, comme Skittle, et le nom de « Ben F. ».

Mlle May a dit :

— Lucas, s'il te plaît, peux-tu prendre…

J'ai alors vu l'assistant partir dans le couloir et décrocher soigneusement le dessin peint de Ben et le mettre dans une chemise en plastique. J'ai remarqué son menton fuyant, ses cheveux d'un roux flamboyant, et les marques de transpiration sous ses bras.

Puis Mlle May a proposé de m'aider à regagner la voiture, mais j'avais retrouvé ma voix et l'ai remerciée, parce que je ne voulais pas faire d'histoire ; Zhang a ajouté que nous pourrions très bien nous débrouiller.

Une fois dans le couloir, son bras fermement passé sous le mien, nous avons croisé le directeur.

— Je suis désolé, m'a-t-il dit.

Mais la manière dont il m'a regardée m'a donné l'impression d'être mise à nu et je ne lui ai pas répondu. Je voulais juste rentrer à la maison.

Mlle May a couru derrière nous, nous entendions le bruit de ses pas rapides, et elle nous a rattrapées au moment même où nous arrivions à la porte. Elle avait les bras pleins des cahiers de Ben qu'elle m'a donnés, et a dit :

— J'ai pensé que vous aimeriez les avoir puisque vous n'avez pu être là cette semaine à la réunion des parents d'élèves.

Je les ai donc pris et, tandis que Zhang m'aidait à marcher jusqu'à la voiture, je les ai tenus serrés contre moi comme si j'avais un bébé dans les bras.

JIM

Addendum au compte rendu de l'inspecteur James Clemo pour le Dr Francesca Manelli

Retranscription faite par le Dr Francesca Manelli

Inspecteur James Clemo en consultation avec le Dr Francesca Manelli

Les notes évoquant l'état d'esprit et le comportement de l'inspecteur Clemo, quand les siennes seules ne sont pas suffisantes, sont en italique.

F.M. : Et donc, la lettre ?

J.C. : Nous avons tout misé sur ça. C'est certain.

F.M. : Était-ce votre décision ?

J.C. : Celle de Fraser ; mais, nous étions d'accord. Et nous avons pris la bonne décision.

F.M. : L'équipe d'enquêteurs était-elle galvanisée ?

J.C. : C'est toujours très excitant d'être sur une piste. Mais il faut être prudent et faire attention afin de ne pas commettre d'erreurs. Quoi qu'il en soit, il se passait enfin quelque chose, et c'était important : Ben avait disparu depuis cinq jours et tout le monde était sur les nerfs. L'équipe était fatiguée, la presse était déchaînée. Et il y avait cette histoire de blog qui nous préoccupait.

F.M. : Où en étiez-vous avec ça ?

J.C. : Fraser, en coulisses, remuait ciel et terre pour trouver qui en était l'auteur. Parmi d'autres suspects, nous pensions que les fuites pouvaient provenir de Laura Saville ou Nicola Forbes. Nous savions qu'elles étaient toutes les deux très actives sur Internet ; et, bien évidemment, elles étaient au cœur des choses. En interne, Fraser se devait d'être discrète, en partie parce que nous ne voulions pas mettre la puce à l'oreille à la personne susceptible d'être coupable, mais aussi parce que tous les policiers participant à l'enquête étaient déjà sous pression, ce qui n'est jamais bon pour le moral, c'est le moins qu'on puisse dire.

F.M. : Vous y compris ? Vous vous sentiez sous pression ?

J.C. : Évidemment. La vie d'un enfant était en jeu.

F.M. : Et quelle était votre stratégie pour tenir le coup ?

Il me répond comme si j'étais complètement idiote.

J.C. : Nous n'avions aucune nouvelle d'un petit garçon de huit ans qui avait disparu depuis déjà cinq jours. Nous n'avions pas vraiment le temps de définir « des stratégies pour tenir le coup ».

F.M. : Certes. J'ai bien compris que tous ceux qui étaient impliqués dans l'enquête étaient stressés ; mais ma question…

Il m'interrompt ; il s'énerve.

J.C. : Arrêtez d'être condescendante…

F.M. : Ce n'était nullement mon intention. Vous êtes sur la défensive. Je me contentais de constater que vous étiez sous pression, et je cherchais à comprendre ce que cela signifiait pour vous et les conséquences que cela pouvait avoir eu sur vous et sur l'enquête.

J.C. : Vous n'avez aucune idée de ce que c'est que d'être dans une telle situation.

F.M. : Serait-il juste de dire qu'à ce stade de l'enquête votre attitude était différente de celle que vous aviez au début de l'affaire ? L'attitude « Vas-y, montre-nous ce dont tu es capable ».

J.C. : Oui. Évidemment. Avez-vous jamais pensé aux conséquences que cinq jours passés dans la peur loin de ses parents pouvaient avoir sur un enfant ? 120 heures, et ce n'est toujours pas fini. Moi, j'y pensais à chaque seconde qui passait. Pourquoi croyez-vous que j'avais jeté une telle bombe et provoqué une explosion au sein de la famille en obligeant Nicola Forbes à tout avouer à sa sœur ? Je l'ai fait en connaissance de cause. Pour Benedict. Parce que nous devions le retrouver, et tant pis pour les dommages collatéraux. Même chose pour la lettre.

J'arrête là notre séance car je crains de le pousser à bout si je vais trop loin aujourd'hui. Cependant, je me pose des questions sur sa capacité, sur le long terme, à retrouver un équilibre, même si nous allons jusqu'au bout de la thérapie et qu'il reprend ses fonctions.

RACHEL

En arrivant à la maison, Zhang m'a demandé si je voulais qu'elle reste avec moi mais j'ai décliné sa proposition en disant que ma sœur serait là, même si je n'en savais rien. J'étais toujours dans un état bizarre, détachée de la réalité, comme si je ne ressentais plus rien et que seules m'importaient les pensées qui se bousculaient dans ma tête.

Nicky était bien là. Elle était assise dans la cuisine; son sac était à côté de la porte d'entrée, son manteau posé dessus.

— J'ai attendu car je ne voulais pas partir sans t'avoir dit au revoir.

Elle ne s'est pas aperçue de mon désarroi. Elle a voulu savoir ce que je tenais dans mes bras.

— Les cahiers d'école de Ben, ai-je répondu.

Je les ai posés soigneusement sur la table et nous sommes restées là, l'une en face de l'autre, jusqu'à ce qu'elle vienne vers moi pour m'étreindre. C'était étrange. De la même manière que cela l'avait été le premier matin après la disparition de Ben quand elle m'avait rejointe au commissariat; mais, cette fois-ci, c'était pire, car il ne restait rien de la douceur qui avait été la sienne. Nous étions trop méfiantes l'une envers l'autre, et nous nous sommes débrouillées pour que nos corps se touchent le moins possible car, pour la première fois de notre vie, ni elle ni moi ne savions comment se comporter avec l'autre. Nicky, se rendant compte que cette étreinte n'était pas appropriée, s'est détachée de moi, et a posé ses mains sur mes bras en un geste réconfortant.

— Ça va aller ? m'a-t-elle demandé.

J'ai hoché la tête.

— Je peux revenir quand tu voudras. Si c'est trop difficile d'être toute seule, appelle-moi.

— Je peux aussi demander à Laura de passer, ai-je dit, d'une voix qui paraissait pâteuse, comme si je parlais la bouche pleine.

Elle a hésité un instant, avant de dire :

— D'accord. Très bien.

Et, de nouveau, nous nous sommes retrouvées l'une en face de l'autre, gênées ; elle me regardait d'une telle manière que j'avais envie de crier de frustration devant tant d'incertitude et d'horreur et donc, avec le peu de force qu'il me restait, j'ai dit :

— S'il te plaît, va-t'en Nicky.

— Je ne suis plus sûre qu'il faille que je parte quand je te vois comme ça. Tu ne te sens pas bien, n'est-ce pas ?

Et j'ai hurlé. J'ai hurlé « VA-T'EN ! ». J'avais l'impression que si quelqu'un m'adressait la parole j'allais exploser ; elle a été tellement choquée qu'elle a reculé d'un pas et, vu sa réaction, j'ai compris qu'une affreuse expression déformait mon visage.

Elle me regardait les yeux écarquillés et, alors qu'elle s'apprêtait à parler, ne pouvant en supporter davantage, j'ai dit « MAINTENANT ! », un cri, plus qu'un mot, et je suis partie en montant si vite les marches qu'elles en ont tremblé. Je n'ai pas entendu la porte se refermer derrière elle mais j'ai entendu les journalistes la harceler pour savoir qui avait crié et pourquoi, et si tant est qu'elle leur ait répondu, elle l'a fait calmement car, quelques instants plus tard, les seuls bruits que j'ai perçus étaient ceux de la maison vide.

Laura est arrivée pour me ramasser à la petite cuillère. Je ne l'avais pas appelée, mais elle est venue d'elle-même. En allant ouvrir, je l'ai entendue qui parlait à l'un des journalistes sur le pas de la porte. Quand je l'ai laissée entrer, elle a juste dit :

— C'est drôle. J'ai été en stage avec l'un des gars là, dehors, d'un ton désinvolte, comme elle aurait pu le faire si elle était dans une soirée.

Je me suis demandé de qui il s'agissait. Certains étaient des vieux de la vieille. Mais c'était probablement l'un des plus jeunes du groupe, à même d'être plus pugnace que les autres, du genre à avoir été le dernier à arrêter de taper à la vitre de la voiture quand Zhang m'avait emmenée. Je ne lui ai pas posé la question.

Elle était venue avec des plats préparés et une bouteille de vin. Avant qu'elle arrive, j'avais pensé lui raconter tout ce qui s'était passé. Mais je n'en ai rien fait. Je ne trouvais pas les mots, ils étaient comme prisonniers à l'intérieur de moi, tous mes sens étaient paralysés et ma capacité à accorder ma confiance s'était émoussée. J'étais en proie à une vive agitation, dans le même état qu'une toxicomane en manque, obsédée par ce que m'avait dit ma sœur, ne cessant de repenser au moment où je m'étais évanouie à l'école.

Laura m'a laissée tranquille. Elle a déballé les plats sur la table et nous a servi un verre de vin.

— Je me doute que tu n'en as pas envie, m'a-t-elle dit, mais je vais manger et boire quand même, et je ne t'en voudrais pas si tu ne te joins pas à moi.

La nourriture et la boisson qu'elle avait apportées m'apparaissaient comme des reliques de la vie que j'avais autrefois aimée, mais j'ai au moins pu faire semblant d'être reconnaissante. J'ai picoré et réussi à avaler une gorgée de vin ; la boisson avait perdu l'effet réconfortant qu'elle avait avant la disparition de Ben et m'a juste laissé un goût acide dans la bouche.

— Tu veux que nous parlions de lui ? m'a demandé Laura, en brisant le silence. Est-ce que ça pourrait t'aider ?

Laura n'a jamais été une grosse mangeuse ; elle a un appétit d'oiseau. Elle a joué avec sa nourriture pendant un petit moment, attendant ma réponse, avant de dire :

— Tu te rappelles, après que tu as accouché ? Les tout premiers temps ? On avait du mal à croire qu'il puisse être aussi petit, tu t'en souviens ?

J'ai retrouvé ma voix :

— Au début, tu ne voulais pas le prendre dans tes bras.

Quand elle était venue me voir à l'hôpital, Laura n'arrivait pas à détacher ses yeux de Ben. J'étais allongée, épuisée, mon corps meurtri et endolori, en sueur, submergée par les hormones, hypersensible.

Je l'avais regardée, debout, à côté du berceau en Plexiglas, svelte, élégante, bronzée, toute jolie dans sa robe d'été, avec ses grosses lunettes de soleil perchées sur sa tête – une carte postale de ce qu'était ma vie avant d'être mère. Et je lui avais dit qu'elle pouvait le prendre dans ses bras, mais elle avait secoué la tête.

Ce souvenir l'a fait sourire.

— Je n'avais encore jamais tenu de bébé dans mes bras. J'avais peur de le casser ou de le laisser tomber.

— Mais j'ai insisté.

— Et il a vomi sur moi.

— Il vomissait n'importe où les premiers mois. Je n'arrêtais pas de faire des lessives.

— Mais ce fut le coup de foudre, n'est-ce pas ? Pour toi ?

— Oui.

— Je t'ai enviée. C'était si intense, si intime.

Elle tenait son verre par le pied, du bout des doigts, et l'a fait tourner doucement, en fléchissant son poignet si fin. Elle s'est resservie. Il restait à peine la moitié de la bouteille alors que je n'en avais bu qu'une gorgée.

Pour la première fois, j'ai remarqué les rides qui commençaient à apparaître sur son visage aux traits délicats. Une simple impression : elles étaient là, puis l'instant d'après, elles avaient disparu. Comme un pense-bête, pour ne pas oublier qu'elle vieillissait, que nous vieillissions tous. J'ai tendu la main par-dessus la table, et nous sommes restées ainsi pendant un moment, nos doigts entrelacés.

— Je n'arrive pas à croire qu'il te soit arrivé une chose pareille. C'est comme si la foudre, venue de nulle part, vous avait frappés, toi et Ben. Je suis incapable d'imaginer ce que tu ressens.

— Tout me fait mal.

Ses yeux se sont remplis de larmes et elle a ajouté :

— Je peux te dire quelque chose ? Je veux te le dire pour que tu saches que d'autres gens comprennent ce que tu ressens. Ou, en tout cas, partagent un peu de ce que tu ressens.

— Dis-moi.

— Je me suis fait avorter.

— Quand ça ?

J'étais stupéfaite et choquée, aussi. Je pensais que Laura et moi partagions une amitié où nous mettions notre cœur à nu, sans autre secret l'une pour l'autre que nos idées de cadeaux de Noël ou d'anniversaire.

— Avant que tu aies Ben.

— Je ne sais pas quoi dire. Pourquoi ne m'en as-tu pas parlé ?

— Tu étais enceinte.

Et voilà : un recoin de notre amitié dont je n'avais jamais rien su.

— Qui était le père ?

— Tu te souviens de Tom, qui venait de Bath ?

Je m'en souvenais. C'était un homme marié qu'elle avait rencontré dans le cadre de son travail.

— Il était au courant ?

— Il a payé pour l'avortement. Mon Dieu, Rachel. Je suis désolée. C'est idiot de ma part de te raconter ça maintenant. Je ne sais même pas pourquoi je t'en parle. Ce n'est absolument pas comparable à ce que tu es en train de vivre.

Je n'étais pas capable de supporter cette situation. Si Laura avait voulu que nous nous sentions solidaires, alors elle s'était trompée. Ce n'était vraiment pas la chose à dire. Je ne pouvais tout simplement pas comprendre, pas maintenant : perdre volontairement un enfant.

Elle m'en aurait parlé ne serait-ce qu'une semaine plus tôt, je l'aurais écoutée, je lui aurais apporté mon soutien mais, à cet instant, c'était trop violent, trop douloureux, insupportable à entendre. Mon cerveau, confus à cause de tout ce qu'on m'avait raconté ce jour-là, a disjoncté, et j'ai piqué une crise.

Le plaisir, tout à la fois délicieux et pénible que nous avions eu à nous rappeler Ben bébé, avait disparu. Son amitié, chaleureuse, et sa compagnie, m'ont paru froides et cassantes. Ma peau s'est couverte de chair de poule, comme la surface de l'eau agitée par le vent.

— Non, ai-je dit. Non, non, non. Je ne veux pas entendre ça maintenant. Pourquoi tu me racontes ça ?

Et, soudain, une autre pensée, insidieuse, corrosive, comme la méfiance que ma sœur avait semée dans mon esprit, telle une graine, a commencé à germer en moi. Je l'ai formulée à haute voix, si durement, d'un ton si froid, que j'en ai moi-même été surprise. J'étais à bout de nerfs.

— C'est toi qui procures des informations aux journalistes à mon sujet ? À tes amis qui sont là dehors ? C'est la raison pour laquelle tu voulais parler de Ben ?

Je me suis levée brusquement et, dans ma hâte, mon verre s'est renversé sur la table, et le vin s'est répandu sur le sol. Laura s'est levée aussi. Elle était sous le choc, et toute douceur s'était retirée de son visage : elle était blafarde, sans expression, un visage de marbre.

— Nom de Dieu, Rachel, je sais que tu es désespérée mais…

Je l'ai poussée ; elle a fait le tour de la table pour venir vers moi et m'enlacer mais je l'ai rejetée. J'ai attrapé son manteau et son sac et les lui ai fourrés dans les bras en la reconduisant jusqu'à la porte, ignorant ses supplications et ses larmes, n'ayant de cesse de la voir partir et, comme pour Nicky, les journalistes, ses soi-disant amis, ont pris des photos d'elle sur le seuil de la porte. Je suis restée assise à la table de la cuisine, en pleurs.

JIM

Nous avons travaillé en équipe avec John Finch. Cette impression de me reconnaître en lui ne s'est pas dissipée et, bien au contraire, n'a fait que se renforcer au fur et à mesure que nous avons parlé ensemble. J'en étais troublé.

Il a attendu avec moi à Kenneth Steele House pendant que certains de nos enquêteurs étaient partis interroger les familles qu'il avait mentionnées. Nous avons envoyé deux d'entre eux à l'hôpital, en espérant que les lourdeurs administratives et les clauses de confidentialité ne bloqueraient pas l'enquête.

— Vous n'en avez jamais assez de votre travail ? m'a demandé Finch après un long moment de silence.

Je pensais à Emma, et à quand je pourrais éventuellement la revoir.

— N'êtes-vous jamais fatigué d'être tous les jours face à des gens dont la vie a volé en éclats ?

Nous étions assis à une table grise, dans une salle d'interrogatoire sans fenêtre. La lumière vive qui provenait d'une ampoule nue au plafond me donnait le mal de tête. Je ne lui ai pas répondu.

Si je l'avais fait, j'aurais perdu la distance qu'il me fallait garder entre nous, une distance toute professionnelle. Je savais qu'il ne fallait surtout pas que j'oublie que John Finch n'était pas mon ami, mais c'était difficile de ne pas répondre, car il y avait trop de parallèles entre mon travail et le sien. L'espace d'un instant, j'ai été tenté de dire oui, de lui parler, d'échanger nos impressions et d'avouer qu'à certains moments, c'était très, très compliqué de prendre du recul. Dans une autre situation, je pense que nous aurions pu le faire, ce qui aurait été bien, mais pas ici, pas maintenant.

— Savez-vous ce que me rappelle cette pièce ? m'a-t-il demandé.

J'ai secoué la tête.

— À l'hôpital, nous appelons ça « la salle des mauvaises nouvelles ». C'est là que nous emmenons les familles pour leur annoncer le pire. C'est exactement comme ici, avec des brochures en plus.

J'ai répondu d'une voix neutre.

— Nous espérons avoir de bonnes nouvelles à vous annoncer, monsieur Finch.

— Savez-vous comment ils le devinent ? a-t-il ajouté. Les plus malins ? Ils voient la théière, les tasses avec leurs soucoupes en porcelaine, la porte qui se ferme derrière eux, et le nombre inhabituel de membres du personnel rassemblés dans la pièce, et ils se demandent pourquoi toute cette cérémonie, tout ce cirque, rien que pour eux. Il ne leur faut pas longtemps pour comprendre. Ils ont deviné avant que nous leur parlions. Ils commencent à faire leur deuil avant même que la première goutte de lait ne soit versée dans leur tasse.

— De ce côté-là, vous n'avez rien à craindre, ai-je dit.

En face de nous, nous n'avions rien d'autre que quatre gobelets en plastique avec des restes de café froid. Des sachets de sucre ouverts, à moitié vides, traînaient sur la table, semblables à des housses mortuaires miniatures.

Il a compris pourquoi j'avais répondu avec autant de légèreté.

— Je suis désolé, a-t-il dit. C'est normal que vous ne vouliez pas avoir cette conversation, ce ne serait pas professionnel. C'était ridicule de ma part. À votre place, je ferais pareil.

Il a laissé échapper un son qui se voulait un rire, mais qui, amer, a résonné dans la pièce, moquant sa tentative de paraître joyeux.

Je me suis demandé si toutes les souffrances et les difficultés inhérentes à sa profession, le désespoir et le fait de côtoyer la mort n'étaient pas trop toxiques pour être supportables.

Par curiosité, j'ai baissé la garde, juste un instant.

— Vous laissez-vous aller à vos émotions, parfois, quand vous perdez un patient ? lui ai-je demandé.

Je voulais savoir comment l'échec l'affectait ; je voulais savoir s'il était comme moi.

— Très occasionnellement, ça vous atteint, même si vous vous en défendez. Mais c'est très rare. On vous apprend très tôt, quand vous êtes en stage, que vous devez refouler vos émotions ; sinon, vous ne pouvez pas faire ce travail.

— Qu'est-ce qui fait que ce n'est pas toujours possible ?

— Parfois, vous ne savez pas pourquoi. Un jour, j'ai opéré un petit garçon qui me rappelait un peu Ben, et j'ai rencontré sa mère qui n'était pas très différente de Rachel. Ils m'ont fait penser à nous, à notre famille. C'était il n'y a pas si longtemps ; Ben avait sept ans. L'opération n'était pas difficile, mais il y a eu hémorragie, et il est mort. Son cœur a lâché. Nous n'avons rien pu faire. Personne ne s'y attendait, et quand je l'ai annoncé à sa mère, j'ai… j'ai craqué, je me suis effondré.

La souffrance se lisait dans ses yeux mais il était évident que John Finch avait appris à rester stoïque. Il s'est ressaisi et a dit :

— Ce n'était pas une réaction professionnelle de ma part.

— Mais c'était compréhensible.

— Vous croyez, inspecteur ? Est-ce que ça vous est déjà arrivé ?

J'ai regardé l'heure à ma montre. Il était tard. J'étais prêt à me confier. Il fallait que je reprenne le contrôle.

— Je pense que manger quelque chose ne nous ferait pas de mal, ai-je dit. La nuit risque d'être longue.

Quand nous avons raccompagné John Finch chez lui, il était déjà dix heures du soir. À minuit, nous avions circonscrit la liste des coupables possibles en fonction des informations qu'il nous avait données et nous avions un suspect potentiel pour la lettre. Au petit matin, la plus grande confusion régnait parmi nos collègues et nous n'avions plus de doute. Nous avons vérifié, puis revérifié tous les détails, les antécédents judiciaires, et vérifié à trois reprises si l'adresse de notre suspect était la bonne.

Fraser, qui en était au moins à sa cinquième tasse de café, m'a confié la tâche de mener une descente de police à l'aube. Nous voulions provoquer un effet de surprise, et c'est le meilleur moment pour le faire. J'ai choisi les membres de mon équipe, et nous nous sommes soigneusement préparés.

Nous devions partir à 5 heures.

SEPTIÈME JOUR

Samedi 27 octobre 2012

Un enlèvement peut être motivé par des raisons diverses, y compris un désir d'enfant, assouvir une pulsion sexuelle, obtenir de l'argent ou une récompense, et le désir de tuer. Les recherches qui ont été faites montrent que quand un enfant est tué, les causes en sont multiples : des causes émotionnelles si le ravisseur veut se venger sur la famille ; des causes sexuelles si le coupable cherche à obtenir une gratification sexuelle de la part de la victime ; financières, ce qui implique une demande de rançon (Boudreaux et al, 2000 & 2001). Mais, le plus souvent, un enlèvement se conclut par la mort de l'enfant quel que soit le mobile.

Dalley, Marlene L et Ruscoe, Jenna, « The Abduction of Children by Strangers in Canada : Nature and Scope », National Missing Children Services, National Police montée canadienne, décembre 2003 mais c'est un cas vital. À ce stade, nous sommes très inquiets pour la sécurité de la famille de Benedict Finch et celle du garçon. Et nous voulons exhorter la population à se calmer et à respecter la situation dans laquelle se trouve

PAGE WEB – WWW.INFO24H7J.CO.UK/UK

Bristol – 7 h 22 BST 27 Oct. 2012

Où est Benedict Finch ?

La blogosphère s'emballe – pouvoir populaire ou justiciers ?

Par Danny Deal

Les policiers travaillant sur l'affaire Benedict Finch sont agacés de l'apparition d'un blog qui excite les médias.

Le blog dont l'auteur est, apparemment, bien au fait de l'affaire, a été dénoncé pour avoir communiqué des détails sur l'enquête et pour orienter les soupçons sur la famille de Benedict Finch.

Hier soir, l'inspecteur principal Corinne Fraser a déclaré : « Nous ne savons pas qui est l'auteur de ce blog, mais c'est un acte vindicatif. À ce stade, nous sommes très inquiets pour la sécurité de la famille de Benedict Finch et celle du garçon. Et nous voulons exhorter la population à se calmer et à respecter la situation dans laquelle se trouve cette famille, et à ne pas prêter attention à ce blog qui est le fait d'un individu peu fiable et mal informé. En ce moment, nous concentrons tous nos efforts pour retrouver cet enfant. »

Elle a aussi ajouté que la police « était sur plusieurs pistes » et espérait avoir bientôt des résultats significatifs. Elle a refusé d'en dire plus.

James Leon (QC[1]) a déclaré que « tout individu ou organe de presse était passible de poursuites judiciaires pour la publication en ligne de commentaires susceptibles de faire obstruction à l'enquête ».

3 commentaires
Donna Faulkes
Les gens ont le droit de dire ce qu'ils veulent.

Shaun Campbell
Si la police ne parvient pas à le démasquer, au moins, il y a quelqu'un qui dit ce que tout le monde pense.

Amelie Jones
C'est idiot d'écrire des choses pareilles et de ne pas préciser ce que les gens ne peuvent pas dire.

1. *Queen Counsel* : « Conseiller de la reine ». Il s'agit d'un titre honorifique conféré à des membres éminents du barreau. Dans les affaires de meurtre, ou de crimes graves, l'accusé est le plus souvent défendu par un *QC*.

RACHEL

Je me suis réveillée de nouveau en sueur, au petit matin, rongée par cette impression d'avoir été vidée : un sentiment de perte qui me dévorait, et qui n'était plus atténué par la présence de gens autour de moi.

J'ai commencé à prendre en considération l'éventualité que Ben pourrait ne jamais revenir à la maison et à penser à la réalité dans laquelle je devrais vivre, si c'était le cas.

Ce serait insupportable.

Agitée par ces pensées obsessionnelles, je suis descendue pour sortir dans la nuit par la porte de derrière. Le vent était mordant et j'ai couru jusqu'à mon studio ; bien que la distance soit courte, j'ai senti le froid qui s'engouffrait dans mes vêtements et, le temps d'arriver, je tremblais si fort qu'on aurait dit un sac d'os secoués.

Je n'ai pas osé allumer, au cas où quelqu'un aurait pu me voir à travers les portes en verre, complètement défaite. Mes voisins, de même que mes amis, désormais, m'apparaissaient comme des adversaires, des espions potentiels. J'ai démarré mon ordinateur et je suis restée là, éclairée seulement par la faible lueur bleue de l'écran. Et, lentement, de manière compulsive, tout en sachant que je ne devrais pas, j'ai commencé à faire des recherches en ligne.

J'ai découvert que j'étais sévèrement critiquée, qu'on me fustigeait encore plus qu'avant. En l'absence de nouvelles informations concernant l'enquête, des articles plus consistants avaient été rédigés, pour l'essentiel, par des journaux sérieux. Et si j'avais pu espérer, avant de les lire, qu'ils brosseraient un tableau plus juste de la situation dans laquelle se trouvait notre famille, je m'étais trompée ; je m'étais bercée d'illusions. Les articles étaient tout aussi accusateurs que ceux des tabloïds.

Presque tous parlaient de l'affaire et commentaient ma prestation à la conférence de presse, soulignant ma condition de mère divorcée en l'utilisant comme un fouet pour me battre ou un défaut pour me stigmatiser.

Ces articles émettaient des doutes à mon sujet, et au sujet de l'enquête. Vous vous en doutiez, n'est-ce pas ? Peut-être même que vous les avez lus. Ils mettaient en doute ma probité morale et remettaient en question ma capacité mentale à élever un enfant. Ils me condamnaient vertement pour avoir laissé Ben partir sans moi dans les bois, ils m'accusaient d'être irresponsable, et faisaient de moi un paria de la société. Mère divorcée, mauvaise mère au statut social douteux : une cible à abattre.

Mais il y a une chose qu'ils oubliaient d'évoquer : personne ne s'interrogeait sur les raisons pour lesquelles j'avais laissé Ben filer. Ils ne prenaient pas en compte ce que j'avais pu ressentir quand John nous avait quittés, les efforts qui avaient été les miens pour reconstruire ma vie, et mon désir, en son absence, d'être une bonne mère ; personne ne se posait la question de savoir combien j'aimais Ben.

À aucun moment les journalistes n'évoquaient la difficulté d'élever seule un enfant, les soirées de solitude, la pression qui est la vôtre de devoir prendre seule, sans aucun soutien, des décisions difficiles, l'absence douloureuse d'un conjoint qui aurait pu être à vos côtés si les choses avaient tourné différemment.

C'étaient des gens, ai-je pensé, de plus en plus désespérée, qui, il y a cent ans, m'auraient fait enfermer dans une maison de correction et, qui, des siècles auparavant, m'auraient passé la camisole de force ou mise sur un bûcher dont les flammes auraient éclairé leurs visages sans pitié, leur absence de compassion.

Et pas un seul mot, dans aucun article, sur l'éventuelle culpabilité de John. Par contraste, il était l'objet de sympathies, son sexe et sa profession étant devenus un atout pour lui : un chirurgien pédiatrique en chef, sa nouvelle femme vue comme une consolation bien méritée et non pas comme une briseuse de couple. L'un des articles montrait même une photo de John et Katrina, un couple parfait n'ayant rien à se reprocher.

J'étais leur cible, socialement inacceptable, ils allaient donc aussi loin qu'ils le pouvaient en restant dans la légalité : une attaque publique, via des mots écrits, soigneusement choisis, mûrement réfléchis, aiguisés au fil de chacune des étapes éditoriales, en vue d'agiter l'opinion publique. De la sorte, ma situation exciterait voire encouragerait tous les bien-pensants et les donneurs de leçons. *Schadenfreude*. Conservatisme. *Il vaut mieux que le pire arrive aux autres car, franchement, ils doivent l'avoir bien mérité*.

Et ils se sentent légitimes, ces soi-disant « penseurs », assis confortablement derrière leurs bureaux avec leurs ouvrages de référence et leur sens moral jamais remis en cause car, pour eux, je n'étais rien. Ben et moi n'étions rien d'autre que des sujets d'articles pour faire vendre des journaux, rien de plus. Et c'étaient ces journaux-là que j'avais l'habitude de lire, ceux que je ramenais chez moi après les avoir achetés au coin de la rue.

C'était de la presse racoleuse, la presse à scandale, je le savais. Et pourtant, cela n'empêchait pas chaque mot de balayer le peu de respect de moi-même ou de dignité qu'il me restait. Je n'étais qu'un être humain, après tout.

Je pense que je suis désormais curieuse de savoir si lire ce genre de choses est perturbant pour vous. Et qu'en serait-il si le tapis sur lequel vous êtes tranquillement assis pouvait être retiré de sous vos pieds, à vous aussi, en un clin d'œil ? À moins que vous ne soyez plus en sécurité que je ne le suis ? Vous croyez peut-être que les fondations sur lesquelles vous êtes installés sont plus solides que les miennes et que ma situation est trop extrême pour que cela vous arrive à vous ? Et il n'est pas impossible que vous ayez noté les moments où j'ai commis des erreurs que vous pourriez avoir évité de faire, n'est-ce pas ? Est-ce que vous vous imaginez que, dans ma situation, vous vous seriez comportée en mère digne de ce nom, que vous auriez été irréprochable ? Peut-être même que pour commencer, vous vous dites que vous auriez gardé votre mari.

Méfiez-vous de ce que vous supposez, c'est tout ce que j'ai à vous dire. Faites très attention. J'ai été mariée à un médecin un jour.

Je suis aussi curieuse de savoir si vous vous sentez mal à l'aise, et si vous regrettez notre contrat. Vous vous souvenez des rôles que nous nous étions attribués ? Moi : le vieux marin, le narrateur. Vous : le convive du mariage, un auditeur patient ?

Aimeriez-vous faire machine arrière ? À moins que vous n'ayez envie de remplir votre verre ? Maintenant que j'ai perdu le contrôle, de quel côté êtes-vous ? Du mien ou du leur ? Combien de temps allez-vous rester auprès de l'outsider, étant donné qu'elle est désormais si abattue, si peu attirante ? Montrant même des signes d'instabilité mentale.

Tentant un dernier coup pour garder toute votre attention, je pourrais vous dire que si ce que je vous raconte vous perturbe, si assister à ma descente aux enfers vous met mal à l'aise, sachez que faire de tels aveux est très douloureux pour moi : ce qui vous encouragera peut-être à m'écouter jusqu'au bout.

Quand l'aube est finalement arrivée, je me suis éloignée de mon ordinateur, détournant mes yeux horrifiés de l'écran. De mes doigts engourdis par le froid, j'ai resserré mon peignoir autour de moi et j'ai regardé les ombres grises de mon jardin se dissiper lentement dans la lumière du matin, tandis que le soleil se levait et colorait les nuages de teintes bleutées et, parfois de nuances roses. C'était une lumière qui ne pouvait en aucun cas se confondre avec une lueur d'espoir.

De retour dans ma cuisine, j'ai eu l'impression de reprendre possession des lieux après une longue absence. J'ai mis de l'eau à bouillir et me suis rendu compte que je n'avais pas accompli ce geste depuis plusieurs jours car, jusqu'à ce matin, Nicky faisait tout. Presque par curiosité, j'ai ouvert le réfrigérateur, n'ayant aucune idée de ce que j'allais y trouver : des plats cuisinés, dans des barquettes étiquetées, préparés par Nicky avant son départ et un demi-litre de lait.

Assise, je me suis lentement réchauffée en écoutant le bruit familier des radiateurs qui se remettent en marche et j'ai regardé les cahiers de Ben.

Il y en avait cinq. La plupart étaient à peine commencés, car nous n'étions encore qu'au début de l'année scolaire. Je les ai feuilletés : mathématiques, lecture et écriture, orthographe, histoire et un cahier neuf.

La première page du cahier neuf m'a fait sourire.

Ben avait dessiné un lit immense qui remplissait entièrement la page avec, au milieu, un tout petit personnage en bâtons. En dessous, il avait écrit : *J'ai passé tou le week-end au lit.* À côté, la maîtresse avait rédigé un commentaire : *Tu es sûr de n'avoir rien fait d'autre, Ben ? J'espère que si. Mais c'est un beau dessin.*

Le côté absurde, l'humour de ce dessin, m'a fait sourire et j'ai pensé : c'est le monde dans lequel j'aimerais vivre, le monde imaginaire, si drôle, qui était celui de mon fils.

Et, à cet instant, j'ai su très clairement que si Ben ne survivait pas, je ne le pourrais pas non plus.

JIM

Nous avons débarqué à cinq : moi et quatre hommes en tenue et équipés. Combinaisons noires, gilets pare-balles, cagoules et des chaussures aux semelles suffisamment épaisses pour faire des dégâts. Tous mes hommes étaient armés. Nous avions tous des oreillettes afin de rester en contact radio. Je dirigeais l'opération.

Il était cinq heures du matin. Il faisait encore nuit. Le silence enveloppait le voisinage comme une couverture moelleuse.

Nous nous sommes garés, sans un bruit, au coin de la rue, ayant vite coupé le moteur. Nous sommes sortis du véhicule sans parler, ne communiquant que par gestes. Je suis resté à l'entrée de l'allée avec deux de mes hommes, hors de vue. Puis nous avons attendu sans un mot tandis que j'envoyais les deux autres faire le tour de la maison.

Nous ne voulions pas que quelqu'un puisse s'enfuir par-derrière.

Les réverbères laissaient voir un bungalow délabré comparé aux maisons voisines avec leurs jardins impeccables, leurs pelouses parfaitement tondues et leurs haies d'arbustes bien taillées, comme des trophées de banlieue.

Les mauvaises herbes avaient envahi les plates-bandes, et la pelouse, mal entretenue, n'était plus qu'un tas de boue. En revanche, la peinture noire de la grille était en bon état et le loquet n'a pas grincé quand les deux agents l'ont soulevé pour se glisser dans la cour.

Il m'a semblé que cette décrépitude était récente.

Un garage était construit sur l'un des côtés du bungalow ; la porte était fermée mais en bon état et l'allée qui y menait avait été cimentée récemment. Pas de gravier pour crisser sous nos pas et trahir notre présence. Il n'y avait pas de voiture devant le garage ; les rideaux n'étaient pas fermés, aucune lumière allumée à l'intérieur de la maison et j'ai espéré que l'endroit ne soit pas abandonné.

À mon signal, les deux hommes se sont approchés de la porte d'entrée et se sont plantés de chaque côté de façon à ce qu'on ne puisse pas les voir de l'intérieur, à travers le verre dépoli ; en tout cas pas avant que ce soit nécessaire.

La lampe de sécurité, un détecteur de présence, au-dessus de la porte, ne s'est pas déclenchée. Mes hommes avaient un bélier – un cylindre en métal noir – et, si besoin était, ils pouvaient défoncer la porte.

Ils ne regardaient pas dans ma direction, ils étaient concentrés et fixaient la porte des yeux, en attendant que je leur donne des ordres.

— Allez-y, ai-je murmuré dans ma radio.

Je savais qu'ils m'entendraient parfaitement et ils n'ont pas hésité. Ils ont appuyé sur la sonnette, tapé sur la porte et crié dans l'ouverture qui servait de boîte aux lettres :

— Police, ouvrez ! Police !

Le bruit a fait écho dans l'atmosphère silencieuse qui précède l'aube.

Bien avant qu'une lumière éclaire le couloir du bungalow, toutes les autres maisons étaient illuminées comme des sapins de Noël ; nous étions prêts à défoncer la porte.

Une femme l'a entrouverte, en nous regardant avec méfiance. Elle avait l'air de quelqu'un qui vient à peine de se réveiller.

Elle portait un pantalon de survêtement, des sabots en plastique et une blouse d'infirmière. Mes hommes l'ont écartée pour entrer. Je les ai suivis.

— Où est-il ? ai-je demandé.

Elle a fait un geste vers une pièce à l'autre bout du couloir. L'un des hommes y était déjà ; un autre vérifiait les pièces de devant. J'ai couru dans la direction indiquée, mais à peine après quelques pas, j'ai su qu'il y avait un problème à l'instant où l'un de mes hommes à dit « Par ici, chef », d'une voix sourde. Il se tenait dans l'embrasure d'une porte, devant moi, et son corps avait perdu toute tension, normale lors d'une montée d'adrénaline, comme s'il était au repos. Il n'était pas en danger.

Tandis que je passais devant lui, il a dit :

— Il n'ira plus nulle part.

Au milieu de la chambre se trouvait un lit d'hôpital sur lequel reposait un homme aux yeux écarquillés par la peur. Il était recouvert d'un drap blanc qu'il avait remonté jusqu'au cou et auquel il s'agrippait ; il avait un bracelet d'hôpital autour d'un poignet. Seuls ses cheveux bruns donnaient une idée de son âge, relativement jeune. Il n'avait plus que la peau sur les os ; il avait le teint gris à part des taches rouges sur les joues dues à la fièvre ou à la morphine. Il respirait à travers un masque à oxygène dont les élastiques laissaient des marques sur ses joues, tant il était amaigri, et une poche d'urine pendait sur le côté du lit.

La pièce était meublée d'un fauteuil et d'une table – à côté du lit – encombrée de livres, d'un ordinateur portable, d'une télécommande pour la télévision qui était posée sur une commode dans un coin, et d'une cuvette pour vomir. À côté de la porte était rangée une chaise roulante.

L'infirmière était arrivée près de moi.

— Il est mourant, a-t-elle dit.

Elle avait des scarifications ethniques sur le visage, deux traits boursouflés sur chaque joue, et des yeux qui disaient que ce ne serait pas la première fois qu'elle verrait la mort.

Je me suis retourné vers mes hommes :

— Fouillez le garage, leur ai-je ordonné.

Mais je savais déjà qu'il n'y aurait aucune trace de Benedict Finch.

RACHEL

Zhang m'a téléphoné dans la matinée. Elle venait de se garer dans ma rue et m'a dit que non, ils n'avaient pas retrouvé Ben, mais m'a demandé si elle pouvait venir me voir, car elle voulait me parler.

J'ai attendu derrière la porte d'entrée, aux aguets, ne voulant pas ouvrir avant qu'elle soit arrivée. Cette nuit, en jetant un œil par la fenêtre de ma chambre, j'avais découvert qu'il ne restait plus que deux ou trois journalistes qui traînaient devant la maison, mais je ne voulais pas leur donner l'occasion de prendre une photo.

Quand j'ai reconnu ses pas et entendu les journalistes la héler, j'ai commencé à déverrouiller la porte. Elle n'a pas sonné : elle a lâché un juron. J'ai entrouvert.

Le perron était inondé. Du lait coulait sur ma porte jusque sur le paillasson. La courte allée qui menait de la grille à l'entrée n'était plus qu'une flaque de lait et était jonchée de morceaux de plastique. Deux bouteilles d'un litre, complètement explosées ; le laitier me livrait deux fois par semaine : du lait entier pour Ben, en pleine croissance, et du demi-écrémé pour moi.

J'imaginais les mains qui les avaient lancées, les pieds qui avaient donné des coups, l'impact des bouteilles sur la porte, un jaillissement sous forme de liquide blanc, la saleté et le désordre qui en avaient résulté. Et j'ai compris que je devais considérer cet acte comme un reproche, un acte qui me stigmatisait comme une femme au pas-de-porte sale : une manière vraiment désuète de vous désigner comme ayant commis le pire, et de vous traiter de salope. Je l'ai interprété comme un acte justicier sarcastique, un acte équivalent à celui de jeter une plume blanche dans la maison de quelqu'un pour condamner sa lâcheté[1].

Vous voyez donc comme mes pensées se déchaînaient maintenant que j'étais seule, cernée.

— Rachel, rentrez, m'a ordonné Zhang d'une voix sèche. Je m'en occupe. Restez à l'intérieur.

J'ai obéi. Elle m'a emprunté une serpillière et un seau en plastique pour ramasser les saletés et, quand elle m'a rejointe après avoir nettoyé, j'ai dit :

— Vous pensez que quelqu'un l'a fait exprès ?

— Je ne pourrais pas l'affirmer. Il est possible que ce soit un accident.

— Vous savez très bien qu'il n'en est rien.

— Je ne *sais* rien.

— Est-ce qu'ils ont vu qui a fait ça ? ai-je demandé en esquissant un geste en direction des journalistes.

1. La plume blanche était, dans l'Empire britannique, un symbole de lâcheté, attribué à ceux qui refusaient la guerre. Pendant la Première Guerre mondiale, des distributions de plumes blanches étaient organisées pour couvrir de honte les hommes non engagés dans la guerre.

— Ils m'ont dit que non. Ils disent que c'était déjà comme ça, ce matin, à leur arrivée.

— Ils mentent.

— Rachel, ce n'est rien. Il est possible que ce soit vraiment un accident. Ne vous tracassez pas pour ça.

Mais c'était déjà trop tard.

Nous sommes allées à mon studio, avec le chien. Je ne supportais pas d'être près de ma porte d'entrée, avec les restes de salissures qui me faisaient honte et peur tout à la fois.

J'ai allumé le chauffage, trop gênée devant Zhang pour me complaire dans l'attitude masochiste qui avait été la mienne avant le lever du jour et qui m'avait contrainte à rester assise dans le froid en explorant des sites Internet.

Zhang m'a parlé de la lettre et de la descente de police à l'aube chez un suspect qui n'était personne d'autre qu'un mystificateur mourant, un mauvais plaisantin.

— Il s'agit d'un homme brisé par le chagrin. Son fils est mort au cours d'une opération : le chirurgien était M. Finch.

— Était-ce la faute de John ?

— Non. C'était une opération très risquée. Le père le savait et, sans elle, l'enfant serait mort de toute façon. Ce n'était pas la faute de John. Ce n'était la faute de personne.

— L'enfant : c'était un petit garçon ou une petite fille ?

— Je ne sais pas. Apparemment le père est devenu fou à la mort de son enfant. Il l'avait élevé seul, la mère était morte, d'un cancer, elle aussi. Il a adressé plusieurs courriers à l'hôpital menaçant de poursuivre les médecins en justice. Mais rien ne pouvait être retenu contre eux, c'était donc vain. Et maintenant, il est lui aussi en train de mourir d'un cancer. Une famille entière décimée par cette maladie.

— Comment était-il au courant pour Ben ?

— Il a vu les informations à la télévision, a reconnu John, et il a pensé que c'était l'occasion de s'en prendre à lui. C'est tout ; rien de plus que de la méchanceté. Je suis désolée. Mais nous n'en sommes pas pour autant de retour à la case départ. Nous avons d'autres pistes.

Ses mots se voulaient rassurants mais je me suis aperçue qu'elle devait faire des efforts pour arborer une expression optimiste.

Alors qu'elle se levait pour partir, mes photos ont attiré son attention.

Au-dessus de mon bureau, j'avais réalisé un collage de photos prises au cours de ces dernières années. Pour la plupart, il s'agissait de portraits de Ben. C'était ce que j'avais fait de mieux en tant que photographe.

Elles étaient presque toutes en noir et blanc, sur des pellicules argentiques, des films que j'avais développés moi-même et dont j'avais fait les tirages dans une chambre noire que j'avais aménagée dans le garage de la maison. John m'avait volontiers cédé l'espace libre car il n'était pas du genre bricoleur.

L'appareil photo avec lequel je travaillais était un Leica M20 que m'avaient offert Ruth et Nicholas. Je développais moi-même les films et je passais des heures à trier les négatifs pour choisir ceux à partir desquels je ferais des tirages.

Tout le processus de tirage me passionnait : sous la lumière rouge un peu glauque du labo, le visage de Ben émergeait du bain chimique, en une sorte d'alchimie qui lui donnait forme, transformant du rien en quelque chose. C'était un processus peu sûr, hasardeux, imprévisible et, en même temps, qui produisait de la beauté, de la force, et je ne m'en lassais jamais.

Mes photos n'avaient pas grand-chose à voir avec celles très éclairées prises en studio, que l'on voyait partout, où les familles sont devant un fond blanc scintillant, la bouche ouverte, les dents bien visibles, dans des poses peu naturelles, complètement artificielles.

Je préférais travailler la lumière et les formes, avec ce qui était déjà là. J'avais commencé avec, en tête, l'idée que je finirais bien par saisir des bribes de la beauté de mon enfant.

Un jour, en été, Ben avait environ cinq ans, j'étais descendue très tôt le matin, et la lumière si délicatement cristalline des premières lueurs de l'aube m'avait semblé avoir en soi une présence éthérée.

Doucement, j'avais réveillé Ben et, avant qu'il ait été complètement conscient, je lui avais demandé de s'asseoir à la table du petit déjeuner. Il avait fait très chaud pendant la nuit et il avait dormi vêtu seulement d'un bas de pyjama. Il s'était assis et avait regardé l'appareil photo avec une candeur presque absolue. Sur le tirage, c'était comme si on voyait son âme. Ses cheveux étaient décoiffés, sa peau semblait avoir la texture du velours, et l'arrondi de ses bras minces était parfait. Sur l'image, tous les contours étaient atténués. Les noirs se fondaient dans des gris et blancs, et les ombres adoucissaient son visage et son torse nu. Seul un petit éclat dans le regard de Ben donnait le ton de cet instant : comme un éclair, une perle blanche et, même si personne d'autre ne la voyait, je savais que cette perle était le reflet de la lumière, renvoyée par la fenêtre de la cuisine, et de moi en train de le photographier.

C'était la meilleure photo de toutes celles que j'avais prises et, probablement, de toutes celles que je prendrai jamais.

Zhang est restée debout à la regarder pendant un bon moment, avec sa tasse de café fumant à la main. Puis elle a jeté un œil à tous les autres clichés de Ben, ses manifestations diverses, le Ben qu'il était pour moi.

Ben, qui marchait depuis peu, en train d'observer quelque chose sur la pelouse, en été, les sourcils froncés à peine visibles sous son chapeau de soleil ; Ben et ses deux pieds potelés de bébé en gros plan, une étude de ses mains, ses doigts aux ongles et aux jointures minuscules et fragiles, des mains de nouveau-né toutes fripées et pas encore solides ; Ben de profil, la douceur de sa peau sur ses tempes, les cils recourbés que l'on distinguait à peine ; sa silhouette au loin sautant dans une flaque entre des rochers sur une plage d'hiver en bas d'une falaise.

Il y avait des tas de photos et Zhang les a toutes regardées. De temps à autre, sa radio émettait un bruit strident, comme des parasites, et grésillait ou laissait entendre une voix. Mais elle n'y a pas prêté attention.

— Elles sont très belles, a-t-elle dit.

J'étais moi aussi absorbée par ces images quand elle a parlé, et sa voix a exprimé une sincérité inattendue, sans filtre, brute.

— En dehors de la famille, vous êtes la première personne à les avoir vues, ai-je dit.

— C'est vrai ? Je suis flattée. Vraiment.

Sa voix flancha. Elle a eu besoin de se ressaisir.

— J'ai essayé d'apprendre la photo quand j'étais plus jeune, a-t-elle dit. Mon père m'avait acheté un appareil. Un ancien modèle, argentique. J'avais quinze ans. Il m'avait confié un projet. Il m'a demandé de prendre des clichés en extérieur. Il m'a donc emmenée dans un endroit qui s'appelle Old Airport Road, nous étions à Singapour, c'est là que j'ai grandi, il était dans l'armée. Peu importe. À Old Airport Road, il y a une aire de restauration à l'ancienne, vous voyez ce que je veux dire, avec plein d'étals de nourriture, de toutes les sortes ; le rêve pour un photographe. Mon père m'a dit de photographier tout ce que je voyais. Je devais demander la permission aux vendeurs et mon père m'a observée, assis, pendant que je prenais mon temps pour faire la bonne photo en choisissant les formes qui m'intéressaient et le bon angle. Au bout de deux heures, j'avais vingt-quatre photos. Nous avons donné la pellicule à développer. J'étais impatiente d'aller la récupérer le lendemain. J'étais très excitée. Je me faisais des illusions, vous savez, comme quand on est jeune : j'allais devenir une photographe célèbre. C'est pour vous dire à quel point j'étais excitée. Mais quand je suis allée chercher les photos le lendemain et que je les ai sorties de l'enveloppe, elles étaient noires. Toutes.

C'était la première fois qu'elle parlait autant.

— Que s'était-il passé ? ai-je demandé.

— Eh bien, j'ai regardé mon père pour lui poser la question, et il m'a dit : « Ça t'apprendra à ne pas oublier d'enlever le cache de l'objectif. » J'étais très en colère contre lui car il ne m'avait pas prévenue.

— Il s'en était rendu compte pendant que vous preniez les photos ?

— Oui. Mais il est comme ça. Il pense qu'on doit apprendre par soi-même, à la dure.

Elle a esquissé un sourire.

— Ça a marché. Je n'ai plus jamais recommencé.

— C'est ce que j'ai essayé de faire avec Ben, ai-je dit.

Elle avait toujours les yeux fixés sur mes photos.

— Dans la forêt. Quand je l'ai laissé filer. Je pensais qu'être indépendant lui donnerait une idée de ce qu'était la vie, lui permettrait d'y voir une source d'enchantement, de ne pas avoir peur, et de comprendre qu'il n'était pas obligé d'obéir à des règles pour s'en sortir. Car la vie est difficile.

Elle n'a pas répondu. Elle a regardé ailleurs. Il y a eu un silence gêné. Quand elle s'est de nouveau tournée vers moi, ses yeux étaient rouges et elle a posé une main sur mon bras :

— Je suis désolée, Rachel. Je suis vraiment désolée.

Une fois Zhang partie, je suis rentrée à la maison. J'éprouvais le besoin d'être près du téléphone au cas où il y aurait du nouveau. Le silence était pesant et j'ai essayé de me consoler et de me calmer en lisant les cahiers de Ben. J'ai regardé à nouveau la page sur laquelle il s'était dessiné en train de passer toute la journée au lit, avant de voir la suite.

En comparaison, la page suivante était pleine de couleurs. De la verdure dans tous les coins : des arbres, des plantes, parfaitement représentés, et un chien qui, de toute évidence, était Skittle. Des petits traits obliques apparaissaient sur toute la page, recouvrant légèrement tout ce qui était dessiné, comme si quelqu'un avait renversé des centaines de petites gouttelettes bleues.

Dimanche, maman, Skittle et moi avons marché dans la forêt. Il a tout le temps plu, avait-il écrit.

J'ai tourné la page. La semaine d'après, le dessin était presque le même. Ben avait écrit : *Dimanche, nous sommes allés marcher dans la forêt. J'ai trouvé un gros bâton que j'ai rapporté à la maison.*

La maîtresse avait ajouté un commentaire à l'encre rouge. *Tes promenades ont l'air formidables. Très beau dessin.*

Page suivante. Un dessin complètement différent : une boule de bowling et plein d'enfants. *Je suis allé faire une partie de bowling chez Jack, et Sam B. a gagné*, avait-il ajouté.

À l'encre rouge : *Génial !*

Page d'après : de nouveau des arbres et du feuillage, une corde accrochée à une branche, un enfant habillé en rouge. Ben dessinait bien pour son âge, les images étaient nettes.

Dans la forêt, je me suis accroché à une grosse corde pour me balancer et maman a téléphoné.

À l'encre rouge : *Tu as l'air de t'être beaucoup amusé !*

En un éclair, j'ai compris : j'ai eu l'impression d'avoir reçu un coup violent dans la poitrine qui m'empêchait de respirer. J'avais la bouche sèche. Je ne pouvais absolument pas détourner mon regard du cahier, comme si mes yeux y étaient attachés par des ficelles, j'avais besoin de le feuilleter à nouveau, chaque page, dans un sens puis dans l'autre, jusqu'à ce que je n'aie plus aucun doute.

— C'est quelqu'un de l'école, me suis-je écriée, même s'il n'y avait personne pour m'entendre.

Skittle a agité la queue, une manière de réagir au fait que j'aie parlé à voix haute.

Les mains tremblantes, j'ai attrapé mon téléphone pour appeler Zhang ; j'ai composé son numéro fébrilement, à plusieurs reprises mais, chaque fois, je suis tombée sur son répondeur qui encourageait à laisser un message vocal.

JIM

J'ai été réveillé par un appel d'Emma. Fraser m'avait renvoyé chez moi pour essayer de rattraper quelques heures de sommeil car j'avais travaillé toute la nuit à préparer le raid. Le vrombissement de mon téléphone portable m'a tiré d'un sommeil profond; la frustration d'avoir perdu du temps, sans compter une partie du budget qui nous était alloué, et d'être loin d'avoir retrouvé Ben alimentait des rêves agités, qui me mettaient mal à l'aise.

Emma m'a dit qu'elle voulait me parler et qu'elle venait me voir, sans me préciser de quoi il s'agissait.

Quand elle est arrivée, j'étais douché et habillé et je m'apprêtais à appeler Fraser pour savoir si je n'avais rien manqué dans la matinée.

— Je descends, ai-je annoncé dans l'interphone. Ça te va, si on parle pendant le trajet ?

J'ai dévalé l'escalier quatre à quatre et, en la voyant, je l'ai prise dans mes bras, en une étreinte chaleureuse; mais elle avait l'air bizarre et, en retour, je n'ai eu droit qu'à un baiser rapide et froid sur la joue. Elle était venue avec une voiture de service, une Ford Focus verte qui n'avait pas été nettoyée à fond depuis que des agents en sueur s'en étaient servis pour des planques. Elle m'a tendu les clés. C'était son côté vieux jeu. Mon père aurait adoré.

Nous nous sommes dirigés vers le centre-ville et, au bout de quelques minutes, nous avons été coincés dans des embouteillages autour de Broadmead ; la circulation était au point mort en raison des travaux sur la route et de tous les gens qui venaient faire du shopping dans le quartier le samedi.

C'était l'un de ces moments où le fait que la vie quotidienne continue et que certains puissent se permettre d'être en retard vous semble surréaliste, car vous ne pensez qu'à une seule chose : votre tête n'est plus qu'une gigantesque horloge qui fait le compte à rebours du temps qui passe aux dépens de la vie de quelqu'un d'autre.

Nous avons été déviés sur Nelson Street, la soi-disant galerie d'art à ciel ouvert, où toutes les façades déprimantes en béton froid étaient recouvertes de graffitis : s'y côtoyaient l'art psychédélique, la calligraphie, l'Art déco et l'imaginaire d'une douzaine d'artistes du monde entier. Un paysage surréel, qui n'existe que dans les rêves.

J'attendais qu'Emma se mette à parler. Mais elle restait muette, assise à côté de moi immobile, comme figée, son manteau au col relevé bien boutonné, son écharpe serrée autour du cou, le regard fixe.

Le silence devenait pesant.

— Em ? De quoi voulais-tu me parler ? ai-je fini par demander.

Elle ne m'a pas répondu. Elle semblait s'être profondément perdue dans le silence, comme dans une tombe. Je me suis garé sur une aire de livraison.

— Que se passe-t-il ? Qu'est-ce qui ne va pas ?

Le moteur continuait à tourner et les essuie-glaces balayaient le pare-brise en couinant.

Tant de choses se passaient dans ses yeux que j'en ai eu l'estomac noué.

— Emma ?

Quel que soit le problème, je voulais désespérément pouvoir l'aider et faire en sorte que tout aille bien. J'ai posé ma main sur les siennes mais elle a recroquevillé ses doigts, fuyant mon geste.

— Je ne sais pas comment te dire les choses, a-t-elle murmuré d'une voix sourde, en avalant la moitié des mots.

— Nom de Dieu, essaie.

La réponse s'est fait attendre jusqu'au point où j'étais prêt à exploser.

— J'ai très mal agi et je ne sais plus quoi faire.

— Qu'est-ce que tu as fait ?

En posant cette question, je pensais encore que ce ne pouvait pas être grave ; Emma était si dure envers elle-même que quoi qu'elle ait fait, il était sûrement facile d'y remédier. C'est ce que je croyais alors même qu'elle gardait les yeux fermés, les lèvres serrées, et que son visage se décomposait à tel point que je ne la reconnaissais plus. Plus du tout.

Deux mots ont suffi à servir d'aveu, à signer sa chute et à faire surgir les premières étincelles qui allumeraient le terrible incendie qui allait consumer rapidement ce que nous avions partagé jusque-là.

— Le blog.

J'ai mis du temps à comprendre. Elle a dû répéter, soufflant sur les braises jusqu'à ce que je me rende compte du danger de ce qu'elle venait de dire, et de l'incendie qui allait se propager.

— C'est moi qui ai divulgué les informations sur le blog « Où est Benedict Finch ? ».

— Tu es à l'origine des fuites ?

Elle a hoché la tête.

Je me suis blessé la main en donnant un coup violent sur le tableau de bord. La douleur a traversé mon bras. Emma a sursauté et s'est recroquevillée encore plus.

— Pourquoi ?

Une question dérisoire pour exprimer mon incrédulité et ma colère.

— Je suis stupide.

— Dis-moi pourquoi !

— Ne crie pas. S'il te plaît.

Je l'ai regardée qui essayait de se ressaisir. Elle a soigneusement replacé des mèches de cheveux derrière ses oreilles, d'un geste que je connaissais et que j'aimais. Elle a pris une profonde inspiration, puis a expiré bruyamment et, au moment même où je m'apprêtais à crier de nouveau, elle a dit :

— Je voulais punir Rachel Jenner pour avoir laissé Ben sans surveillance dans la forêt.

Je ne m'attendais pas à cette explication.

— Quoi ? Pourquoi ? Putain, pourquoi avoir fait ça ? En quoi ça te concerne ?

— Ça m'est venu comme ça, je suis désolée. J'ai d'abord suivi ce blog pour faire des recherches, puis je me suis prise au jeu. J'ai commencé par ajouter un commentaire, car les gens écrivaient des inepties, et j'ai fini par découvrir que j'étais d'accord avec certains, et j'ai été dépassée par mes émotions parce que c'était important pour moi. Je sais que ça ne m'excuse en rien mais j'étais fatiguée, c'était difficile pour moi d'être confrontée à la famille et j'ai eu peur de ne pas être à la hauteur. Je sais que je n'aurais pas dû. J'ai eu des moments de faiblesse. C'est juste que je ne pouvais pas m'empêcher de penser que si elle avait été plus responsable rien de tout ça ne serait arrivé. Oh, mon Dieu ! Jim. Je suis vraiment désolée. Je déconne tellement parfois. C'est si compliqué. C'est lié à ma vie privée. Il s'est passé quelque chose que je ne t'ai jamais raconté.

— Qu'est-ce qui s'est passé ?

Elle n'a pas répondu. Elle a simplement secoué la tête et s'est caché le visage dans les mains.

— Emma ! Que s'est-il passé ? !

Elle a découvert son visage et a répondu d'une voix hystérique.

— Arrête de crier ! J'ai dit : Arrête !

Elle s'est essuyé les yeux avec la manche de son manteau, d'un geste brusque.

Puis elle s'est tournée vers moi avec un air vulnérable que je ne lui avais jamais vu auparavant et a plaidé sa cause. C'était affreux de la voir dans cet état de dénuement. Elle a dit :

— Oh, mon Dieu, j'ai été si stupide. C'est si difficile pour moi d'expliquer mais, je t'en prie, sache que j'essaie d'être honnête avec toi parce que je t'aime. Je t'aime vraiment. Je sais que nous ne nous le sommes jamais dit, mais je sais que je t'aime.

J'étais trop en colère pour l'entendre. Je ne voyais que notre relation, sa carrière, et peut-être la mienne, réduites en cendres. J'ai répondu :

— Est-ce que tu as une idée de tous les moyens que Fraser a déployés pour savoir qui était à l'origine des fuites ?

— Je suis désolée, a-t-elle répété d'une voix aiguë.

— Tu as mis en danger la vie d'un petit garçon !

— Je suis désolée, a-t-elle redit d'une voix désespérée, cette fois.

— Tu me dois une vraie explication.

— Je sais. J'ai peur que tu ne comprennes pas, a-t-elle répondu dans un murmure.

— Essaie, tu verras bien, ai-je dit, d'un ton cynique.

J'étais redevenu purement professionnel, refoulant ce que j'aurais aimé dire. Je me protégeais. Je m'en voulais, mais je n'avais pas vraiment d'autre choix, n'est-ce pas ?

Et elle s'est mise à parler, une suite de mots, énoncés lentement, chacun d'entre eux la brisant un peu plus.

— J'ai vu les photos que Rachel a prises, des photos de Ben. Elle l'adore. C'est ce que j'ai compris, pour la première fois. J'ai vu à quel point elle fait attention à lui ; ce sont de très belles photos et je me suis sentie coupable.

Elle s'agrippait à mon bras.

— Je te raconte ça, car je ne sais plus quoi faire et je voudrais que tu m'aides. Tu ne diras rien à personne, n'est-ce pas ? J'ai arrêté. Je ne recommencerai pas.

— Tu ne peux pas revenir en arrière. C'est impossible, ai-je dit.

Mais elle a attrapé son sac et a fouillé dedans.

— J'ai l'adresse e-mail personnelle de l'auteur du blog. On peut le retrouver. Je vais m'en occuper. Tout de suite.

Elle a sorti son téléphone. Elle avait eu des appels en absence mais n'avait pas vu de qui il s'agissait. Elle n'y a pas prêté attention. De ces doigts tremblants, elle essayait d'avoir accès à sa boîte mail.

— C'est allé trop loin. C'est trop tard.

— On n'a pas besoin de l'avouer à qui que ce soit, a-t-elle dit.

Elle était blême et effrayée; ses yeux ne cessaient de faire des allers-retours entre son téléphone et moi.

— Si tu m'aides, nous pourrons limiter les dégâts. Nous pourrons fermer le blog.

— *Tu*, pas *nous*. Je n'ai rien fait, je n'y suis pour rien. Et, de toute façon, tu dois absolument leur dire. Regarde-moi! Tu te mens à toi-même si tu crois que tu peux t'en tirer. Et, en me racontant tout ça, tu me compromets; alors laisse tomber l'idée que je puisse t'aider!

— Je t'en prie. Je vais perdre mon travail.

Ses yeux emplis de panique s'accrochaient aux miens.

— Ai-je vraiment besoin de te dire que tu aurais dû y penser avant? Les informations que tu as divulguées étaient abjectes, de la pure méchanceté. Merde! Et maintenant, tu voudrais que je risque ma peau pour toi? Tu réalises ce que tu es en train de me demander?

— Jim.

Elle me suppliait.

— Je croyais que tu m'aiderais.

— Je croyais te connaître.

Elle a essayé de lever les mains vers moi pour me caresser le visage mais, au moment où ses doigts ont effleuré ma joue, j'ai dit: « Non ! » et elle a retiré sa main brusquement comme si je l'avais ébouillantée.

Je me suis massé les tempes; j'étais épuisé, submergé par une immense tristesse destructrice car je savais que c'était la fin de notre relation et que, cette fois, je n'y étais pour rien. Ce n'était pas ma faute. Point barre.

Elle a repris une profonde inspiration.

— J'ai fait ça à cause de ce qui est arrivé à ma sœur, a-t-elle dit.

J'entendais de la bravoure dans sa voix, elle essayait de rassembler tout son courage pour raconter ce qui s'était passé. Mais, pour moi, c'était trop tard; elle avait trahi la police, avait faussé l'enquête, elle avait trahi Benedict Finch et elle m'avait trahi moi.

— Non. Ça ne m'intéresse pas. Je ne veux rien entendre.

Elle a ouvert la bouche pour répliquer mais l'a refermée aussitôt après avoir vu l'expression qui se lisait sur mon visage. Il ne lui restait plus d'espoir.

— Jim...

C'est tout ce qu'elle a pu dire.

— Non.

Je ne voulais rien entendre car Emma n'était pas la personne que je croyais connaître, et je ne mentirais pas pour elle.

Elle a de nouveau essayé de se servir de son téléphone, en tapant désespérément sur l'écran et j'en ai eu assez; elle était en plein déni.

Je lui ai arraché l'appareil des mains, l'ai balancé par la vitre ouverte et l'ai regardé atterrir sur le trottoir pour aller se fracasser sur un mur recouvert de traces d'urine ; il a fini en morceaux dans des flaques sombres, au milieu des mégots et autres détritus non identifiables. Un passant s'est arrêté pour me jeter un regard et je lui ai dit de dégager.

— Avoue-le à Fraser, ai-je dit à Emma. Sinon, je le ferai.

— Jim.

— Tu dois aller la voir et faire ce qu'il faut. Sinon, ça nous coulera tous. Vas-y tout de suite.

J'ai démarré et me suis glissé dans le flot des voitures. Il m'était impossible de la regarder. Dans le rétroviseur, j'ai aperçu une gigantesque peinture murale qui recouvrait tout un côté d'un immeuble de bureaux : une mère et son enfant. C'était une image parfaite, de simples traits noirs sur fond blanc ; la bouche de la mère était aussi sensuelle que celle d'Emma. J'ai de nouveau frappé violemment le tableau de bord du plat de la main, j'ai de nouveau eu mal et j'ai pris le chemin de Kenneth Steele House. Nous sommes restés silencieux pendant tout le trajet.

Arrivés à Kenneth Steele House, Emma est sortie de la voiture sans un mot et je l'ai regardée traverser le parking, monter les marches de l'entrée, lentement, très raide.

J'ai attendu une vingtaine de minutes avant de la suivre. Vingt minutes pendant lesquelles j'ai fixé des yeux, à travers le pare-brise, les grilles en fer qui entouraient le parking, en me demandant si elle faisait les choses qu'il fallait.

Quand je suis finalement sorti de la voiture, mon corps révolté de fatigue, j'ai regardé dans le rétroviseur latéral pour voir si mon visage affichait les traces de ce qui venait de se passer. En entrant, j'ai lancé mon habituel bonjour à Lesley, la réceptionniste, qui m'a souri en retour. Et j'ai espéré qu'elle n'avait pas remarqué que j'avais l'impression de patauger dans la merde.

RACHEL

Étant donné que Zhang ne répondait pas à mes appels et que quelqu'un de la salle de commandement m'a informée que ni Clemo ni Fraser n'étaient disponibles, j'ai dû me tourner vers John. Ou plutôt, selon les journaux, l'impeccable M. John Finch, chirurgien en chef du service pédiatrique et fier époux d'une nouvelle femme charmante.

Il a répondu à mon appel avec cette même précipitation qui était la mienne chaque fois que mon téléphone sonnait. Mais, et il faut lui rendre justice, il a vite réussi à surmonter sa déception quand je lui ai dit qu'il n'y avait rien de nouveau ; il m'a écoutée et m'a prise au sérieux quand je lui ai parlé des dessins dans le cahier de Ben et des commentaires qui les accompagnaient. Et il a tout de suite été d'accord pour me conduire, avec le cahier pour preuve, au commissariat de police.

En montant les marches de Kenneth Steele House, je me suis rendu compte que je me souvenais à peine de la première fois où nous y étions arrivés, presque une semaine auparavant. La réceptionniste nous a dit que nous pouvions lui laisser le cahier et qu'elle s'assurerait qu'il soit bien remis dans la salle de commandement.

J'ai dit que je voulais parler à quelqu'un en personne et j'ai mentionné l'enquêtrice Zhang et l'inspecteur Clemo.

Elle nous a invités à nous asseoir et nous nous sommes posés sur le bord du même canapé que lundi matin, l'un à côté de l'autre.

Elle a passé quelques appels en parlant à voix basse, la tête baissée, et en mettant une main devant sa bouche comme si elle avait peur que nous lisions sur ses lèvres. Puis elle s'est levée pour traverser le hall d'entrée, ses talons martelant le sol, et elle a dit :

— Quelqu'un va venir s'occuper de vous. Si vous voulez bien patienter.

Elle nous a apporté du thé chaud dans des gobelets en plastique si fins que nous risquions de nous brûler les doigts.

John a fait passer le temps en feuilletant le cahier de Ben, page après page, à plusieurs reprises. J'avais du mal à rester assise ; j'étais impatiente et, après ce qui m'a semblé être une attente interminable, je me suis de nouveau adressée à la réception.

— Quelqu'un arrive. Ils sont très occupés ce matin, m'a-t-on dit.

— Ne peut-on pas les interrompre ? C'est très important.

— Ils savent que vous êtes là, ils sont tous en réunion.

— Je voudrais au moins parler à l'enquêtrice Zhang.

— Soyez patiente, madame Finch.

— Je m'appelle Jenner.

— Excusez-moi, madame Jenner. L'enquêtrice Zhang et l'inspecteur Clemo viennent à peine d'arriver et j'ai prévenu la salle de commandement mais, pour le moment, ils sont coincés. Si vous voulez bien patienter, quelqu'un ne va pas tarder, je vous promets.

— Je vous en prie.

— Je vous demanderai de vous rasseoir, s'il vous plaît.

J'ai obéi mais j'étais très agitée, mes jambes semblaient montées sur des ressorts et je me tordais les mains d'impatience.

John a dit :

— Peut-être que c'est mieux si nous leur laissons le cahier.

— Et s'ils n'arrivent pas à lire l'écriture de Ben ?

— Rachel...

— Non. Je veux leur remettre en mains propres.

Au bout de dix minutes supplémentaires, ma patience a atteint ses limites. J'ai pris le cahier des mains de John et j'ai dit :

— Et puis merde ! S'ils ne viennent pas nous voir, c'est moi qui vais y aller !

— Non, ne fais pas ça, a rétorqué John mais j'ai été plus rapide que lui.

J'ai foncé directement sur la réceptionniste ; la certitude de ce que j'avais découvert et mon indignation – personne n'avait daigné venir écouter ce que nous avions à dire – m'insufflaient l'énergie nécessaire.

— Où sont-ils ? ai-je demandé à la réceptionniste.

— Madame Jenner, je vous demande encore un peu de patience...

— Arrêtez de me demander d'être patiente. Comment être patiente ? Mon fils a disparu et s'ils ne veulent pas prendre la peine de venir jusqu'ici, c'est moi qui irai jusqu'à eux. Qu'y a-t-il de plus important qu'une nouvelle pièce à conviction dont ils ne savent rien ? Comment se fait-il que dans ce pays, il soit plus simple d'attirer l'attention de n'importe quel journaliste plutôt que celle d'un policier impliqué dans l'enquête qui concerne mon fils ? Dois-je en parler à la presse ? C'est ce que je dois faire ?

J'agitais le cahier sous son nez.

— S'il vous plaît, madame Jenner, ne criez pas.

— Je crierai si j'en ai envie ! Je vais hurler jusqu'à ce que QUELQU'UN VIENNE ET REGARDE CE CAHIER !

J'ai donné un grand coup sur le bureau devant elle.

— IL FAUT QU'ILS SOIENT AU COURANT DE CE QUI SE PASSE CAR JE VEUX RETROUVER MON FILS. JE VEUX BEN ET SI VOUS NE VOULEZ PAS QUE JE RESTE LÀ, VOUS POUVEZ TOUT AUSSI BIEN M'ARRÊTER, JE N'EN AI RIEN À FOUTRE.

La réceptionniste n'était pas du genre à se laisser impressionner. Elle m'a parlé d'une voix très assurée.

— Si vous voulez bien vous asseoir, je vais rappeler la salle de commandement. En revanche, si vous continuez à faire un scandale, je vais demander à l'un de mes collègues de vous raccompagner jusqu'à la porte.

À côté de son bureau, posé dans un coin, j'ai aperçu son sac à main sur lequel un journal était plié. Et j'ai compris que même ici, dans cet environnement, j'étais probablement jugée en fonction de ce que les journalistes écrivaient à mon sujet et que la Rachel Jenner que la réceptionniste voyait là, devant elle, n'était pas différente de celle de la conférence de presse.

John m'a rejointe et m'a exhortée à retourner m'asseoir sur le canapé. Je fixais les gens qui allaient et venaient dans le hall d'entrée d'un regard vide, qui attirait l'attention de beaucoup d'entre eux.

Un homme s'est présenté devant nous sans attendre.

— Inspecteur Bennett, a-t-il dit, en tendant une main d'abord à John puis à moi. Il avait une poignée de main très ferme. Je ne l'ai pas reconnu.

— De quoi s'agit-il ?

John s'est levé et lui a donné le cahier qui, en atterrissant dans les grandes et grosses mains de l'inspecteur Bennett, semblait avoir rapetissé. Il avait une nuque épaisse et bourrelée, des yeux étroits, très écartés, et le dessus de son crâne, chauve et lisse, ressemblait à une couronne qui réfléchissait la lumière du plafond.

— Très bien, a-t-il dit. Voulez-vous bien me montrer ce qui vous inquiète ?

Je lui ai montré les pages qui m'obsédaient ; il les a regardées attentivement, les sourcils froncés.

— Je vois ce que vous voulez dire.

Puis il a ajouté :

— Il dessine bien, votre p'tit gars, n'est-ce pas ?

— Vous allez le montrer à l'inspecteur Clemo, ou à l'inspecteur principal Fraser ?

— Bien sûr. Tout de suite.

— Devons-nous rester au cas où vous auriez des questions ?

— Honnêtement, vous serez mieux chez vous. Nous savons où vous trouvez, et si nous avons des questions ou besoin d'informations, nous n'hésiterons pas à vous contacter, je vous le promets. Et si vous avez des questions et que vous nous appelez, quelle que soit l'heure, nous vous enverrons quelqu'un. Il n'est pas nécessaire que vous veniez ici.

— J'ai essayé de joindre l'enquêtrice Zhang.

— Euh… eh bien, elle est occupée, elle est en réunion.

— Nous voulions vous informer le plus vite possible.

— Nous vous en savons gré, madame Jenner, vraiment ; et nous allons agir immédiatement. Je vais moi-même remettre le cahier en mains propres à l'inspecteur principal Fraser, dès que vous serez partis.

— Merci, a dit John.

Bennett a glissé le cahier sous son bras.

— Je vous conseille de rentrer chez vous et de vous reposer. Moins vous serez fatigués, et moins il vous sera difficile d'affronter la situation. Merci d'être venus nous apporter le cahier.

Il nous a de nouveau offert une poignée de main avant de disparaître derrière une porte à double battant dont les gonds ont laissé échapper un bruit sourd sur son passage.

Bien qu'il ait été poli et qu'il ait regardé le cahier avec attention, j'ai été saisie de tremblements, secouée par un violent sentiment d'impuissance. John m'a regardée, effrayé, comme s'il avait peur que je refasse une scène et qu'il ne puisse me contrôler. C'est la réceptionniste qui est venue à ma rescousse. Elle est sortie de derrière son bureau, s'est approchée puis s'est assise avec moi sur le canapé et m'a prise dans ses bras. Elle sentait le parfum, la laque pour les cheveux et avait des taches de vieillesse sur les mains.

— Je sais, n'a-t-elle cessé de répéter. Je sais.

Cette preuve de gentillesse m'a prise au dépourvu et m'a bouleversée ; mais elle a réussi à me calmer, jusqu'à ce que John puisse enfin me ramener à la maison.

JIM

Dans la salle de commandement, les stores du bureau de Fraser étaient baissés mais je pouvais l'apercevoir avec Emma à travers les lamelles. Personne n'avait rien remarqué mais, pour moi, leurs gestes et les mouvements de leurs corps parlaient d'eux-mêmes: Emma s'en était sortie, elle était blanchie.

Je pensais être soulagé, au lieu de quoi ce fut le coup de grâce. Et je ne voulais pas en être témoin.

Je suis descendu à la cantine, me suis installé dans un coin, avec une tasse de café qui aurait fait rougir de honte la British Rail Company, pour rédiger mon rapport sur le raid du matin; mais j'étais trop énervé, je repensais à tout ce qui venait de se passer, et il m'était difficile de me concentrer avec tous les fouineurs qui passaient par là et me demandaient où nous en étions de l'enquête.

Je suis parti dans les toilettes pour hommes, me suis enfermé et ai essayé de me calmer.

Je me suis assis sur le couvercle baissé de la cuvette, la tête appuyée contre la cloison, les yeux fermés, en respirant par la bouche et en essayant de remettre de l'ordre dans mes idées. Je ne sais pas combien de temps je suis resté là mais quelqu'un est arrivé et, honteux, je me suis remis sur pied.

C'était Mark Bennett, qui ouvrait sa braguette devant l'urinoir. Il était surexcité, les joues rouges.

— Ça va chauffer, a-t-il dit, sans faire attention à l'endroit où il pissait. Il y a du nouveau. Les parents de Benedict Finch sont venus et la mère a fait un scandale ; elle a apporté un cahier d'école de Ben pour que nous l'examinions. Elle a demandé après toi et Zhang, mais tu étais introuvable et Zhang était coincée avec Fraser avec la consigne « ne pas déranger ». Putain, t'étais où ? T'avais la chiasse ou quoi ?

Je m'apprêtais à lui répondre, mais il a continué :

— C'est donc moi qui y suis allé, j'ai récupéré le cahier, et j'ai calmé la mère. Mais putain, c'est pas fini. J'ai apporté directement le cahier dans le bureau de Fraser, une pièce à conviction potentielle, je pensais que ça valait la peine de les déranger sauf que Fraser avait convoqué les gars des Affaires Internes. Je lui ai donné le cahier mais elle m'a engueulé parce que je les ai interrompus. Il se passe quelque chose de grave ; c'est sûr.

J'ai fait semblant de me laver les mains et il s'est approché de moi, à côté du lavabo, puis il m'a collé au train comme un petit frère casse-pieds jusqu'à la salle de commandement. Ne connaissant pas la situation, il n'arrêtait pas de spéculer au point que j'en ai eu la mâchoire crispée.

Quand nous sommes entrés, la porte du bureau de Fraser s'est ouverte en grand et Emma est sortie, flanquée de deux hommes. Fraser est restée en retrait et a refermé la porte avant que je puisse lire l'expression de son visage.

J'ai reconnu l'un des deux hommes : Bryan Doughty, un gros bonnet, le patron du service des Affaires Internes. Bennett et moi nous sommes écartés pour les laisser passer.

— Salut Clemo, a-t-il lancé.

— Monsieur, ai-je répondu.

Il était redoutable, un vrai requin, avec l'intellect et le physique qu'il fallait pour ne faire de vous qu'une bouchée. Il était parfait pour ce travail. Il n'a pas ralenti. Emma regardait droit devant elle, fixement.

Et même si nous étions samedi, une quinzaine de personnes étaient présentes et les ont suivis du regard tandis qu'ils traversaient la salle ; Emma paraissait minuscule comparée aux deux hommes qui l'escortaient. Une fois qu'ils ont eu disparu, je me suis rendu compte que je m'étais mordu l'intérieur de la joue jusqu'au sang.

— J'ai comme l'impression qu'elle a fait des bêtises, a dit Bennett. *Tss-tss*. Et pour ne pas arranger les choses, Doughty ne va pas être vraiment content d'avoir dû se déplacer pendant le week-end.

Il jubilait : en fait, assister à la mise à mal de la carrière d'un collègue renforçait son amour-propre.

— Fais-moi plaisir : ferme ta gueule, ai-je répliqué.

— Qu'est-ce qui t'arrive ? Tout le monde aurait juré que tu voulais la sauter.

Je lui ai craché dessus, interrompant ce discours courageux. Il s'est essuyé le visage d'un air blessé.

Je me suis éloigné car j'avais peur de ma réaction. J'ai frappé à la porte du bureau de Fraser.

— Qu'est-ce qui se passe ? ai-je demandé. J'essayais de paraître serein mais j'avais mis mes mains dans mes poches pour qu'elle ne me voie pas trembler.

Elle affichait un visage grave, ses yeux étaient injectés de sang, elle était pâle, de cette pâleur qui vous rattrape après plusieurs jours passés sur une enquête, quand vous commencez à avoir des poches sous les yeux et que vous n'êtes plus capable de vous souvenir de ce que c'est que de ne pas ressentir de tension dans vos épaules.

— Asseyez-vous, m'a-t-elle dit. Nous savons d'où viennent les fuites.

— Emma ?

— Oui, je regrette d'avoir à vous l'apprendre.

— Merde alors, je ne l'aurais jamais crue capable d'une chose pareille.

Mentir me donnait le mal de tête. J'espérais que ma voix ne me trahissait pas.

Fraser me regardait sévèrement.

— Moi non plus. Et je m'attends à ce que ce soit particulièrement difficile pour vous car je sais que vous travailliez en étroite collaboration.

Ses mots sont restés suspendus entre nous pendant un instant, avant qu'elle poursuive :

— Emma a avoué avoir fourni des informations qui ont alimenté le blog. Pour des raisons personnelles. C'est tout ce que je peux révéler pour le moment. Ça et le fait que, malheureusement, mais bien évidemment, elle a foutu en l'air une carrière prometteuse. Si jamais la presse entend parler de tout ça, ils vont nous épingler et s'en donner à cœur joie.

— Je me sens responsable, ai-je dit. C'est moi qui ai recommandé Emma pour ce poste. Je suis désolé.

— Je suis une grande fille. Je n'attends pas qu'un de mes inspecteurs ait une brillante idée pour prendre une décision. Vous n'avez pas à vous sentir responsable.

Elle m'a regardé attentivement et je ne pouvais toujours pas lire entre les lignes : était-elle ou non au courant pour Emma et moi ?

Elle a ajouté :

— Vous ne paraissez pas choqué.

— Je suis sous le choc, chef, croyez-moi. Mais je… c'est juste que je ne sais pas quoi dire. En tout cas, je pense qu'il ne faut pas que ça nous fasse perdre du temps.

Elle a acquiescé d'un brusque hochement de tête.

— On est dans la merde. Ça ne fait aucun doute. Nous n'avons pas de temps à perdre, et on peut difficilement se permettre d'avoir une personne en moins dans l'équipe. Il faut vite se réorganiser, et trouver une solution pour remplacer Emma ; quelqu'un va devoir vérifier tout ce qu'elle a fait.

— Je peux m'en charger.

— Mais avant tout autre chose, j'aimerais que vous jetiez un œil à ça. Bennett vient de me l'apporter. Les parents de Benedict nous l'ont amené. Et ça a occasionné un drame.

— Bennett m'a raconté.

— Ils ont spécifié qu'ils voulaient vous voir vous ou Emma, mais vous étiez introuvable. Putain, où étiez-vous, d'ailleurs ?

Assis sur les chiottes, tremblant comme un gamin qui se cache par peur de se faire rudoyer par des petites brutes dans la cour de récréation. Bien évidemment, ce n'est pas ce que j'ai dit :

— Je suis descendu à la cantine pour rédiger mon rapport.

— Et vous n'aviez pas votre téléphone ? Bon, peu importe. Jetez un œil à ça.

Elle m'a tendu un cahier. Sur la couverture, d'une écriture irrégulière, était inscrit : « Benedict Finch. Oak Class. Journal de bord. » Je l'ai feuilleté. Voir l'écriture maladroite de Ben Finch m'a remué tant elle représentait une trace vivace de lui. Les unes après les autres, les pages étaient remplies de dessins de la forêt qui le rendaient réel, très présent, à tel point que cela en était perturbant.

Il avait décrit chacune de leurs promenades avec le chien et avait même fait des dessins correspondant, y compris celui de la corde pour se balancer.

— Alors, que devons-nous penser ? ai-je demandé.

— Eh bien, les parents de Ben sont persuadés qu'on a la preuve que n'importe qui à l'école a pu être au courant des promenades qu'ils faisaient dans la forêt, le parcours qu'ils empruntaient, et ils pensent donc qu'il ne faut pas négliger cette piste.

— Mais n'importe qui dans leur entourage aurait pu être au courant de ces promenades dans les bois. Tous les propriétaires de chien vont se promener régulièrement dans les bois et aux mêmes endroits ; il n'y a pas tant de chemins possibles que ça.

— Effectivement. Mais nous sommes obligés de suivre cette piste, et je pense que nous le devons. Ce n'est pas comme si nous avions des tas d'autres options. Et je ne veux rien négliger, Jim. Je ne veux pas avoir ça sur la conscience.

— Ça signifie donc qu'il faut inclure le personnel de l'école, ou toute personne susceptible d'avoir eu le cahier entre les mains dans la liste des gens qui peuvent avoir été au courant des promenades en forêt du dimanche avec le chien. Ce qui veut dire que nous devons réinterroger le personnel de l'école, n'est-ce pas ?

Fraser griffonna quelques notes.

— C'est exactement ce que nous allons faire.

— En commençant par la maîtresse et l'assistant d'éducation.

— Oui ! Et le directeur. Sans oublier la secrétaire de l'école. Elles savent toujours tout.

— Mais vous êtes au courant que tous les gens que vous évoquez ont un alibi, n'est-ce pas, chef ?

— Oui, oui je sais. La maîtresse déjeunait avec ses parents, la secrétaire était au cinéma avec une amie, l'assistant baisait avec sa petite copine, le directeur jouait au golf. C'est bon ? Ça suffit pour vous rassurer sur ma mémoire ? Vous pensez que je suis devenue sénile, c'est ça ?

— Non, je veux juste m'assurer que nous ne perdons pas notre temps.

— Je cherche des informations. Je veux qu'on fouille plus en profondeur. Peut-être que le cahier va réveiller les esprits et que quelqu'un va se souvenir de quelque chose. Et il faut que je vous dise : nous avons visionné les vidéos des caméras de surveillance. Nous avons la confirmation que Ben était bien dans la voiture avec sa mère quand ils ont traversé le pont pour se rendre dans la forêt. Le labo est en train de revoir attentivement la dernière demi-heure d'enregistrement et de faire des recoupements, mais nous devrions avoir les résultats demain au plus tard.

En dehors de ces faits, Fraser m'a dit qu'on n'avait toujours pas retrouvé l'homme auquel Rachel prétendait avoir parlé dans les bois. Elle avait mis un enquêteur sur l'affaire mais il se tapait la tête contre les murs parce qu'il n'avait encore rien trouvé. C'était comme si Rachel Jenner était la seule à l'avoir vu ; car même les promeneurs de chien habitués à ce sentier n'avaient aucune idée de qui il pouvait s'agir. Dans l'équipe, on le surnomme le Yéti.

— Et Nicky Forbes ? ai-je demandé quand nous avons eu terminé.

Je n'avais pas cessé de penser à elle, il me fallait bien l'admettre.

— Elle nous intéresse toujours, mais on y va doucement.

— Bien sûr.

— Pour commencer, demandez à Bennett de faire un point sur tout le boulot effectué par Emma et de ranger son bureau.

— Je peux m'en charger, chef.

— Je pense que c'est mieux que ce soit quelqu'un d'autre que vous, vous ne croyez pas, Jim ?

Cette fois, c'était clair comme de l'eau de roche. Elle savait. J'ai hoché la tête en signe d'acquiescement et suis sorti de son bureau aussi vite que j'ai pu.

RACHEL

John m'a raccompagnée à la maison et est entré avec moi pour m'aider à éviter les quelques derniers journalistes, obstinés, qui faisaient le pied de grue devant chez moi.

Dommage qu'ils ne m'aient pas vue au commissariat, ai-je pensé. Ils auraient eu quelque chose à se mettre sous la dent.

Ils traînaient près des réverbères, un peu plus loin, et ils nous ont hélés, plus par réflexe que par conviction, pour savoir si John ou moi avions des choses à leur dire.

Ils m'effrayaient toujours un peu, mais moins que leurs collègues qui étaient probablement en train de pondre des articles en compilant toutes les informations et tous les commentaires croustillants qu'ils avaient pu glaner sur notre vie pour leur supplément du dimanche, et qui feraient de moi un objet de débat pour la rubrique « Société ». J'ai ouvert la porte d'entrée, et John et moi avons été confrontés à l'absence de Ben.

Une fois à l'intérieur, John n'a cessé de me regarder subrepticement comme s'il essayait de m'évaluer, et de juger de ma stabilité mentale.

Je l'ai laissé aller seul dans la chambre de Ben où il est resté longtemps. J'imaginais qu'il y faisait la même chose que moi : toucher des objets appartenant à Ben, invoquer des souvenirs, sentir ses vêtements, prendre en main des choses que notre fils avait tenues dans les siennes.

Quand il est redescendu, je lui ai posé une question qui me tarabustait depuis le départ de Nicky.

— Pourquoi as-tu dit à la police que Nicky s'était inquiétée pour moi à la naissance de Ben ?

Il a eu l'air surpris mais a répondu sans hésitation :

— Parce que c'est vrai. Elle n'arrêtait pas de téléphoner.

— Pourquoi ne m'en as-tu rien dit ?

— À cette époque-là ? Je pensais que tu n'avais pas besoin de le savoir. Tu étais déjà si fatiguée, et tu faisais de ton mieux. J'ai pensé que son inquiétude était exagérée, et que tu en aurais été contrariée.

— Et après, pourquoi ne pas m'en avoir parlé ?

— J'ai oublié. Elle a arrêté et ça m'a semblé sans importance. Pourquoi me poses-tu la question maintenant ? La police l'a évoqué ?

— Je me demandais, c'est tout.

Et j'ai compris qu'il ne savait pas, pas encore, à propos de Nicky et de ma famille. Mais j'ai gardé ces éléments nouveaux pour moi, comme un journal que j'aurais replié pour le glisser au fond de ma poche, car je ne savais pas comment lui dire, et je ne voulais pas avouer que je ne faisais plus entièrement confiance à ma sœur.

Un peu plus tard, John m'a dit qu'il devait rentrer chez lui. J'aurais voulu qu'il reste, mais j'avais trop peur que le ton de ma voix me trahisse. Je me rendais parfaitement compte que mon instabilité émotionnelle transparaissait dans mes paroles, dans mes gestes et mes actions, et je ne voulais plus que John me regarde de cet air interrogateur, celui qui m'évaluait, en se demandant comment maîtriser la situation.

Mais il a vu que je ne voulais pas être seule, il s'en est rendu compte.

— Tu veux que j'appelle Laura ? m'a-t-il demandé.

— Ça va, ai-je répondu.

Mais il a insisté et je n'ai pas su comment répondre à part en hochant silencieusement la tête, car je ne pouvais pas non plus lui raconter ce qui s'était passé avec elle et comment je l'avais chassée de la maison.

Elle a mis du temps à répondre et quand, enfin, elle a décroché, John a froncé les sourcils et est sorti de la pièce. J'ai écouté ; ma maison était trop petite pour que les conversations puissent rester secrètes et je l'ai entendu dire :

— Tu as bu ? d'un ton incrédule.

Je savais qu'il se frottait les tempes de deux doigts pressés, comme s'il essayait de rassembler ses pensées, et je savais qu'il avait l'air de quelqu'un submergé par la fatigue, aux limites de l'épuisement.

De son côté, la conversation se résumait à quelques sons, des mots murmurés doucement pour acquiescer ou apaiser. Il parlait peu ; il ne faisait qu'écouter Laura qui semblait très prolixe.

— Rachel comprendra, a-t-il fini par dire. Ne t'inquiète pas.

Et, au bout d'un moment, il a conclu en ajoutant :
—Je pense qu'il vaut mieux qu'elle t'appelle demain.
—Elle est ivre ? ai-je demandé quand il a réapparu.
—Autant que je puisse en juger, elle a passé l'après-midi à boire. Il est préférable qu'elle ne vienne pas.
—Mais qu'est-ce qu'elle racontait ?
—Ce n'était pas très clair. Elle voulait te dire qu'elle était désolée. Que tout ça, c'est trop pour elle – ne me demande pas ce qu'elle entend par là. Que tout ce qu'elle avait voulu, c'était t'aider, t'assurer de son soutien. Elle n'était pas en état de tenir des propos cohérents. Que s'est-il passé ?
—C'est ma faute, ai-je dit.
Mais ma voix n'était rien de plus qu'un murmure et il ne m'a pas entendue.
Il a de nouveau posé la question.
—Je ne sais pas si je lui fais encore confiance. Je ne sais plus à qui je peux faire confiance, ai-je répondu.
—Je me suis toujours méfié d'elle.
—C'est-à-dire ?
—Je ne sais pas, je ne l'ai jamais aimée. J'ai toujours pensé qu'elle se servait de toi.
—Tu ne me l'as jamais dit.
—Tu ne m'as jamais demandé.
Je réfléchissais à ce que signifiait cet échange quand mon téléphone, qu'il avait encore à la main, a sonné.
—Tu peux répondre, s'il te plaît ?

L'appel a été bref et a provoqué chez John un froncement de sourcils, mais ses réponses ne suffisaient pas pour que je comprenne de quoi il s'agissait.

Il a raccroché après avoir dit « Merci » et m'a rapporté les informations qui lui avaient été transmises :

— C'était l'enquêteur Justin Woodley qui appelait pour dire que l'enquêtrice Zhang ne sera plus l'agent de liaison avec notre famille.

— Quoi ? Mais pourquoi ?

— Il a simplement dit, sans donner d'explication, qu'elle avait dû quitter son poste, et qu'ils désigneraient quelqu'un d'autre au plus vite. Lundi au plus tard et que, entre-temps, nous pouvions nous adresser à lui. Tu l'as déjà rencontré ?

— Je ne crois pas. Mais qu'est-ce qui a bien pu se passer ? Tu as posé la question ?

— C'est très bizarre, dit John. J'avais cru comprendre qu'elle était là-bas ce matin.

— En effet, c'est ce qu'ils nous ont dit.

Assise sur le canapé, j'ai replié mes jambes et les ai entourées de mes bras. J'étais profondément contrariée. Le départ de l'enquêtrice Zhang m'affectait beaucoup parce que je m'étais habituée à elle, que j'avais commencé à lui faire confiance. Je savais qu'elle allait me manquer. Je n'aimais pas l'idée d'avoir un homme comme agent de liaison, même temporairement. Ce ne serait pas pareil.

— Je l'aimais vraiment bien, ai-je dit.

— Je suis sûr que Woodley ou la personne qu'ils désigneront ensuite fera parfaitement l'affaire.

John n'était pas aussi concerné que moi. Il avait Katrina sur qui s'appuyer. Il a regardé sa montre.

— Écoute, je peux rester encore un peu, mais il faudra que je rentre ce soir. Tu peux venir à la maison.

— Je ne peux pas partir d'ici à nouveau. Je n'aurais pas dû quitter la maison ce matin.

— Tu es sûre ?

— Oui.

Je savais que je ne fermerais pas l'œil de la nuit, tremblant pour Ben et pour moi, mais je n'avais pas le choix.

— D'accord. Comme tu voudras.

Plus tard dans la soirée, John a fait réchauffer l'un des plats que Nicky avait préparés et laissés dans le réfrigérateur : un repas qui avait l'air délicieux, des aliments sains cuisinés à merveille. C'était censé nous nourrir, nous redonner des forces, mais nous nous sommes contentés de picorer.

Au moment même où nous allions nous lever pour débarrasser la table, nous avons entendu un bruit violent – du verre brisé – en provenance de la pièce située à l'avant de la maison, et accompagné d'un appel d'air. Nous sommes restés cloués sur place pendant quelques instants ; le chien a aboyé puis gémi et tout est redevenu silencieux mis à part le bruit de pas qui s'éloignaient en courant.

John a bondi sur ses pieds et s'est précipité à l'extérieur.

Je l'ai suivi mais le temps que j'arrive dans le couloir, la porte d'entrée était grande ouverte, et il était déjà parti.

Un vent coupant s'est engouffré dans la pièce, non seulement à cause de la porte mais, surtout, à cause du trou laissé dans la vitre cassée. Les rideaux qui étaient tirés pour nous protéger des journalistes dansaient, tourbillonnaient dans le vent comme des derviches tourneurs. Des bris de verre jonchaient le sol, des éclats tranchants recouvraient tout et une brique gisait au milieu de la pièce.

On avait peint des lettres dessus. J'ai mis un moment à comprendre que deux mots étaient peints sur le côté, les deux mêmes que ceux sur la clôture, destinés à m'accuser. « MAUVAISE » et « MÈRE ». Calligraphiés soigneusement, en petits caractères. Il n'avait pas dû être facile de peindre sur de la brique.

J'ai hurlé :

— John !

J'ai couru jusqu'à la porte. Je sentais du verre crisser sous mes chaussures. Au bout de la rue, des bruits de pas ont résonné. J'ai aperçu John et, juste devant lui, une autre silhouette ; tous les deux couraient aussi vite qu'ils le pouvaient. On aurait dit des ombres mouvantes et, l'instant d'après, elles avaient disparu au coin de la rue.

La rue s'ouvrait devant moi, sombre et humide, la lumière des réverbères, sous l'effet de la pluie, se réfléchissait en trois dimensions, sous forme de globes orange fluorescents. Je me tenais debout, éclairée par la lueur blanche de la lampe de l'entrée qui rendait luisant le noir du trottoir mouillé. Quelqu'un, dans la maison d'en face, a entrouvert sa porte.

— À l'aide, ai-je crié. À l'aide !

De l'endroit d'où les deux hommes avaient disparu, j'ai entendu un bruit de lutte, un coup sourd, un cri de douleur et je me suis mise à courir.

JIM

Addendum au compte rendu de l'inspecteur James Clemo pour le Dr Francesca Manelli

Retranscription faite par le Dr Francesca Manelli

Inspecteur James Clemo en consultation avec le Dr Francesca Manelli

Les notes évoquant l'état d'esprit et le comportement de l'inspecteur Clemo, quand les siennes seules ne sont pas suffisantes, sont en italique.

Nous en étions arrivés à une étape de notre travail où j'aurais souhaité que l'inspecteur Clemo ait réellement progressé. Il n'exprime toujours pas ses émotions et le temps presse.

F.M. : Je suis désolée pour Emma.

J.C. : Inutile.

F.M. : Cette situation a dû être très compliquée pour vous.

J.C. : En effet, ce ne fut pas facile.

F.M. : Et savons-nous pourquoi elle a agi de la sorte ?

J.C. : Maintenant, je le sais. C'est en partie parce qu'elle avait du mal à assumer son rôle. C'était ma faute, j'en suis convaincu, j'ai merdé. Mais ce n'était pas la seule raison. Il lui était arrivé quelque chose…

F.M. : Prenez votre temps.

J.C. : Désolé.

F.M. : Il n'y a pas de quoi être désolé. Vous n'êtes pas obligé de m'en parler maintenant. Je suis curieuse de savoir si l'un de vous deux a essayé de reprendre contact ce soir-là ?

J.C. : Non. J'avais fait un choix – ma loyauté allait à l'enquête, mon dévouement allait à mon travail.

F.M. : C'est un choix très altruiste.

J.C. : Vraiment ?

F.M. : Oui, je trouve. D'autres auraient choisi de défendre leurs intérêts personnels.

J.C. : Mais j'ai assuré mes arrières pour sauver ma peau et continuer à assumer ma fonction d'inspecteur dans cette enquête.

F.M. : Ce qui, d'un point de vue personnel, vous a coûté très cher.

Il essaie de me répondre, mais il ne trouve pas les mots. Nous avançons et je ne veux pas que ce sujet devienne tabou et qu'il se ferme. Je change donc de tactique.

F.M. : Racontez-moi ce qui s'est passé cet après-midi-là quand vous vous êtes de nouveau consacré à l'enquête.

J.C. : C'est ça le truc. Tout d'abord, j'ai téléphoné à Simon Forbes, le mari de Nicky Forbes et je lui ai demandé de me recontacter pour une entrevue. Et, tout de suite après, il y a eu du changement, un coup de tonnerre auquel nous ne nous attendions pas. Dans la soirée, les gars ont fini de visionner la vidéo de la caméra de surveillance et ont relevé un élément significatif.

F.M. : C'est-à-dire ?

J.C. : Ils ont retracé le trajet d'une voiture qui a traversé le pont environ une heure avant l'enlèvement de Ben. Elle était immatriculée au nom de Lucas Grantham, l'assistant d'éducation pour la classe de Ben.

F.M. : Je croyais qu'il avait un alibi.

J.C. : Il en avait un, en effet. Mais un tel indice justifie amplement qu'on examine un alibi de plus près.

F.M. : Et Nicola Forbes ?

J.C. : Toujours sur la liste des suspects, mais la vidéo de surveillance était une preuve indiscutable ; d'autant plus que nous avions le cahier d'école en guise de pièce à conviction.

F.M. : Il m'a semblé que vous faisiez peu de cas de ce cahier d'école.

J.C. : Seul, il ne valait pas grand-chose. Je pensais qu'il nous fallait faire attention. La liste, déjà longue, des personnes qui pouvaient être au fait des promenades du dimanche avec le chien, allait considérablement s'allonger. Mais au vu de ce que nous avaient révélé les caméras de surveillance, cet indice devenait beaucoup plus significatif.

Cette déclaration semble le satisfaire. Je pense qu'il est fait pour ce travail. Mais j'ai une autre question.

F.M. : Inspecteur Clemo, est-ce que vous vous êtes reposé, ne serait-ce qu'un peu, cette nuit-là ?

J.C. : Je suis rentré chez moi, oui. Je savais que je n'aurais pas pu faire une deuxième nuit blanche.

F.M. : Avez-vous pu dormir ?

Cette question le rend nerveux.

F.M. : Avez-vous réussi à dormir ?

Il ne répond pas.

F.M. : Vous pensiez à Emma ?

J.C. : Probablement.

F.M. : Vous avez subi une perte traumatique, ce jour-là. Vous avez perdu votre relation avec une personne pour laquelle vous aviez des sentiments extrêmement forts.

J.C. : Ce n'était rien comparé à l'épreuve que traversait Benedict Finch.

F.M. : Certes, mais ça ne veut pas dire que c'était rien. Diriez-vous que c'est à partir de cette nuit-là que vous avez commencé à souffrir de ces insomnies qui, depuis, vous empoisonnent la vie ?

J.C. : Je ne veux pas en parler.

F.M. : Je crois qu'il faut que nous en parlions, sinon nous ne pourrons pas progresser.

J.C. : C'est inapproprié.

F.M. : Je ne suis pas d'accord. Réfléchissez-y. J'aimerais que nous en parlions lors de notre prochaine séance.

J.C. : Très bien.

Il esquisse un sourire à mon attention mais le mécontentement se lit dans ses yeux. Je vois bien qu'il se contente d'être poli, et je m'efforce de me rappeler que c'est déjà, en soi, un progrès. Le problème est que nous progressons trop lentement.

RACHEL

C'était John qui avait crié de douleur. Je l'ai trouvé par terre, au coin de la rue, le crâne comme fracassé sur le bord du trottoir, le visage en sang, une oreille en bouillie. La quantité de sang dans lequel il baignait était écœurante. Le sang imbibait ses cheveux, du sang noir et poisseux sur le trottoir qui a taché mes genoux et recouvert mes mains lorsque je me suis agenouillée à ses côtés.

Il était inconscient, les yeux vitreux. J'ai enlevé mon pull-over que j'ai pressé sur sa tête pour essayer d'arrêter l'hémorragie, et j'ai crié à l'aide.

Quand les ambulanciers sont arrivés, la rapidité de leurs gestes et l'urgence silencieuse avec laquelle ils se sont occupés de lui m'ont effrayée. Ils ne plaisantaient pas, ne souriaient pas. Des policiers sont aussi venus sur place. Ils m'ont prêté un téléphone pour que je puisse appeler Katrina et lui raconter ce qui s'était passé, et l'un des ambulanciers a pris le relais pour lui demander de les rejoindre aux Urgences du Bristol Royal Infirmary.

Une fois qu'ils ont été prêts à le bouger, ils l'ont prudemment fait rouler sur une civière qu'ils ont glissée tout doucement à l'intérieur de l'ambulance.

L'un d'entre eux s'est assis à l'arrière avec John, qui n'était plus qu'une forme inerte. Il était complètement inconscient, et cette forme d'absence était choquante, sans compter tout ce sang.

— Est-ce qu'il va s'en sortir ?

— Les blessures à la tête sont très graves, m'ont-ils répondu. Il est impossible de se prononcer. C'est bien que nous ayons été avertis aussi vite.

Ils ne cherchaient pas à me rassurer.

Je n'avais pas envie de le laisser partir seul, mais la police savait que Katrina irait le rejoindre à l'hôpital, et on attendait ma déposition. Tandis que l'ambulance disparaissait dans la nuit, éclairée par le halo bleu du gyrophare, j'ai rebroussé chemin jusque chez moi. Un policier en uniforme m'accompagnait. Deux voitures de police garées de travers bloquaient la rue.

Arrivée à la maison, les policiers ont noté ma déposition. D'autres sont arrivés et ont pris des photos, puis ils ont mis la brique dans un sac plastique pour l'emmener comme pièce à conviction. Ils m'ont aidée à déblayer tous les morceaux de verre pendant que quelqu'un barricadait ma fenêtre. Ils m'ont dit qu'il y aurait un policier en faction devant la maison toute la nuit.

Tous s'accordaient sur un sujet, et réussissaient même à en rire : le fait que, ironie du sort, personne de la presse n'avait été témoin de l'accident. Les trois journalistes et le photographe qui étaient suffisamment endurants pour rester aux aguets devant la maison même la nuit étaient partis chercher à manger à ce moment-là.

Quand ils étaient réapparus, avec des kebabs dont s'échappaient des feuilles de laitue, les portes de l'ambulance venaient juste de se refermer en claquant pour emmener John.

C'est la seule chose pour laquelle j'ai éprouvé un tant soit peu de gratitude.

Cette nuit-là, j'ai dormi dans la chambre de devant, dans mon lit ; j'avais besoin de savoir que la voiture de police qui stationnerait toute la nuit devant la maison était à proximité, j'avais besoin de me sentir en sécurité. Juste au cas où je devrais demander de l'aide en criant ou en tapant à la fenêtre si jamais j'entendais quelqu'un s'introduire dans la maison pour me faire du mal.

Je suis allée chercher la couette et l'oreiller de Ben avec lesquels j'ai refait mon lit, sans oublier sa petite couverture nunny et Baggy Bear.

Je suis restée à l'affût du moindre bruit de pas toute la nuit, et je me raidissais chaque fois que je percevais des voix qui s'échappaient de l'obscurité. Ce n'était rien d'autre que les habituels fêtards du samedi soir qui rentraient chez eux, mais leurs cris et leurs rires d'ivrognes me paraissaient hostiles. Cette nuit-là, tous les bruits s'accompagnaient d'une menace.

JIM

Sur le chemin du retour, c'est à Emma que je pensais. J'aurais aimé pouvoir lui parler de la caméra de surveillance et de l'image floue de Lucas Grantham en train de traverser le pont dans sa Peugeot 305 bleue, avec son vélo accroché à l'arrière. J'aurais voulu aller la rejoindre, la prendre dans mes bras et essayer de trouver comment s'en sortir. La fatigue m'intoxiquait comme une drogue, émoussant mes sens et ralentissant mes réactions, embrouillant mon esprit; mes idées étaient confuses. C'était comme si une part de moi manquait.

Je suis allé me coucher à minuit passé. Je m'étais offert un paquet de cigarettes, une sorte de lot de consolation pour affronter la fin de la plus belle des relations que j'avais jamais vécue, et je les ai fumées à la chaîne, en aspirant si profondément que mes poumons cognaient à chaque bouffée. J'ai bu presque tout le contenu d'une cafetière alors qu'il était déjà très tard. J'aurais dû repartir travailler, et vérifier les antécédents judiciaires de Lucas Grantham, mais j'étais incapable de me concentrer; je me suis donc glissé sous les draps avec, sur la langue, le goût amer du tabac mélangé à celui du dentifrice. Je pensais à la vidéo de la caméra de surveillance et à ce que cela pouvait signifier, et je me demandais ce qu'Emma était en train de faire.

Cependant, elle n'était pas au centre de mes préoccupations.

Quand j'ai finalement fermé les yeux pour essayer de dormir, mon cerveau, lui, en avait décidé autrement.

J'ai été ramené en arrière, à toute vitesse, comme entraîné par la force d'un courant impitoyable. J'ai été rattrapé par mon enfance, des souvenirs qui remontaient à la surface et défilaient dans ma tête, comme une cassette vidéo de mon passé que j'aurais retrouvée au fond d'un tiroir après l'y avoir enfouie depuis longtemps, dans l'espoir de l'oublier. Quand le film commence, je suis chez mes parents, sur le palier, et je regarde à travers les barreaux de la rampe d'escalier. J'ai huit ans, exactement le même âge que Benedict Finch. Je suis à la maison et l'heure d'aller se coucher est passée depuis longtemps.

En bas, l'entrée est dans le noir, c'est la nuit, et il est difficile de voir ce qui se passe, mais quand la porte s'ouvre je sais que c'est ma sœur Becky à la manière qu'elle a de la refermer tout doucement pour ne pas faire de bruit. Elle porte une robe de soirée, qui était très jolie quand elle était sortie quelques heures plus tôt mais qui, maintenant, est dans un sale état et l'un de ses bas est déchiré. Du noir avait coulé autour de ses yeux, comme si elle avait pleuré.

Elle pousse un cri en voyant mon père debout en face d'elle dans le couloir. Il n'est pas encore en pyjama et l'on voit le bout rougeoyant de la cigarette qu'il fume. Ma sœur s'est immobilisée.

— Qu'est-ce que tu as vu ? lui demande-t-il, le visage dans l'ombre.

— Rien, répond-elle en secouant la tête.

— Te fous pas de moi, Rebecca.

Elle laisse échapper un sanglot.

— J'ai vu la fille, et je t'ai vu, toi, dit-elle.

— Tu n'avais pas à être là.

— Elle était blessée, mais tu n'as rien fait.

Becky trébuche sur les mots.

— Tu l'as jetée dans les bras de cet homme, je t'ai vu, elle suppliait, elle pleurait et tu n'as pas réagi, tu as laissé faire les choses. Ils l'ont embarquée dans la voiture. Je ne suis pas née de la dernière pluie, papa !

Elle essaie de relever la tête et de le regarder fièrement, droit dans les yeux, comme à son habitude, au lieu de quoi elle se laisse glisser le long du mur et se retrouve par terre. Mon père s'accroupit en face d'elle.

— Parle moins fort, tu vas réveiller ta mère, lui dit-il.

Il lui prend le menton entre ses doigts et lui relève la tête pour qu'elle le regarde.

Je ne sais pas quoi faire. Je veux détourner les yeux mais je ne peux pas m'empêcher de les regarder. Je voudrais pouvoir intervenir pour qu'ils arrêtent de se disputer. Je ne veux pas qu'il lui fasse du mal.

J'aperçois un gros chien en porcelaine sur l'étagère à côté de moi. Il appartient à ma mère. Je l'attrape. Je ne veux pas briser le chien en porcelaine de ma mère et je ne veux faire du mal à personne, mais je veux attirer l'attention de papa et de Becky, et arrêter ce qui est en train d'arriver. Je le lance de toutes mes forces, mais il s'écrase sur la rampe d'escalier et explose près de moi, des morceaux de porcelaine retombent à mes pieds et sur mon père et Becky en bas. Tout se passe comme au ralenti.

Becky hurle, moi aussi, et ma mère sort de sa chambre et allume la lumière du palier. Nous nous immobilisons tous : Becky, mon père et moi. Ma mère porte sa chemise de nuit, à manches longues, dont le bas balaye la moquette et elle reste là, silencieuse pendant une seconde, puis elle dit à Becky :

— Va te coucher, ma chérie.

Becky monte l'escalier en courant et passe devant nous. Mon père se lance à sa poursuite, il grimpe les marches deux à deux et, avant que je comprenne ce qui se passe, il m'attrape par le bras. Sa poigne paraît si ferme et mes os si fragiles, telles des brindilles ; mais ma mère reste calme et dit :

— Mick, lâche-le, je vais m'en occuper. Il est blessé. Regarde, il s'est coupé avec un morceau de porcelaine. Mick, je t'en prie…

Je ne me souviens pas du reste. Comme si ma mémoire avait fait un arrêt sur image au moment où le stress provoqué par cet incident avait été trop violent. Et l'action s'est répétée, même si je cherchais désespérément le sommeil. La fatigue m'envahissait comme une drogue injectée dans mes veines.

Et je savais ce que ce souvenir voulait me faire comprendre : que les gens ne sont pas toujours ce qu'ils paraissent être et aussi que je devais avoir peur pour Benedict.

J'étais en sueur même si la nuit était fraîche et la couette trop peu épaisse pour me protéger du froid qui s'insinuait tout autour de moi ; je n'avais personne dans mon lit pour me réchauffer.

Mais le pire de tout était que ce souvenir aggravait ma culpabilité de ne pas avoir encore retrouvé Benedict et la peur de ce qui pouvait lui arriver en ce moment même.

Au petit matin, je me sentais complètement défait.

HUITIÈME JOUR

Dimanche 28 octobre 2012

Enquête prolongée : cette étape intervient quand il devient évident que l'enfant ne sera pas retrouvé dans de brefs délais et que la plupart des pistes ont été épuisées… Si certains observateurs considèrent cette phase comme une étape passive en attendant de nouvelles informations, en réalité, c'est l'occasion pour les forces de l'ordre de remettre en place un projet d'action logique, cohérent et ferme pour éventuellement arriver à retrouver l'enfant et à arrêter le ravisseur.

Findlay, Preston, and Robert G. Lowery, Jr, *Missing and Abducted Children : A Law-Enforcement Guide to Case Investigation and Program Management,* Fourth Edition, National Center for Missing and Exploited Children, OJJDP Report, 2011

Des chercheurs ont pu constater que les ravisseurs « traquent » rarement leur victime. Cependant, ils sont particulièrement doués pour manipuler et attirer les enfants. Le plus souvent, ils les piègent en demandant de l'aide, par exemple pour retrouver un animal domestique perdu, ou en évoquant une urgence, et en appelant la victime par son prénom, en faisant figure d'autorité ou en sollicitant la victime par des discussions en ligne via Internet.

Marlene L. Dalley et Jenna Ruscoe,
The Abduction of Children by Strangers in Canada : Nature and Scope
National Missing Children Services,
National Police Service, Police montée canadienne, décembre 2003

Email

De : Janie Green <greenj@aspol.uk>
À : Corinne Fraser fraserc@aspol.uk
Cc : Giles Martyn <martyng@aspol.uk> ; Bryan Doughty <doughtyb@aspol.uk> ; James Clemo <clemoj@aspol.uk> ;
28 octobre 2012 à 08 : 13

OPÉRATION HUCKLEBERRY – WIBF BLOG UPDATE

Bonjour Corinne,

Bryan et moi avons discuté ce matin des développements qui concernaient le blog WIBF – en me demandant de ne rien dire par e-mail. Nous en parlerons donc de vive voix. Cependant, je peux d'ores et déjà vous informer que le blog est toujours en activité et que, pas plus tard qu'hier soir, un post a été ajouté pour suggérer l'incompétence de la police. Malgré tout, nous sommes convaincus qu'après ce que nous avons découvert hier le ver est hors du fruit et que, même si les commentaires restent désagréables et accusateurs, aucune autre information confidentielle ne sera rendue publique.

Ce matin même, nos services ont contacté l'auteur du blog par e-mail pour lui demander d'arrêter. Nous lui avons rappelé la notion d'outrage à magistrat et autres conséquences légales et que, s'il le fallait, nous n'hésiterions pas à le poursuivre en justice. Nous n'avons pas encore reçu de réponse, et nous ne nous faisons pas trop d'illusions car le blog a de plus en plus de visiteurs. Dans le meilleur des cas, nous espérons que, sachant que nous le surveillons de près, le contenu restera sous contrôle ; pendant ce temps nous recherchons l'identité de l'auteur du blog à partir de son adresse mail (apparemment, ça risque d'être compliqué ; tout dépend de la manière dont l'auteur a dissimulé ses traces). Mais, maintenant que le blog n'est plus alimenté en informations confidentielles concernant l'enquête, Bryan, Giles et moi avons le sentiment que les choses vont se calmer, même si le contenu du blog reste vindicatif et agressif ; ce qui, d'ailleurs, semblait être le ton des articles dans les journaux du week-end. De toute façon, je vous tiens au courant.

Revue de presse de ce matin concernant l'affaire Huckleberry : à suivre. Tous les suppléments en ont parlé – double-page etc. Toujours la même chose, un mélange d'articles ou d'éditos réfléchis et d'autres diffamatoires dont Rachel Jenner reste la cible.

En attendant, j'espère que maintenant que le blog est hors d'état de nuire ou tout au moins sous contrôle, nous allons pouvoir concentrer nos efforts et encourager les gens à nous aider.

Janie Green
Chargée de communication, Police judiciaire de l'Avon et du Somerset

RACHEL

Au lever du jour, j'étais toujours sous l'emprise de la peur, car nous étions dimanche.

Une semaine depuis la disparition de Ben.

Une vie.

Et toujours rien.

Je me suis regardée dans le miroir de la salle de bains pendant que je me brossais les dents machinalement, et je ne me suis pas reconnue.

La police avait commandé un taxi pour m'emmener à l'hôpital. On m'avait assuré qu'une voiture de patrouille resterait en faction devant la maison. On avait promis de me protéger.

Ils avaient demandé au chauffeur de taxi de m'attendre à l'arrière de la maison afin qu'il ne voie pas les journalistes et ne devine pas qui j'étais. Le chauffeur était un vieil homme, coiffé du turban des Sikhs, avec une barbe et les sourcils blancs. Je me suis glissée sur le siège arrière.

— L'hôpital de Bristol ? a-t-il demandé.

— Oui, s'il vous plaît.

— Vous avez un itinéraire préféré ?

— Non.

Un journal était ouvert sur le siège passager à côté de lui, et on y voyait une photo de Ben. Il a voulu en parler.

— Vous êtes au courant de l'histoire de ce petit garçon ?

— Oui, ai-je réussi à répondre.

Je priais pour qu'il ne me reconnaisse pas. J'ai remonté mon écharpe jusqu'au menton et me suis cachée derrière mes cheveux.

— C'est terrible, n'est-ce pas ?

— Oui.

Je me suis collée à la vitre, en regardant fixement dehors, tandis que le taxi descendait en ville. Nous avons traversé des quartiers résidentiels déserts où le seul signe de vie était un renard galeux haletant à l'abri d'une haie feuillue.

— Ma femme dit que c'est la mère qui l'a enlevé. Elle en est persuadée. Et c'est ce que les gens disent, vous savez. Mais moi, je ne crois pas. Ce n'est pas naturel de faire une chose pareille. On s'est disputés à ce sujet hier soir.

Je sentais qu'il essayait de croiser mon regard dans le rétroviseur, pour savoir ce que j'en pensais. J'ai regardé ailleurs. Il m'était impossible de lui répondre.

Nous avons tourné dans Cheltenham Road, débouchant brusquement dans le centre-ville, où les pubs et les cafés étaient fermés. Deux sans-abri enveloppés d'une couverture étaient assis sur le perron d'une maison. Ils partageaient une cigarette. Ils avaient des visages bouffis d'alcooliques et les dents cassées.

— En fait, et c'est ce que j'ai dit à ma femme…

Il voulait partager son opinion avec moi. Peut-être que sa femme n'avait pas voulu l'écouter, sûre qu'elle était de son point de vue, ou peut-être qu'il avait fini par la convaincre.

— Je lui ai dit que quelqu'un accusé d'une chose pareille, comme l'est cette mère, ne s'en remettra jamais. C'est une honte. Si elle est coupable, elle le mérite, mais si elle est innocente, les gens lui auront causé du tort.

Nous avons fait le tour du rond-point du Bear Pit, un virage brusque qui m'a retourné l'estomac. Des vitrines sales affichant de la publicité pour des robes de mariées et des chaussures de sport à prix réduits défilaient, floues, devant mes yeux.

À quelques mètres devant nous, j'apercevais déjà le tribunal et l'hôpital.

— Je vais descendre là, ai-je dit alors que nous étions arrivés à un feu rouge. Pouvez-vous vous arrêter ?

Je n'avais qu'une envie, c'était d'échapper à cet homme gentil, avant qu'il devine qui j'étais.

— Vous êtes sûre, madame ?

De nouveau, il a cherché à croiser mon regard dans le rétroviseur, les sourcils froncés.

— Est-ce que ça va ? Vous êtes malade ? Vous n'avez pas l'air dans votre assiette. Je suis désolé, je croyais que vous rendiez visite à quelqu'un, je n'avais pas compris que vous étiez malade. Voulez-vous que je vous emmène aux Urgences ?

J'ai ouvert la portière, lui ai donné de l'argent et suis vite sortie du taxi. Il a dû avancer car le feu venait de passer au vert et le conducteur de la voiture, derrière, s'était mis à klaxonner avec instance.

Mon reflet dans la vitre à l'entrée de l'hôpital, l'écharpe étroitement nouée autour de ma tête et mes cheveux qui recouvraient mon visage tels des rideaux tirés, me firent comprendre que j'avais l'air de quelqu'un qui a quelque chose à cacher.

JIM

À neuf heures dimanche matin, sur les ordres de Fraser, Bennett et moi frappions à la porte en bois massif d'une maison en pierre dans le quartier chic de Sea Mills. Nous écoutions le chant matinal des oiseaux en attendant que quelqu'un nous réponde.

La femme qui nous a ouvert avait les mêmes cheveux d'un roux flamboyant que ceux de l'assistant d'éducation de la classe de Ben. Elle portait un kimono aux couleurs extravagantes par-dessus un pantalon de pyjama et était pieds nus. Ses orteils se recroquevillaient de froid. Elle a été polie mais elle paraissait troublée. C'était la mère de Lucas Grantham.

— Il est ici mais il dort encore, a-t-elle dit quand nous avons demandé à nous entretenir avec lui. Il est rentré tard hier soir.

— Y a-t-il quelqu'un d'autre chez vous ?

— Non. Juste nous deux. Personne d'autre ne vit ici.

L'architecture de cette maison de plain-pied en L dotée d'un grand jardin à l'arrière n'était pas banale ; elle avait probablement été construite dans les années 1960. Bien à l'abri des regards extérieurs, l'intérieur était inondé de lumière car presque tous les murs côté jardin étaient en verre.

Elle nous a demandé de patienter dans un petit salon. Rien d'ostentatoire dans cette maison, à part son architecture. Les meubles ne dataient pas d'hier et les nombreuses étagères supportant des centaines de livres étaient en bois de mauvaise qualité. À l'autre bout de la maison, nous apercevions une pièce qui ressemblait à un studio d'artiste.

Tout au fond du jardin, il y avait un très gros monticule recouvert d'herbe, et quelques marches qui descendaient vers une porte en tôle ondulée.

— Tu sais ce que c'est ? m'a demandé Bennett sur un ton qui laissait entendre qu'il mourait d'envie de me l'apprendre.

— Un abri antiaérien, ai-je répondu.

Je ne voulais pas lui donner le plaisir de surenchérir au jeu de « je sais tout mieux que tout le monde ». J'aurais préféré faire cet interrogatoire avec Fraser mais elle était encore très occupée à gérer la crise provoquée par les aveux d'Emma. Je n'étais avec Bennett que depuis une demi-heure et il commençait déjà à me taper sur les nerfs.

Quand Lucas Grantham est apparu, sa peau m'a semblé beaucoup plus pâle que dans mon souvenir et ses taches de rousseur ressemblaient à une méchante éruption cutanée. Il portait un T-shirt tout froissé, dans lequel il avait probablement dormi, et un pantalon de survêtement.

Entre-temps, sa mère s'était habillée et Bennett a dit :

— Allez nous préparer du café, s'il vous plaît madame, pendant que nous discutons avec Lucas.

J'ai grimacé en voyant une réaction de fierté mortifiée sur le visage de Mme Grantham, juste avant qu'elle réfléchisse et accepte cet ordre au nom de l'autorité. Elle nous a laissés avec son fils.

Une fois assis tous les trois autour de la table basse, j'ai sorti une photo de mon dossier et je l'ai posée devant Lucas Grantham. On y voyait sa voiture, traversant le pont suspendu à 14 h 30 le dimanche 21 octobre, l'heure et la date clairement visibles.

— Oh merde, a-t-il dit. Merde ! J'avais dit à Sal que nous n'aurions pas dû faire ça. Je le savais.

— Faire quoi, fiston ? a demandé Bennett.

— Maintenant, vous allez croire que je suis pour quelque chose dans l'enlèvement de Ben Finch. Mais en vrai, je le connais à peine. Croyez-moi. C'est un gentil petit garçon, il dessine bien, mais c'est tout ce que je sais !

— Tu peux rembobiner, fiston ? Recommence, depuis le début.

La panique de Grantham était visible, il se frottait les mains sur les cuisses en serrant les genoux. Ses yeux ne cessaient d'aller et venir entre Bennett, moi, la photo, et la porte par laquelle sa mère était susceptible de réapparaître.

— Qui est Sal ? lui ai-je demandé.

— C'est ma copine.

— Celle qui t'a fourni un alibi ?

— Ouais.

— L'alibi est le suivant : vous étiez ensemble, chez Sal, dimanche après-midi le 21 octobre ?

— Ouais.

— Est-ce la vérité ?

— Non.

Il a grimacé.

— Pourquoi avez-vous menti, monsieur Grantham ? a demandé Bennett.

— Parce que je savais ce que vous alliez penser.

— Et qu'allions-nous penser ?

— Que c'était moi qui avais enlevé Ben. Évidemment que c'est ce que vous alliez penser ! C'est ce que moi j'aurais pensé, comme tout le monde. C'est la raison pour laquelle Sal m'a aidé à trouver un alibi.

— Et c'est vrai ? Vous avez enlevé Ben Finch ?

J'ai repris la main sur l'interrogatoire.

— Non ! a-t-il démenti en secouant la tête violemment.

— Avez-vous fait du mal à Ben Finch ?

— Non.

— Avez-vous vu Ben Finch ?

— Non ! Je le jure. Je n'étais pas dans le coin de la forêt où il est allé se promener.

— Alors, que faisiez-vous ?

— Je faisais du vélo sur la piste d'Ashton Court.

— Avec qui ?

— Tout seul.

— À quelle heure êtes-vous rentré à la maison ?

— Vers 17 heures. Sal peut vous le confirmer.

— Sal ? La fille qui vous aide à fabriquer de faux alibis ?

— Désolé. Je suis désolé.

— Vous rendez-vous compte que nous pouvons vous inculper tous les deux ?

J'étais si en colère que j'aurais pu l'étrangler.

— Vous permettez, monsieur Grantham, a dit Bennett, en se levant. Nous voudrions jeter un œil à votre abri antiaérien.

— Pourquoi ? Quel est le rapport ? Je faisais du vélo, c'est vrai, c'est la vérité, je le jure.

Et, comme il s'en doutait, sa mère venait d'apparaître sur le seuil de la porte, avec un plateau dans les mains. Les tasses ont chancelé.

— Oh mon Dieu, Lucas, s'est-elle exclamée. Qu'as-tu fait ?

— Rien. Je te le promets.

— Mon Dieu, aide-nous. Tu as toujours été un garçon très secret, mon Dieu, c'est le moins qu'on puisse dire, mais je t'en prie, si tu as quelque chose à voir dans cette histoire, dis-le-moi.

Contrairement à ce qu'on aurait pu attendre d'une mère, elle ne faisait pas preuve de loyauté envers son fils. Bennett et moi nous sommes regardés.

— Seriez-vous d'accord pour venir avec nous au commissariat pour bavarder ? ai-je demandé à Lucas.

Il a hoché la tête, ses yeux pâles baissés, les joues en feu.

RACHEL

À l'hôpital, la réceptionniste m'a envoyée dans une salle située dans l'aile la plus ancienne du bâtiment. J'ai suivi un long couloir carré, une construction remarquable en termes de perspective, qui aboutissait à une double porte. Des néons rectangulaires pendaient du plafond à intervalles réguliers, chacun diffusant une pâle lumière fluorescente, comme si les lampes étaient sous-alimentées.

Un vieux linoléum de couleur rouge foncé recouvrait le sol et, de chaque côté, étaient alignées de petites chambres individuelles dans lesquelles se trouvaient des patients. Certains, assis bien droit dans leur lit, lisaient ou regardaient la télévision. D'autres n'étaient que des formes recouvertes de draps, aussi immobiles qu'une nature morte, dans des chambres à peine éclairées, comme pour signaler qu'ils n'étaient là que de passage, un lieu de transition entre la maladie et la guérison, ou entre la vie et la mort.

J'ai vu Katrina sortir de l'une de ces chambres tout au fond du couloir. Elle s'est retournée pour refermer la porte derrière elle, sans un bruit. Elle est restée là, une seconde ou deux, jetant un dernier regard à l'intérieur de la chambre, sa main posée sur la vitre en haut de la porte. Elle ne m'avait pas vue.

— Katrina, ai-je dit.

Je n'osais même pas regarder dans la chambre et, quand je me suis décidée à le faire, j'ai vu que John avait à peine l'air d'être vivant. Il était allongé sur le dos, sa tête entièrement enveloppée d'un épais bandage, un masque à oxygène sur la bouche, et ce que je pouvais apercevoir de son visage était gonflé et défiguré par des hématomes. Il était relié à des dizaines de tubes. Deux infirmières lui prodiguaient des soins.

— Bonjour, a répondu Katrina d'une toute petite voix.

Son humilité et sa vulnérabilité m'ont désarmée. Elle avait les traits tirés par la fatigue et le choc. Elle paraissait très jeune, comme l'autre jour, quand je l'avais vue chez elle.

— Ils veulent lui faire des examens, a-t-elle expliqué. J'allais partir.

— Comment va-t-il ?

— Il a été victime d'une hémorragie cérébrale et a un œdème au cerveau. Ils espèrent que l'œdème va se résorber. Ils disent que son état est stable.

— Ça va durer combien de temps ?

— Ils n'en savent rien. Pas plus qu'ils ne savent quelles seront les séquelles.

J'ai posé ma main sur la vitre, ma paume pressée contre le verre.

— Tu as vu ce qui s'est passé ? demanda-t-elle.

— Quelqu'un a jeté une brique dans la fenêtre et il a couru dans la rue pour rattraper le coupable.

Il l'a pris en chasse. Mais je n'ai pas vu ce qui s'est passé ensuite. Nous l'avons retrouvé au coin de la rue. Il gisait au sol, blessé.

— Le médecin suppose qu'on lui a assené plusieurs coups sur la tête.

Sa voix s'est brisée.

— Qui peut vouloir faire une chose pareille ?

— Je ne sais pas.

Nous étions debout, l'une à côté de l'autre, telles des sentinelles, et nous sommes restées longtemps à le regarder avant d'être interrompues par des bruits de pas rapides. C'était une infirmière, et la semelle de ses chaussures couinait sur le linoléum.

Elle a donné des brochures à Katrina.

— J'ai récupéré ce que j'ai pu, a-t-elle dit. Le service est à l'autre bout et, à peine arrivée, j'ai été bipée. J'espère que c'est ce dont vous avez besoin.

Katrina l'a remerciée en s'emparant, en hâte, des brochures qu'elle a plaquées contre son ventre. Elle essayait de faire en sorte que je ne les voie pas, mais c'était trop tard. Ce que j'avais aperçu me suffisait à comprendre. « Acide folique, une vitamine essentielle pour avoir un bébé en bonne santé. »

— Vous devez vous reposer, a dit l'infirmière et garder toutes vos forces. Ce serait bien que vous rentriez chez vous pour dormir un peu. Nous ne pensons pas que son état évoluera aujourd'hui.

Katrina a acquiescé d'un signe de tête, ce qui a paru satisfaire l'infirmière.

— Je vous verrai plus tard, certainement, a-t-elle ajouté.

Et elle est repartie d'où elle venait, avec ses semelles qui couinaient.

— Tu es enceinte, ai-je dit.

Mes mots étaient étouffés, lointains, comme s'ils arrivaient d'ailleurs, et elle ne m'a pas entendue.

— Je ne voulais pas que tu l'apprennes comme ça. Je suis désolée.

Je me suis retournée pour regarder John. Les infirmières faisaient le point, debout au pied de son lit, prenant des notes. Il était parfaitement immobile, si ce n'est le mouvement de sa poitrine qui se levait et s'abaissait à chaque respiration.

— Il est au courant ? ai-je demandé.

— Non.

J'ai posé doucement mon front sur la vitre. Je voulais sentir le froid et la solidité du verre pour contrebalancer l'engourdissement de mon cerveau.

— Félicitations, ai-je dit, sans enthousiasme.

Et même si je ne voulais pas paraître blessante, je crains que ma voix ne l'ait été.

— Il n'arrive pas à faire face, a-t-elle dit, en faisant un geste en direction de John. Ça. Ben. Tout. Il est effondré. Il pense que rien ne serait arrivé si vous étiez restés ensemble.

Je devais déployer d'immenses efforts pour ne pas rester insensible. J'étais complètement engourdie. Pourtant, elle me touchait : je ne sais pas si c'était parce que je la sentais vulnérable ou parce qu'elle attendait un enfant.

— John est un bon père, ai-je dit.

J'ai tendu une main vers elle mais, avant de terminer mon geste, j'ai freiné mon élan et mon bras est retombé.

Je me suis retournée pour partir, et, ce faisant, j'ai remarqué que, cette fois-ci, ce n'était pas un couinement de chaussures que j'entendais, mais le bruit sec de mes talons qui avançaient très lentement. Et j'ai compté le nombre de mes pas.

C'était tout ce dont j'étais capable.

JIM

Addendum au compte rendu de l'inspecteur James Clemo pour le Dr Francesca Manelli

Retranscription faite par le Dr Francesca Manelli

Inspecteur James Clemo en consultation avec le Dr Francesca Manelli

Les notes évoquant l'état d'esprit ou le comportement de l'inspecteur Clemo, quand les siennes seules ne sont pas suffisantes, sont en italique.

F.M. : Il y a un commentaire que vous avez ajouté dans votre compte rendu, après avoir raconté le rêve lié à un souvenir d'enfance, qui m'intéresse particulièrement.

J.C. : N'y attachez pas trop d'importance.

F.M. : Vous êtes d'accord pour que nous en parlions ?

J.C. : Si vous voulez.

F.M. : Vous avez dit, et je vais m'y référer directement, car la manière dont vous l'avez exprimé a attiré mon attention, je cite : « les gens ne sont pas toujours ce qu'ils paraissent être ».

J.C. : Oui.

F.M. : Diriez-vous que votre père n'était pas celui qu'on pensait qu'il était ?

J.C. : Il était tout ce qu'on pensait qu'il était. Il était respecté et vous auriez dû voir la foule qu'il y avait à son enterrement. Mais il avait un autre visage aussi. Comme tout le monde.

F.M. : Votre père était-il violent ?

J.C. : C'était une autre génération.

F.M. : C'est-à-dire ?

J.C. : Les gens se comportaient différemment.

F.M. : À savoir qu'ils battaient leurs enfants ?

J.C. : C'était juste une claque de temps en temps. Vos parents ne vous ont jamais giflée quand vous étiez enfant ?

F.M. : Je préférerais ne pas parler de la manière dont j'ai été élevée.

J.C. : Je parie que ça vous est arrivé. Tout le monde recevait des gifles, avant qu'Internet réglemente nos vies. Mon père faisait simplement partie de cette génération.

F.M. : Pensez-vous que ce dont votre sœur a été témoin était légal ?

J.C. : Je ne sais pas.

F.M. : Avez-vous reparlé avec elle de cet incident ?

J.C. : Nous n'étions pas proches. Elle a quitté la maison peu de temps après.

F.M. : Avez-vous une idée de ce qu'elle a vu ?

J.C. : Pas la moindre idée. C'était une adolescente hystérique. Elle passait son temps à ruer dans les brancards. C'est toujours elle qui le cherchait. Vous accordez trop d'importance à ce que j'ai voulu dire. Je n'aurais pas dû écrire ça. Je l'ai fait parce que dans mon travail, c'est toujours ce que je recherche : la personne qui n'est pas celle que l'on croit. Mais c'était un exemple stupide, je ne suis même pas sûr de m'en souvenir correctement. J'étais petit.

Je ne suis pas certaine de le croire ; je pense qu'il élude le sujet. J'attends qu'il continue et qu'il rompe le silence.

J.C. : Écoutez, j'admirais mon père. Les gens le respectaient parce qu'il le méritait. C'était l'un des meilleurs policiers de sa génération. On peut passer à autre chose ?

F.M. : En quoi méritait-il le respect ?

J.C. : Il avait une devise : « Une fois que l'âne a chié, il est trop tard. »

F.M. : C'est-à-dire ?

J.C. : Essaye de ne pas merder et de garder les choses sous contrôle.

F.M. : Était-ce difficile de grandir dans son ombre ?

J.C. : Il m'a donné envie d'être policier et de bien faire mon travail, si c'est ce que vous voulez dire.

F.M. : Était-ce une bonne chose ?

J.C. : C'était toujours mieux que de pioncer toute la journée, ou d'être proxénète ou alcoolique, ou encore que de violer des vieilles dames pour s'amuser, ou de devenir un tel connard que vous pensez qu'il n'y a rien de mal à taper la tête de votre femme contre un mur jusqu'à ce qu'elle perde ses dents en plus du respect de soi. Que voulez-vous dire par « Était-ce une bonne chose ? ».

F.M. : C'est intéressant de voir que ma question vous met en colère.

J.C. : Parce qu'elle est ridicule ! En fait, elle est insultante.

F.M. : Je pense que cela signifie que, pour vous, être un bon policier était une question d'honneur, n'est-ce pas ?

J.C. : Oui ! Évidemment. Et je ne pense pas qu'il y ait quelque chose de mal à ça.

Et bien qu'il essaie de ne pas le montrer, il fait preuve d'une colère que je trouve excessive.

F.M. : Serait-il juste de dire qu'à cette étape-là de l'enquête vous subissiez une pression d'ordre personnelle insupportable, en plus de la pression récurrente à l'enquête ?

J.C. : Là n'est pas la question. Vous ne comprenez absolument rien. Vous êtes complètement à côté de la plaque.

F.M. : Qu'est-ce que je ne comprends pas ? Dites-le-moi.

J.C. : La putain de question était Benedict Finch. Retrouver Benedict Finch. Le ramener sain et sauf à sa mère. C'était la seule chose qui importait. C'est simple, non ?

Il a les poings et les dents serrés. Je le remercie d'être venu et lui dis que je le verrai la semaine prochaine. Je ne veux pas être dure avec lui, mais il me provoque et j'ai besoin qu'il comprenne que c'est important pour lui de ne rien dissimuler pendant nos séances. Il ne nous reste que peu de temps.

RACHEL

Sur le chemin du retour, le chauffeur de taxi n'avait pas plus envie de parler que moi, ce dont je lui étais reconnaissante. Je suis restée sans bouger, silencieuse, rencognée au fond du siège arrière. Je revoyais John, son corps sans vie, son visage défiguré, et je pensais à son futur enfant.

Le taxi m'a laissée devant ma porte et un agent de police en uniforme s'est extirpé, ankylosé, de la voiture de patrouille pour s'assurer que je pouvais rentrer chez moi en toute sécurité.

À l'intérieur, j'ai été accueillie par un silence tel que je n'en avais jamais fait l'expérience. Un vide que chacune des choses que j'avais vécues aurait dû remplir.

Les vibrations de mon téléphone portable m'ont ramenée à la réalité. Un texto de Laura :

Ma chérie, je suis désolée, j'étais complètement saoule quand John m'a appelée hier et je regrette ce que je t'ai dit. Je ne suis pas d'un grand soutien et je suis une amie merdique, mais c'est si énorme tout ça, et moi aussi j'ai peur, mais maintenant, je suis là si tu as besoin de moi, et j'espère que tu n'es pas trop en colère contre moi.

J'ai effacé le message ; j'étais affligée par son égocentrisme.

J'avais un autre texto, que je n'avais pas vu, de la part de Nicky :

Comment tu vas aujourd'hui ? Ici, ça va et je devrais pouvoir venir te rejoindre d'ici un jour ou deux, je t'appelle plus tard. Je pense à toi TOUT LE TEMPS xxx

Que pouvais-je répondre ? Confrontée à la décision de savoir quoi lui raconter et comment, j'ai botté en touche. C'est le jeu de la confiance : une fois que vous l'avez perdue, vous perdez aussi votre spontanéité, vous êtes sur vos gardes, et vous filtrez les informations que vous voulez bien partager.

Je n'étais pas encore prête à cacher volontairement des choses à Nicky pas plus que je n'étais disposée à m'ouvrir entièrement à elle, comme je l'aurais fait encore trois jours plus tôt. Je n'ai donc pas répondu. Elle disait qu'elle me rappellerait plus tard, et j'ai décidé que je lui raconterais tout à ce moment-là.

Je n'avais aucune nouvelle venant de la police. Pas un mot. J'avais envie de leur téléphoner pour leur demander ce qu'ils pensaient du cahier de Ben, mais les événements de la nuit semblaient avoir complètement épuisé le peu d'énergie qu'il me restait.

Et, de toute façon, s'il y avait du nouveau, ils m'appelleraient, ai-je pensé. En même temps, je me suis dit que j'étais défaitiste, et que je laissais l'espoir s'envoler.

Je suis allée voir Skittle qui était couché dans son panier. Je me suis assise par terre à côté de lui, mes mains posées sur ses poils. J'ai fermé les yeux et me suis laissée aller en arrière, ma tête appuyée le long du mur. Je me suis alors autorisée à imaginer mes retrouvailles avec Ben. J'ai imaginé le tenir dans mes bras, j'ai imaginé lire l'expression dans ses yeux, sentir l'odeur de ses cheveux, entendre le son de sa voix : la douce perfection d'un moment que j'attendais depuis une semaine. Et j'ai pleuré à chaudes larmes pensant qu'elles ne cesseraient jamais de couler.

JIM

Nous avons conduit Lucas Grantham dans une salle d'interrogatoire à Kenneth Steele House.

Sa mère, le visage blême, s'était entretenue avec lui, calmement, mais sur un ton assuré, dans le couloir de leur maison, pour lui dire qu'elle appellerait l'avocat de la famille, tandis qu'il lui répondait en criant qu'elle avait toujours pensé de lui le pire et qu'il n'avait rien fait de mal, qu'il n'était pas en état d'arrestation.

— Pas encore, avait ajouté Bennett entre ses dents. Mais ça ne saurait tarder, fiston.

Il était venu avec nous de son plein gré, mais il y avait peu de chance que nous le laissions partir. Nous le savions déjà mais lui ne s'en rendait pas compte. Il était assis, avachi, sur une chaise, comme un mauvais garçon. Il avait le menton relevé en signe de défi, et ses pupilles ressemblaient à des têtes d'épingles flottant dans l'iris de ses yeux bleu pâle, presque délavé.

Nous avions assez d'éléments pour le mettre en garde à vue mais nous attendions le bon moment, car, aussitôt que ce serait fait, le compte à rebours jusqu'au moment où nous devrions le relâcher commencerait, à moins que nous ayons des preuves ou des aveux.

Le point de vue de Fraser était simple :

— Je pense que nous devons le mettre en garde à vue dès maintenant. Ainsi, tout ce qu'il dira pourra être retenu contre lui.

— Il est venu de son plein gré.

— Je ne veux pas qu'il parle sans avoir été mis en garde à vue ; nous nous retrouverions dans l'impossibilité d'utiliser sa déposition devant le tribunal.

— Un avocat lui conseillera de la boucler.

— C'est un risque à prendre. Sinon, il pourra sortir d'ici et disparaître aussitôt. C'est quoi cette histoire d'abri antiaérien dans le jardin ?

— Vide, chef, à part une tondeuse à gazon et des sacs de compost.

— Qu'en pensez-vous ?

— Il n'était pas loin du lieu de l'enlèvement, il nous a menti, il connaissait bien Ben et nous avons le cahier.

— Un mobile ?

— Je n'en sais pas encore assez sur lui.

— Comment est la mère ?

— En colère contre lui.

— Dites à Bennett de lui lire ses droits et faites venir la mère pour l'interroger pendant que nous prenons la déposition de son fils. Quelqu'un a-t-il mis la main sur sa petite copine, celle qui a menti ?

— Oui, chef.

— Bon boulot, Jim.

Je me suis dirigé vers la salle de commandement d'un pas léger. Ce n'était probablement que le résultat d'une poussée d'adrénaline, mais c'était suffisant pour moi. Je voulais être parfaitement préparé pour l'interrogatoire et ne rien laisser passer. Je savais que le vrai travail commençait maintenant car nous n'avions que vingt-quatre heures pour trouver des motifs d'inculpation.

Je me suis assis à mon bureau pour lire le dossier de Lucas Grantham. J'ai repensé à la première fois où je l'avais rencontré à l'école quand je l'avais trouvé empoté, presque pathétique. Je n'avais pas imaginé un seul instant qu'il nous mentait bien que Woodley l'ait trouvé un peu louche. Je ne voulais pas penser que j'avais raté quelque chose que j'aurais dû remarquer.

Mais je n'ai pas eu le temps de finir, car nous avons eu affaire à une autre surprise. Le mari de Nicky Forbes venait d'arriver. Sans que ce soit prévu. Il a demandé à me voir.

Simon Forbes était aussi distingué que ce à quoi je pouvais m'attendre. J'avais fait une recherche sur Google la veille pour avoir des informations sur son entreprise vinicole. C'était très haut de gamme, avec un site Internet sophistiqué et impressionnant. Et, de toute évidence, il avait de très bonnes relations. C'était un homme imposant, avec des cheveux très noirs qui commençaient à grisonner sur les tempes, et un nez rouge dû, probablement, à des années de dégustation de vin. Il portait un pantalon de velours côtelé, une chemise à carreaux et une veste en tweed; le genre de vêtements que portaient les gens lors des fêtes agricoles où nous allions, enfants, avec ma mère.

— C'est très aimable à vous de vous être déplacé. Ce n'était pas nécessaire, lui ai-je dit.

J'ai trouvé un endroit où nous installer et nous étions assis l'un en face de l'autre.

— Pour ce que j'ai à vous dire, il était préférable que nous nous parlions *de visu*, a-t-il dit. C'est au sujet de ma femme, mais la situation est délicate car j'ai quatre filles auxquelles je dois penser.

Je ne me serais pas attendu à quelqu'un d'aussi chaleureux. La douceur, le calme de ses manières – ses gestes, son comportement, son élocution – étaient touchants, même au vu des circonstances.

— Je pense que ma femme vous a donné l'impression qu'elle vivait à Salisbury dans notre maison avec moi et les filles.

— En effet, et c'est ce que nous a dit Mme Forbes.

— J'ai bien peur qu'elle n'habite plus à cette adresse depuis presque un mois. Elle a déménagé fin septembre.

Il parlait calmement, ses propos étaient clairs, pendant que mon cerveau turbinait à toute vitesse pour essayer d'en comprendre la signification.

— Savez-vous où votre femme est partie ?

— Elle vit dans le cottage où elle a grandi. C'est à Pewsey Vale, à environ quarante-cinq minutes au nord de Salisbury.

— Vos filles sont avec elle ?

Je me suis demandé si la séparation s'était faite dans la haine et s'il était là pour enfoncer une épouse qu'il détestait, et pour brouiller les cartes en vue d'un futur litige pour la garde de leurs filles.

— Non. Non seulement Nicky m'a quitté, mais elle est partie sans les filles.

— Je peux vous demander pourquoi ?

— Ce qui a provoqué son départ – il s'est éclairci la voix –, elle a décidé de faire ses sacs et de nous quitter après une dispute que nous avons eue.

— À quel sujet vous êtes-vous disputés ?

— C'est un peu compliqué ; mais récemment, nous avons évoqué l'idée d'avoir un autre enfant.

— Un cinquième enfant ?

Sa réponse a renforcé ma surprise.

— Oui ; je me rends bien compte qu'un cinquième enfant, c'est beaucoup ; mais Nicky voulait essayer une fois encore et, jusqu'à maintenant, je l'avais toujours confortée dans cette idée et ce, je dois dire, avec joie, car ce désir était lié à un événement dont elle a souffert. Et je pensais qu'il fallait que je la soutienne. Ai-je besoin de vous expliquer ce qui s'est passé ?

— Non, nous sommes au courant.

— Vous comprenez donc qu'elle ait très envie d'avoir un fils. Pour remplacer Charlie.

Ce qu'il venait de dire m'a fait l'effet d'un coup de semonce, comme le résultat d'une explosion, un éclat d'obus qui tournoie dangereusement dans l'air.

— Je comprends, ai-je répondu. Vous avez dit que, *jusqu'à maintenant,* vous étiez d'accord pour avoir un autre enfant, donc entre-temps quelque chose a changé ? Vous n'étiez plus d'accord ?

Il a eu l'air de quelqu'un qui doit faire un gros effort pour rassembler tout son courage.

— Mon épouse prétend tout gérer, en toutes circonstances, tout le temps ; elle en a fait une vocation, mais ce n'est pas sans conséquence. Elle s'est mise à organiser en détail tout notre emploi du temps. C'était le point de départ de notre dispute. J'essayais de lui demander de se détendre, d'arrêter de tout vouloir contrôler, et de nous laisser respirer. La planification de l'emploi du temps des filles minute par minute nous affecte tous. De mon point de vue, la vie est devenue triste, sans surprise. Nous n'avions plus le temps de faire des choses ensemble, que ce soit en couple ou en famille ; et je lui ai dit que je me demandais si un autre enfant ne serait pas un peu trop lourd, pour nous deux.

— Comment a-t-elle réagi ?

— Mal. Très mal. Elle s'est sentie trahie.

— C'est ce qu'elle a dit ?

— Oui. Pour l'exprimer autrement, elle a pété les plombs. Je ne l'avais jamais vue si en colère, si désespérée. Et j'ai bien peur de m'être emporté. Ma patience était à bout, et je lui ai dit que nous avions peut-être besoin de prendre un peu de recul, l'un par rapport à l'autre.

— Et quelle a été sa réaction ?

— Elle a quitté la pièce comme une furie, son visage était déformé par les émotions ; et je ne l'ai pas suivie, je l'ai laissée partir. Grace, notre deuxième fille, attendait dans l'entrée, pour que nous la conduisions à sa leçon d'équitation. C'est un exemple de la manière dont nos vies sont programmées, nous avons à peine le temps de nous disputer ! Bon, quoi qu'il en soit, je ne voulais pas faire de scène devant Grace et j'ai donc lancé à Nicky que je m'occupais de notre fille. Arrivé au centre équestre, je me suis un peu calmé et j'ai regretté certaines choses que j'avais dites ; j'espérais qu'il en était de même pour Nicky et que nous pourrions en rediscuter tranquillement dans la soirée. Mais quand Grace et moi sommes rentrés, elle était partie.

— Partie ?

— Oui. Elle avait fait sa valise et était partie. Elle avait demandé à l'aînée de s'occuper des deux plus jeunes jusqu'à ce que je sois de retour mais sans lui expliquer pourquoi. Malheureusement les filles ont vu Nicky charger sa valise dans la voiture et, quand je suis arrivé, elles étaient dans tous leurs états, c'est le moins que l'on puisse dire. Nous étions tous sous le choc.

— Vous êtes-vous parlés depuis ?

— Nous nous parlons beaucoup, mais c'est très frustrant. Elle refuse de discuter avec moi de l'avenir. Elle ne veut pas que nous nous voyions pour en parler. Elle dit juste qu'elle a besoin de temps. J'essaie d'être patient mais je suis en colère à cause des répercussions que cette séparation a sur les filles. Nous l'aimons, bien évidemment que nous l'aimons, mais nous ne pouvons pas toujours complaire à ses désirs et nous conformer à ce qu'elle veut que nous soyons.

C'était idiot de ma part d'avoir d'abord jugé durement Simon Forbes en me fiant uniquement aux apparences : son site Internet, sa profession et son style vestimentaire. C'était un homme sensible, intelligent, d'une grande patience, et qui avait été blessé.

J'ai pris une grande inspiration.

— Vous pensez que votre femme est instable ? ai-je demandé.

— Elle est partie, en laissant ses enfants. Ce n'est pas ce que l'on attend d'une personne stable.

— Êtes-vous venu me voir parce que vous pensez qu'elle pourrait être responsable de ce qui est arrivé à Ben ?

Compte tenu qu'il lui avait fallu faire fi de sa fierté pour venir jusqu'ici, et me raconter ce qu'il s'était passé, cette question lui était pénible. Je le voyais qui essayait de mettre de côté l'amour qu'il avait pour sa femme afin de formuler sa réponse le plus simplement possible. Mais il n'y parvenait pas vraiment.

— Je n'irais pas aussi loin ; mais j'ai pensé qu'il vous fallait être informé de la situation. Elle n'en a même rien dit à sa sœur.

— Merci, monsieur Forbes. Je vous suis extrêmement reconnaissant.

Je l'ai raccompagné à l'entrée du bâtiment ; c'était, me semble-t-il, la moindre des choses. En haut des marches, après avoir boutonné son manteau en toile huilée, et enfilé ses gants de conduite en cuir sur ses doigts épais, il a ajouté :

— J'ignore ce que ma femme a fait ou pas, inspecteur. Je n'en ai aucune idée. Je vous ai juste dit ce que, d'après moi, il vous fallait savoir. Et, en échange, je vous demande de respecter la dignité de notre famille autant que faire se peut. Je veux éviter d'autres souffrances à nos filles. La disparition de Ben les affecte énormément.

— Avez-vous raconté à votre belle-sœur ce que vous venez de me révéler ?

— Pour être honnête, je pensais que Nicky en aurait parlé à Rachel, mais quand j'ai compris que ce n'était pas le cas, j'ai pensé qu'il était préférable de l'épargner, et c'est pourquoi je suis venu ici. Rachel vit déjà suffisamment un enfer.

À peine m'avait-il tourné le dos que j'ai foncé à l'intérieur, en montant quatre à quatre les marches qui menaient à la salle de commandement.

RACHEL

Dimanche, une fois la nuit tombée, je ne pensais toujours qu'à une chose : Ben avait disparu depuis maintenant une semaine. Sept jours, cent soixante-huit heures, des milliers de minutes, des centaines de milliers de secondes. Je ne pouvais pas m'empêcher de compter.

Les promenades dans la forêt envahissaient mon esprit comme si, au bout de sept jours, les souvenirs s'étaient amplifiés et transformés sous l'effet d'une acuité sensorielle aiguë.

Un ciel bleu, très clair et, en toile de fond, un kaléidoscope coloré de feuilles d'automnes séchées défilait dans ma tête comme une bobine de film. Je voyais Ben, les joues roses de froid et de plaisir, la vapeur qui sortait de sa bouche et restait momentanément en suspension, comme un petit morceau de lui, qui, très vite, s'évaporait et n'était plus rien.

J'aurais pu continuer et me perdre dans mes souvenirs, si mon téléphone n'avait pas sonné. C'était la police pour m'informer que l'enquêteur Woodley, mon agent de liaison intérimaire, était en chemin pour venir me parler. Ils se sont excusés de m'appeler si tardivement. Il était déjà 20 h 30.

L'enquêteur Woodley est arrivé à 21 heures. Il était très grand, maigre, avec un long cou et un grand nez. Il paraissait avoir dix-sept ans.

Il s'est présenté, mal à l'aise, et a suggéré que nous nous asseyions, en se passant la langue sur la lèvre supérieure, d'un geste nerveux.

Nous nous sommes installés à la table de la cuisine éclairée tristement par le plafonnier. Au contraire de ma sœur, je n'ai pas eu le réflexe de rendre la pièce plus chaleureuse en allumant d'autres lampes et en mettant de l'eau à bouillir. J'avais perdu tout sens des mondanités depuis une semaine. Je voulais juste entendre ce qu'il avait à me dire.

— Nous avons arrêté quelqu'un, m'a-t-il annoncé. Nous ne l'avons pas encore inculpé mais il est en garde à vue à Kenneth Steele House et il est en état d'arrestation.

— Qui ?

— Lucas Grantham. L'assistant d'éducation de Ben.

Mon esprit a digéré l'horreur de cette information, tout en s'en défendant. Lucas Grantham passait toute la journée, cinq jours par semaine, avec mon fils. Plus d'heures que moi je n'en partageais avec Ben. Et je ne le connaissais absolument pas ; c'était un parfait étranger.

Afin de satisfaire l'enquêteur Woodley et de répondre à ses questions posées d'une voix patiente mais insistante, j'ai essayé de me souvenir de quelque chose, d'une remarque que Ben aurait faite à propos de Grantham, mais rien ne me venait à l'esprit. Ben n'en parlait que rarement ; Mlle May, qu'il connaissait depuis plus longtemps, avait sa préférence.

Je me suis creusé la tête pour rassembler mes impressions à son sujet : elles étaient floues. Nous n'étions qu'au milieu du premier trimestre et Lucas Grantham était nouveau, tout comme l'était le directeur de l'école. Je me suis efforcée de me remémorer le moment où, deux jours plus tôt, j'étais allée chercher les cahiers de Ben : je ne me souvenais pas de grand-chose, à part qu'il était vaguement là. Mais mes pensées ont soudain été interrompues par une question qui ne pouvait pas attendre :

— Si Lucas Grantham a enlevé Ben, où est-il ?

— Nous entreprenons des recherches intensives à son domicile, et aux domiciles des personnes avec qui il a un lien. Nous faisons tout ce que nous pouvons pour localiser Ben. Dans les prochaines vingt-quatre heures, nous allons interroger toutes les personnes de l'entourage de Grantham. Malheureusement, pour le moment, je ne peux rien vous dire de plus, mais nous tenions à vous informer nous-mêmes de ce qui se passait, plutôt que vous ne l'appreniez par quelqu'un d'autre. Je vous en prie, soyez assurée que nous faisons tout ce qui nous paraît être le mieux pour vous rendre Ben sain et sauf. C'est notre priorité.

— Vous en êtes vraiment sûr ?

— Que nous faisons de notre mieux ? Absolument. Je le jure sur la tête de ma mère.

En le disant, il a posé une main sur son cœur. Et alors qu'il s'apprêtait à partir, il a ajouté :

— Une dernière question, madame Jenner.

— Oui ?

— Vous avez des nouvelles de votre sœur ?

— Non.

Je me suis alors rendu compte qu'elle ne m'avait pas rappelée.

— Pourquoi ?

— C'est le rôle de l'agent de liaison de s'assurer que tous les membres de la famille vont bien ; il s'agissait juste d'une question qui faisait suite à l'interrogatoire de l'inspecteur Clemo.

— Autant que je sache, tout va bien.

Une fois qu'il a été parti, j'ai essayé d'appeler Nicky, mais je suis tombée sur sa boîte vocale et je n'ai pas laissé de message. J'avais entendu parler de boîtes vocales piratées et je savais que nous pouvions être visées. Je ne voulais pas donner ce plaisir aux journalistes.

J'ai téléphoné chez elle à Salisbury, mais c'est la plus jeune des filles qui a répondu ; elle m'a dit que sa maman n'était pas là, pas plus que ne l'était son papa, et que sa sœur, celle qui la gardait, était au téléphone. J'ai laissé tomber ; je n'ai même pas dit qui j'étais car Olivia n'avait que neuf ans et je n'étais pas sûre qu'elle transmette mon message. Je savais que Nicky me rappellerait dès qu'elle aurait vu que j'avais tenté de la joindre sur son portable.

Puis j'ai repensé à l'assistant d'éducation et à ce qu'il était susceptible d'avoir fait.

En un sens, je me sentais presque soulagée ; cette révélation me permettait de lever les soupçons que je commençais à nourrir au sujet de ma sœur et, en quelque sorte, de relâcher la pression. J'ai remercié intérieurement le fait de ne pas l'avoir accablée avec mes soupçons et de ne pas l'avoir accusée ouvertement. La réconciliation serait peut-être plus facile ainsi.

D'un autre côté, ce que je venais d'apprendre donnait lieu à un scénario qui me rendait malade, puisque je ne pouvais pas m'empêcher de me demander : qu'est-ce qu'un homme comme Lucas Grantham peut vouloir d'un petit garçon comme Ben ?

Toutes les réponses qui me venaient à l'esprit me remplissaient d'horreur. Je n'éprouvais donc pas un véritable soulagement comme cela aurait dû être le cas après avoir été informée que le coupable avait été arrêté. Je ne pourrais être véritablement soulagée que lorsque je tiendrais Ben dans mes bras.

Plus tard dans la soirée, je suis allée faire des recherches sur Internet pour voir si l'arrestation avait été rendue publique. Ce n'était pas encore le cas.

En revanche, certains membres des réseaux sociaux soulignaient le septième jour de la disparition de Ben en disant qu'il était probablement mort. Qu'il ne pouvait en être autrement.

Comme pour illustrer cette théorie, quelques-uns d'entre eux avaient posté des photos de bougies pour marquer le jour anniversaire. Des autels virtuels éclairés d'une flamme vacillante, comme symbole d'une démonstration publique d'émotions que je trouvais édifiante, affreuse et cruelle.

D'autres internautes étaient moins dans la démonstration que dans la réflexion ; notamment l'un d'entre eux dont le post a attiré mon attention car, pour démontrer la justesse de ses hypothèses, il faisait référence aux mêmes sites que ceux auxquels Nicky s'était intéressée avant de partir. J'ai cliqué sur le lien qu'il mentionnait et, immédiatement, j'ai regretté mon geste car j'ai eu sous les yeux les documents que Nicky avait essayé de m'empêcher de lire dans les premiers jours qui avaient suivi la disparition de Ben :

HOMICIDE SUITE À UN ENLÈVEMENT... les victimes sont le plus souvent tuées immédiatement après avoir été enlevées et il est rare qu'elles restent en vie plus de 24 heures ; dans cette éventualité, il s'agit tout au plus de trois jours. (Boudreaux et al, 1999.) Le rapport de Hanfland en 1997 mentionne des faits encore plus choquants. Les statistiques montrent que 44 % des victimes meurent moins d'une heure après leur enlèvement, 74 % des victimes dans les trois heures qui suivent et 91 % dans les 24 heures.

Ces informations m'ont anéantie. J'ai fermé la fenêtre sur l'écran, en cliquant violemment sur la souris ; j'avais les mains qui tremblaient, pleines de sueur. J'étais prête à éteindre l'ordinateur, voire à le débrancher, à ne plus même vouloir m'en approcher quand, derrière la fenêtre que je venais de fermer, j'en ai découvert une laissée ouverte par Ben.

C'était l'interface pour se connecter à *Furry Football,* un jeu en ligne que Ben et ses amis adoraient. C'était comme le Club Penguin ou les Moshi Monsters. Il s'agit d'un forum en ligne destiné aux enfants, grâce auquel ces derniers peuvent jouer et interagir avec les avatars des autres internautes connectés.

J'ai cliqué sur la page ; une mise à jour s'est faite me demandant de m'identifier. Ben était le capitaine de deux équipes virtuelles, et je pouvais choisir entre deux noms d'identifiant : *Owl Goal* ou *Turtle Rangers*. J'ai choisi *Owl Goal*, dont l'avatar était une chouette et j'ai tapé le mot de passe de Ben. Un message s'est affiché : « VOUS ÊTES DÉJÀ CONNECTÉ. »

J'ai réessayé : même message.

Je me suis reculée sur ma chaise, perplexe. Quelqu'un s'était connecté avec l'identifiant de Ben. Je me suis souvenue qu'il m'avait fait remarquer qu'il ne pouvait pas se connecter s'il venait déjà de s'identifier sur un autre ordinateur ; mais l'iPad était chez son père et je n'avais pas d'autre poste.

J'ai donc choisi *Turtle Rangers*, puis j'ai entré son mot de passe et, cette fois, j'ai réussi. J'étais en ligne sur le forum, j'étais Turtle0751, le nom du capitaine de l'équipe des *Turtle Rangers*, et mon avatar est apparu sur l'écran : une tortue dodue, avec des chaussures de foot à crampons, qui tenait une pancarte.

QUEL SERVEUR SOUHAITEZ-VOUS UTILISER POUR JOUER ? m'a demandé l'ordinateur. Mon sang n'a fait qu'un tour tandis qu'une idée germait dans ma tête. Et si Ben était connecté ailleurs, sur un autre ordinateur, en train de jouer avec comme avatar la chouette ?

J'ai sélectionné le serveur sur lequel Ben choisissait toujours de jouer : *Savannah League*.

La page s'est transformée en un décor de dessin animé : la savane africaine. Un suricate m'a demandé de choisir à quel jeu je voulais jouer. J'ai sélectionné, dans la liste disponible, *Baobab Bonus*, le jeu préféré de Ben.

Sont apparus sur l'écran des baobabs dessinés, au milieu desquels se promenaient une vingtaine d'avatars : certains d'entre eux arboraient des bulles de BD au-dessus de leurs têtes. J'ai très vite repéré l'avatar du capitaine de l'autre équipe de Ben : Owlie689.

— C'est toi, ai-je dit. C'est toi.

Mes doigts s'accrochaient tellement fort à la souris que ses bords s'enfonçaient dans ma paume de main. Je ne quittais pas l'écran des yeux tandis que je voyais Owlie689 s'y balader.

J'ai déplacé mon avatar pour qu'il se rapproche de celui de Ben. Je me débattais avec la souris. Je voulais lui parler. Mais j'avais du mal à comprendre comment créer une bulle pour les dialogues. Je n'étais pas entraînée comme l'était Ben ; je n'avais jamais fait vraiment attention aux détails du jeu.

Après plusieurs essais infructueux, j'ai finalement réussi à cliquer sur le bon onglet. Une liste de phrases possibles, qui pouvaient être utilisées en toute sécurité, est apparue. Il n'y avait aucun danger. Je n'avais pas permis à Ben de communiquer avec d'autres phrases que celles qui étaient proposées par le site.

J'ai déroulé la liste des phrases disponibles, essayant désespérément de dire quelque chose d'éloquent, mais les phrases étaient neutres, afin d'empêcher que les enfants ne tiennent des propos offensants ou contrariants pour les autres.

J'ai cliqué sur : *Hello*. Quelques secondes plus tard, l'avatar de Ben répondait : *Hello*.

— Tu as passé une bonne journée ?

Owlie689 a répondu par un émoticon. Une grimace. J'ai essayé de trouver un commentaire significatif.

— Désolée, a annoncé mon avatar.

Owlie689 s'est déplacé et je l'ai suivi. Il s'est arrêté sous un baobab.

— Tu veux rencontrer mon équipe ? m'a-t-il demandé.

— Oui.

La savane africaine s'est dissoute sur l'écran pour réapparaître sous forme d'aire d'entraînement. Les positions des joueurs étaient marquées tout autour des bords de l'écran, et au-dessus de quatre d'entre elles apparaissaient des animaux que Ben avait gagnés en marquant des points.

— Super, a fait remarquer mon avatar.

— Un nouveau joueur, a répliqué l'avatar de Ben.

Et il s'est déplacé vers le centre pour me le montrer. C'était une girafe. Dimanche dernier, il ne l'avait pas encore ; je le savais car il m'en avait parlé. Il m'avait expliqué que la girafe était bien pour le jeu de tête. En fait, il n'avait cessé d'en parler dans la voiture sur la route qui nous menait à la forêt, jusqu'à ce que je finisse par réussir à lui faire changer de sujet.

— C'est toi, me disais-je. C'est toi.

J'ai cherché quelque chose d'autre à dire, quelque chose qui fournirait un indice à Ben pour qu'il sache qui j'étais et que c'était moi qui communiquais avec lui. Mais j'ai pensé qu'il devait s'en douter car qui d'autre que moi aurait pu utiliser son avatar ? Il devait forcément savoir que c'était moi.

Mais j'ai été trop lente. Avant de trouver la bonne phrase, Owlie689 était parti, il avait disparu. Mon avatar était tout seul à l'écran.

J'ai attrapé mon téléphone.

JIM

Fraser et moi nous étions retranchés dans la salle de réunion où nous nous retrouvions habituellement tous pour les briefings. Des feuilles de papier avec des listes de gens à interroger et des notes prises pendant les interrogatoires jonchaient la table entre nous. Nous mettions en place un plan d'action.

Woodley a passé sa tête dans l'entrebâillement de la porte.

— Rachel Jenner vient d'appeler, elle dit qu'elle a vu Ben participer à un jeu en ligne.

— Quel jeu ? a demandé Fraser

— *Furry Football.* Elle dit qu'elle s'est connectée sous le nom de l'un de ses avatars.

— Vous pourriez être plus clair ?

— Vous avez des personnages et, pour jouer, vous choisissez d'être l'un d'eux. Elle s'est identifiée sous le nom de l'un des deux personnages qui servent d'avatars à Ben et a rencontré l'autre en jouant. Elle pense donc que Ben était connecté.

— Et était-ce le cas ? C'est vous l'expert en informatique.

— C'est possible, évidemment ; s'il a accès à Internet, ce qui me semble peu probable. Mais n'importe qui ayant accès aux détails de son compte aurait pu participer au jeu.

— Pensez-vous que ce soit vraiment possible ?

— Difficile à dire, mais il est vrai que les gens savent souvent quel est le mot de passe utilisé par leurs amis ; ce pouvait tout aussi bien être l'un de ses copains ou quelqu'un qui le connaît bien.

— Rachel Jenner a-t-elle une idée là-dessus ?

— Non. Pour tout vous avouer, c'est difficile de comprendre ses propos, chef. Elle est au bord de l'hystérie.

— Il nous faut découvrir au plus vite qui était au courant. Pouvez-vous vous mettre en contact avec l'homme qui était dans les bois, le père du meilleur ami de Ben ? Demandez-lui s'il sait de quoi il s'agit et si nous pouvons interroger son fils demain matin.

— Ce sera fait.

Après qu'il a quitté la pièce, Fraser s'est tournée vers moi.

— Qu'en pensez-vous Jim ?

— C'est peut-être une piste, ou peut-être pas. Comme le cahier de Ben.

— Je vais demander aux gars de l'informatique de s'y mettre. Bon, Lucas Grantham ou Nicky Forbes ? Je veux que nous mettions en place un plan d'action dès ce soir afin de ne pas perdre de temps demain matin. Pas une seule seconde. Comment voyez-vous l'organisation des opérations au vu de nos ressources en hommes ?

J'ai pris mon temps avant de répondre. Nous avions un suspect en détention provisoire qui semblait être le coupable parfait, et pourtant il m'était difficile de renoncer à nourrir des soupçons à l'égard de Nicky Forbes.

— Selon moi, Nicky Forbes est très intelligente et, potentiellement, manipulatrice, ai-je dit à Fraser. Chris a été parfaitement clair : le genre de trauma dont Nicky a souffert peut être à l'origine de certaines psychoses, voire de délires. Si même son mari est venu pour nous en avertir, je pense qu'il faut prendre son cas au sérieux.

— Vous privilégieriez donc son cas ?

— Si je devais prendre un pari, oui.

Et, alors que j'exprimais mes impressions à voix haute, ma conviction se renforçait.

— J'ai peur que Lucas Grantham ne soit un autre Edward Fount. Il nous semble être le coupable idéal car c'est un petit con, menteur de surcroît, qui vit avec sa mère, mais il est possible qu'il dise la vérité sur les raisons de sa présence dans la forêt.

— La vérité après avoir menti ?

— Oui.

— Dans ce cas, je vais quand même le coincer pour avoir fait perdre du temps à la police.

— Entièrement d'accord.

Fraser a soupiré, en se massant le front. Tout à coup, elle avait pris comme un coup de vieux.

— Mais je ne suis pas sûre que ce soit le cas, et je veux que vous restiez ici pour vous occuper de Grantham. Le temps presse ; le compte à rebours a commencé.

J'en étais conscient. Je n'ai rien ajouté ; je l'ai laissée réfléchir. Je savais qu'il était inutile de la brusquer. Elle savait prendre des décisions rapidement.

— Bien. Je vous libère pour que vous puissiez l'interroger demain matin, mais pas ce soir. Il est beaucoup trop tard.

J'ai senti une montée d'adrénaline, comme si je m'étais fait un shoot.

— Merci, chef.

Je me suis levé.

— Je vais aller examiner attentivement son dossier.

Je voulais connaître chaque détail par cœur ; il fallait que ce soit l'interrogatoire de ma vie. Nicky Forbes m'obsédait depuis le début.

— Bon, maintenant, écoutez-moi, Jim. N'en faites rien pour le moment. Rentrez chez vous et dormez. Vous avez l'air d'une loque.

Elle s'est tue un instant, le temps que je digère l'insulte, puis m'a demandé :

— Comment vous sentez-vous par rapport à Emma ?

La question m'a désarçonné. Il m'a fallu un moment avant de pouvoir rassembler mes esprits et lui répondre.

— Je suis déçu. Bien sûr. Mais je reste concentré et j'avance, chef.

— Ne vous foutez pas de moi, Jim. Vous savez de quoi je parle, je ne suis pas aveugle.

— C'est la vérité, chef. Je suis déterminé à passer à autre chose mais il est vrai que je suis dégoûté. Évidemment.

— Je vais vous poser une question une bonne fois pour toutes et nous n'en parlerons plus : pensez-vous que votre jugement s'en trouve affecté ou faussé ?

— Absolument pas. Pas le moins du monde.

Elle s'est laissée aller contre le dossier de sa chaise, enregistrant ce que je venais de dire, avant de poursuivre.

— D'accord. Vous irez interroger Nicky Forbes demain matin à la première heure. Je ne veux écarter aucune piste, je suis prête à remuer ciel et terre. Après ça, revenez ici le plus vite possible. On manque de personnel, c'est le moins qu'on puisse dire ; il est donc hors de question que je me passe de mon adjoint.

— Chef…

— Je cède à votre requête, Jim. N'en demandez pas trop. J'ai une liste de gens à interroger, en lien avec Lucas Grantham, plus longue que le bras.

— Je voulais juste savoir si j'irai seul ou non.

— Je ne peux pas me permettre d'envoyer quelqu'un d'autre pour vous accompagner. J'ai besoin de tout le monde.

Elle a enlevé ses lunettes, ce qui lui a donné un air vulnérable, et a frotté ses yeux rougis par la fatigue. Il était déjà tard, et elle semblait avoir baissé la garde, suffisamment pour que je lui pose une question :

— Chef, pensez-vous qu'il est toujours vivant ?

— Vous connaissez les statistiques aussi bien que moi. Nous devons faire notre possible, c'est tout.

De retour chez moi, j'ai épluché tous les dossiers, en examinant très attentivement chaque détail, mémorisant tout ce qui concernait l'enfance de Nicky Forbes, relisant toutes les notes que j'avais prises après que Simon Forbes était venu me voir.

En appelant Fraser à minuit, je jubilais.

— J'ai trouvé une faille dans l'alibi de Nicky Forbes. Elle nous a dit que dimanche dernier, elle avait participé à un salon culinaire. Elle était là-bas dans la matinée, sans aucun doute, mais personne ne peut affirmer l'avoir vue entre 13 h 30 et 22 heures, l'heure à laquelle son mari soutient qu'elle lui a parlé par Skype après être rentrée au cottage.

— Je croyais que son alibi avait été vérifié.

— Des gens ont dit qu'ils pensaient l'avoir aperçue. Mais c'est un événement important qui draine beaucoup de monde. Il y des tas de stands de vente de produits, des démonstrations culinaires, ce genre de choses, et des centaines de visiteurs se rendent à ce salon. Et même si elle est connue, personne ne peut affirmer avec certitude l'avoir vue dans l'après-midi. Tout le monde s'accorde pour dire qu'elle a participé à cet événement, certes, et l'une de ses amies affirme avoir déjeuné avec elle mais, après 13 h 30, nous n'avons aucune preuve solide.

— Bon boulot, Jim, a dit Fraser. Emmenez Woodley avec vous, demain matin.

— Je croyais que vous n'aviez pas assez de personnel sur place.

— J'ai changé d'avis.

Je n'avais même pas la force de me traîner jusqu'au lit. Je suis resté allongé sur mon canapé, la fenêtre entrouverte bien qu'il gèle dehors ; j'ai fumé en essayant de refouler les souvenirs que j'avais d'Emma et qui auraient pu perturber l'état d'équilibre parfait dans lequel je me trouvais : cet instant, en suspens, quand une enquête est sur le point de se dénouer d'une manière ou d'une autre, et que vous êtes en plein dedans.

J'ai vérifié que je n'avais pas de nouveau message sur mon téléphone portable. Woodley et moi n'avions cessé de nous envoyer des SMS et des e-mails, pour finaliser le plan d'action de demain matin.

Ce à quoi je ne m'attendais pas était de trouver un e-mail d'Emma dans ma boîte de réception. L'objet : « Désolée »

Email
De : Emma Zhang emzhang21@hotmail.co.uk
À : Jim Clemo jimclemo1@gmail.com
28 octobre 2012 à 23 h 39

Désolée

Cher Jim,

J'espère que tu liras cet e-mail car je te dois une explication. Si tu le lis : merci.

Je n'aurais jamais dû faire ce que j'ai fait. C'est impardonnable. Je n'aurais jamais dû contribuer à ce blog et je n'aurais jamais dû m'attendre à ce que tu veuilles bien m'aider. Je t'ai mis dans une position insupportable.

Quand je suis passée devant toi ce matin dans la salle de commandement, ce fut le moment le plus dur de ma vie parce que la seule chose que j'avais envie de faire était de revenir en arrière, et que nous puissions ainsi être toujours ensemble. Quand j'étais avec toi, j'étais heureuse, je me sentais protégée, et j'ai tout fait voler en éclats pour des raisons on ne peut plus mauvaises et stupides.

Il faut que je t'explique pourquoi j'ai agi ainsi. Même si ce n'est pas une excuse :

Quand j'avais six ans, mon père m'a demandé de surveiller ma petite sœur, pendant qu'il était dehors à tondre la pelouse. Elle s'appelait Celia, elle avait deux ans. Nous jouions dans ma chambre. Je l'ai laissée seule quelques minutes pour aller aux toilettes. Quand je suis revenue, elle n'était plus là. J'ai appelé mon père. Il l'a retrouvée par terre derrière mon lit. Elle était restée coincée et avait suffoqué. Elle est morte avant que nous puissions la sortir de là.

Mon père m'a tenue pour responsable alors que je n'étais qu'une enfant. En revanche, ce que lui avait fait était irresponsable, car c'était un adulte, et c'est lui qui était normalement chargé de nous surveiller. Il n'aurait pas dû me laisser seule prendre soin d'elle. Je ne savais pas qu'on pouvait mourir comme ça.

Mais il était dur, il l'a toujours été ; tu n'imagines pas à quel point. Il ne m'a jamais laissée être une enfant. Celia me manque tous les jours.

Quand j'ai appris ce que Rachel Jenner avait fait avec Ben, et comment il était parti seul en courant dans la forêt, j'ai voulu la punir, car on ne doit pas laisser les enfants sans surveillance. Ils peuvent se blesser. J'ai pensé qu'elle ne méritait pas d'avoir un enfant, qu'elle ne l'aimait pas comme elle aurait dû. J'ai pensé qu'elle était comme mon père. J'ai compris que je m'étais trompée quand j'ai vu les photos de Ben qu'elle avait prises. Elles étaient si belles que j'ai bien cru que mon cœur allait se briser sur-le-champ.

Je n'avais pas prémédité ma réaction. Le blog m'a complètement hantée ; c'était devenu compulsif, j'étais incapable de résister.

Je ne sais pas si c'est parce que je n'avais pas les épaules assez larges pour endosser le rôle d'agent de liaison. Peut-être que je suis incapable de supporter les problèmes des autres. J'étais complètement déboussolée. J'aurais dû être plus solide, plus professionnelle, et me retirer de l'enquête. Mais je ne l'ai pas fait. C'était devenu presque impossible de ne plus intervenir sur le blog, car j'étais très en colère. J'essaie de me contrôler mais je suis pleine de rage depuis ce qui nous est arrivé à Celia et à moi. Et j'ai confondu mon histoire passée et ma colère contre mon père avec l'histoire de Rachel ; j'ai voulu la punir de ses péchés.

J'essaie de ne pas le montrer car, généralement, je suis douée pour m'attirer la sympathie des autres et pour faire en sorte que tout aille bien, mais j'ai ma part d'ombre. Et même quand j'essaie de le canaliser, mon passé me joue des tours.

Je me suis comportée d'une manière arrogante et abjecte ; il va me falloir vivre avec ça sur la conscience, de même qu'il va me falloir accepter d'avoir fichu ma carrière en l'air, et de perdre mon travail, mais je l'ai mérité.

Je sais que nous ne pouvons plus être ensemble, mais j'espère que tu auras suffisamment de cœur pour me pardonner, ne serait-ce qu'un peu, ou pour essayer de me comprendre.

J'ai tout raconté au Bureau des Affaires internes. La procédure est en cours. Ils m'ont suspendue de mes fonctions et je suis soumise à une enquête. S'il te plaît, efface ce message après l'avoir lu car je ne suis pas autorisée à communiquer avec toi.

Cependant, il faut que tu saches une chose, Jim : je t'aime. Tout ce temps que nous avons passé ensemble était merveilleux. Tu me manqueras à jamais. Merci.

Emma x

Quand j'ai eu fini de lire, j'ai appuyé sur l'icône « supprimer ». Mais je suis immédiatement allé dans le dossier « corbeille » et j'ai déplacé le message afin de le remettre dans ma boîte de réception.

Dans l'un des placards de la cuisine, j'ai trouvé une bouteille de whisky que mes parents m'avaient offerte quand j'avais emménagé ici ; jusqu'à maintenant, je n'y avais pas touché. Normalement, je ne bois pas mais, cette nuit-là, j'ai ouvert la bouteille. Je n'ai pas pris la peine d'ajouter de l'eau, j'en ai bu une bonne quantité, plus vite qu'il n'aurait fallu. Ce fut suffisant pour que la pièce se mette à tanguer et que je perde conscience.

NEUVIÈME JOUR

Lundi 29 octobre 2012

… les enfants ont des difficultés à savoir qui peut leur faire du mal et qui est inoffensif. Pour cette raison, les parents sont responsables, c'est à eux de faire attention aux personnes qui s'occupent de leurs enfants et de leur apprendre à être prudents.

Marlene L. Dalley et Jenna Ruscoe,
The Abduction of Children by Strangers in Canada : Nature and Scope National Missing Children Services, National Police Service, Police montée canadienne, décembre 2003

Vous ne pourrez pas survivre sans espoir.

When Your Child is Missing :
A Family Survival Guide,
Missing Kids USA Parental Guide, U.S. Department of Justice, OJJDP Report

RACHEL

Cette nuit-là, je ne sais combien de fois je me suis connectée à *Furry Football.* J'espérais rencontrer de nouveau Ben, bien évidemment. Vous auriez fait la même chose.

Mais il n'était plus là. Nulle part. J'ai exploré la moindre facette du jeu en ligne jusqu'à en connaître le moindre détail, chaque serveur, chacune des pages sur lesquelles il était possible de jouer. Au cours de la nuit, des avatars avec des noms étrangers arrivaient et disparaissaient, et je pouvais voir les fluctuations des différents fuseaux horaires tandis que les joueurs se connectaient puis se déconnectaient : des centaines, des milliers, des centaines de milliers d'enfants en ligne, partout dans le monde. Sauf Ben. Je ne l'ai pas revu. Pas une seule fois.

Cependant, les heures passées à le chercher, sans le trouver, n'ont absolument pas ébranlé mes certitudes ni semé le doute dans mon esprit, j'étais de plus en plus convaincue que c'était Ben avec qui j'avais joué ; une intuition si forte que c'était comme s'il m'avait frôlé, en passant devant moi dans son anorak rouge, pour croiser mon regard une seconde, avant de repartir, hors d'atteinte malgré ma main tendue vers lui.

J'aurais voulu en parler à John, je savais que lui aurait compris, qu'il aurait ressenti la même chose.

J'ai appelé l'hôpital, en espérant qu'il aille mieux et qu'il soit peut-être de nouveau conscient. Une voix compatissante et fatiguée m'a répondu en me disant qu'il était toujours dans le même état : stable. C'était tout ce qu'elle pouvait me confirmer.

Je l'ai imaginé comme je l'avais vu la nuit précédente, absent, son esprit enfoui, en boule, caché par l'hémorragie et l'œdème cérébral, traumatisé. Une toute petite part de moi n'enviait-elle pas, juste pour un instant, son amnésie ? Peut-être. Était-ce parce que, plus que jamais, je trouvais l'existence difficile ? Probablement.

Cette nuit-là, deux questions m'ont hantée et m'ont tenue éveillée, en alerte, me plongeant dans un état de fébrilité. Deux questions qui me tourmentaient sans relâche, comme un nœud coulant qui, peu à peu, se resserre autour de votre cou.

Si Lucas Grantham avait enlevé Ben, pourquoi Ben avait-il disparu si soudainement de *Furry Football* ? Et si Lucas Grantham avait enlevé Ben, qui s'occupait de lui pendant que son ravisseur était en détention provisoire ?

Mon téléphone me brûlait les mains, l'écran était recouvert d'empreintes de doigts. Silencieux, c'était un objet inutile, qui semblait se moquer tout à la fois de ma dépendance envers lui et de l'isolement qu'entraînait cette dépendance.

Je voulais recevoir un appel de la police me disant qu'ils faisaient des perquisitions, défonçaient des portes et brisaient des fenêtres pour retrouver Ben.

Je ne voulais pas de procédure. Je ne voulais pas 24 heures de garde à vue. Je ne voulais pas les savoir dans une pièce avec Lucas Grantham, avec du thé et des biscuits, pour finir par ne trouver aucune charge contre lui, pendant que Ben pouvait être quelque part, sans personne pour lui apporter à manger, ou à boire, pour s'occuper de lui, à moins qu'il ne soit avec quelqu'un d'autre, quelqu'un qui, hier soir, l'avait obligé à se déconnecter de *Furry Football* précipitamment.

Mon téléphone restait muet.

Mais je savais que, pendant ce temps, au cœur de son processeur, sans faire de bruit, des e-mails arrivaient : des demandes d'interviews de la part des médias, des messages d'amis et de familles qui étaient au courant, d'autres qui avaient peur de me parler, des gens qui étaient contents de ne pas avoir affaire à moi directement.

Pour autant, le téléphone ne sonnait pas. La police ne m'appelait pas. Personne ne m'appelait.

Je ne cessais de ressasser ces deux réflexions et je ne savais pas quoi en faire. Je n'étais plus la même personne, la guerrière aux yeux fous, agressive, qui s'était levée pendant la conférence de presse pour défier le ravisseur de Ben, et qui avait regardé chaque objectif de caméra en quête d'un adversaire à provoquer.

Désormais, mes nerfs étaient à vif, ils me conféraient l'acuité des sensations que connaissent les toxicomanes, l'extase de la défonce ; ces deux questions, sans réponses, occupaient le premier plan dans mon esprit, telle une note aiguë en continu, et, au petit matin, j'ai agi comme si j'étais en transe.

Pendant que j'appelais un taxi, aucune voix dans ma tête ne m'a dit de renoncer, et ne m'a pas déconseillé de retourner, une fois encore, au commissariat sans avoir prévenu. J'ai agi sous l'impulsion de me faire entendre, de leur dire ce que je savais et ce que je redoutais. J'avais besoin de partager mes idées.

Ce lundi matin, il faisait un froid de canard, il gelait presque, et la pluie de la nuit précédente rendait l'asphalte luisant d'humidité. Il pleuvait toujours de grosses gouttes éparses et, tandis que j'ouvrais la portière du taxi, j'ai eu froid aux mains.

— Kenneth Steele House, ai-je dit au chauffeur, Feeder Road.

Le chauffeur venait juste de prendre son service ; il était trop occupé à essayer d'essuyer la condensation à l'intérieur de sa vitre pour me parler. Je regardais la buée disparaître progressivement du pare-brise sous l'effet de la ventilation : deux ovales qui s'agrandissaient pour laisser apparaître des formes peu flatteuses pour la ville. Il était 7 h 45 ; le jour commençait à se lever et la circulation du lundi matin à s'amplifier ; nous avancions par à-coups, éclaboussant les trottoirs chaque fois que le chauffeur accélérait. À chaque intersection, les feux passaient au rouge tandis que nous approchions, et l'homme freinait toujours trop tard et donc brutalement. La ville semblait crasseuse et désespérée.

À Kenneth Steele House, la réceptionniste m'a immédiatement reconnue ; elle a surgi de derrière son bureau pour m'intercepter, avec le même élan que celui d'un chien de berger qui s'aperçoit que l'un de ses moutons idiots et miteux est sur le point de s'égarer.

—Madame Jenner, êtes-vous attendue ? m'a-t-elle demandé, une main posée sur mon coude pour me guider vers le canapé de la salle d'attente, loin du flot des arrivées du lundi matin.

—Je dois parler à quelqu'un qui participe à l'enquête, ai-je répondu.

J'essayais de garder la tête haute et de m'exprimer d'une voix aussi calme et ferme que possible. J'ai écarté une mèche qui me tombait sur les yeux. Et je me suis rendu compte que je ne m'étais ni brossé ni lavé les cheveux.

Cette fois, ils n'ont pris aucun risque. Un scandale à la réception n'était, de toute évidence, pas au programme. Il a suffi d'une dizaine de minutes pour que j'obtienne une entrevue avec l'inspecteur principal Fraser.

Je ne me souviens pas de la salle, sans intérêt particulier, dans laquelle nous nous sommes retrouvées, mais je me souviens parfaitement de l'inspecteur principal Fraser. Je ne l'avais pas revue depuis la semaine dernière, bien que j'aie suivi ses communiqués de presse à la télévision. Elle avait l'air d'avoir vieilli, mais je suppose que moi aussi. Sa peau était grisâtre et les pattes-d'oie au coin de ses yeux étaient plus marquées. Elle est entrée dans la salle avec une tasse de café à la main qu'elle a avalé en trois gorgées rapides.

— Madame Jenner, je sais que vous avez été avertie que nous avons quelqu'un en détention provisoire.

— Oui.

— Et ce matin j'ai déjà organisé une série d'interrogatoires qui, j'espère, nous permettra de confirmer que le suspect qui est détenu est le bon, afin que nous puissions localiser Ben. D'accord ? Ce matin, c'est ma priorité ; mais je voulais vous recevoir personnellement car je sais combien il vous est difficile d'attendre des nouvelles en restant chez vous.

— Merci.

Je lui étais reconnaissante. Je savais qu'elle était plus attentionnée qu'elle n'avait besoin de l'être.

— Mais je vous demanderai d'essayer d'être patiente, vous ne pouvez rien faire de plus. Nous avons bien eu votre message, cette nuit, et nous sommes en train de nous occuper de ce qui vous mine. Nous avons commencé des recherches et avons déjà parlé à l'un des amis de Ben car il semblerait que les enfants qui jouent à *Furry Football* partagent souvent leurs identifiants et mots de passe.

— Je suis sûre que c'était lui, ai-je dit.

Cette certitude agissait comme une démangeaison qui ne me laissait aucun répit et ses paroles, aussi gentilles soient-elles, ne parvenaient pas à m'apaiser.

— Je comprends que cette idée soit terriblement séduisante, madame Jenner, croyez-moi ; penser que nous pouvons entrer en communication avec Ben est tentant, mais vous devez admettre que nous n'avons aucun moyen de confirmer que c'était lui, et je ne veux pas que vous vous fassiez trop d'illusions.

— Est-ce que l'un de ses amis a avoué être le joueur qui était en ligne ?

— Pas encore. Mais vous ne devez pas oublier que les enfants ne disent pas toujours la vérité. Non pas par volonté de mentir mais parce qu'ils ont peur. Et il est aussi possible que ce soit un autre de ses amis. Pour le moment, nous n'avons pu interroger qu'un seul d'entre eux.

— Je suis la mère de Ben. Je sais que c'était lui. Il avait un nouvel équipier, un joueur dont il m'a parlé dimanche matin. C'était une girafe.

Elle s'est frotté le front, d'un doigt, entre les sourcils.

— Un autre enfant n'aurait-il pas pu avoir ce nouveau joueur ?

— C'était Ben. Il est vivant, inspecteur principal Fraser. Je le sais.

— Dieu seul le sait, madame Jenner. Je l'espère aussi, et je prends cette information très au sérieux. Elle nous est très utile, bien sûr, et je ne l'oublierai pas. Je vous entends. Mais il est important de la considérer en fonction du contexte actuel de l'enquête.

Elle s'est rapprochée de moi, m'a regardée droit dans les yeux, un regard pénétrant et sincère.

— Croyez-moi, je ferai tout ce qui est en mon pouvoir pour retrouver Ben vivant, sain et sauf. Je comprends qu'attendre des nouvelles est pour vous extrêmement difficile, mais nous travaillons ici sans relâche pour avancer, et le vrai problème est que chaque instant passé avec vous est du temps en moins consacré à l'enquête.

J'ai fini par comprendre ce qu'elle me disait : que pouvais-je commettre de pire comme péché que de détourner leur attention de l'enquête en cours ?

J'ai recommencé à pleurer et me suis demandé si ces crises de larmes cesseraient jamais, si je serais un jour capable de maîtriser en public mes émotions. Mais, par ailleurs, je ne m'en excusais plus, c'était une chose à laquelle les autres devaient s'habituer, comme avoir un estomac qui gargouille ou des suées.

— Je ne voulais surtout pas vous faire perdre du temps, ai-je dit.

Elle a pris mes mains dans les siennes et j'ai été surprise et désarmée par la chaleur qui s'en dégageait.

— Vous ne me faites absolument pas perdre mon temps. Vous me donnez des informations, et plus nous avons d'informations, mieux c'est. Mais il m'est impossible de me rendre dans toutes les maisons de Bristol où se trouverait quelqu'un connecté à *Furry Football*. À ce stade de l'enquête, le chemin le plus court pour arriver à Ben passe par son ravisseur, en utilisant toutes les informations dont je dispose. Et l'information que vous venez de me donner est inscrite là, dans ma tête. Je ne l'oublierai pas, personne de mon équipe ne l'oubliera. Nous la garderons à l'esprit chaque fois que nous interrogerons quelqu'un ou que nous prendrons une décision. Vous me comprenez bien ?

J'ai acquiescé d'un hochement de tête.

— Cette information est précieuse.

— D'accord.

— Je vais demander à quelqu'un de vous raccompagner chez vous.

— Ben est vivant, ai-je dit.

— Je vous appellerai dès qu'il y aura du nouveau. Attendez chez vous.

Je me suis dirigée vers le hall d'entrée, la vue brouillée ; j'ai descendu plusieurs escaliers, qui se ressemblaient tous, d'une démarche instable, mes pas résonnaient sur le lino, en ayant l'impression que les choses m'échappaient. Arrivée en bas, je fus surprise de trouver la maîtresse d'école de Ben.

Mlle May, l'image même de la maîtrise de soi, tout le contraire de moi et de mon allure dévastée, était assise au bord du canapé dans la salle d'attente, son sac, qu'elle tenait des deux mains, sur les genoux. Elle n'était presque pas maquillée. Ses cheveux étaient soigneusement coiffés en un chignon bas sur la nuque. Quand elle m'a vue, elle s'est levée.

— Ils m'ont demandé de venir pour m'interroger, m'a-t-elle dit. À propos de Lucas Grantham.

Elle a prononcé le nom en chuchotant, incrédule, les yeux rouges, grands ouverts. J'ai eu l'impression que, désormais, le nom de Lucas Grantham ne serait plus que chuchoté, puisqu'il était susceptible d'être un ravisseur d'enfant, un prédateur, un monstre.

— Quelles questions vous ont-ils posées ?

— Je ne peux rien dire.

Sa réponse ne m'a pas empêché de poursuivre.

— Avez-vous une idée ? Pensez-vous que c'est possible ? Croyez-vous qu'ils ont raison ?

— Je leur ai dit tout ce qui me venait à l'esprit.

— Vous croyez qu'il peut être coupable ?

Elle s'est raidie, s'est mise à rougir, et ses mouvements sont devenus fébriles.

— Honnêtement, je ne sais pas. Peut-être, oui, c'est possible. J'essaie de réfléchir, pour faire remonter des choses à la surface, pour trouver des signes, j'essaie vraiment. Mais il n'y a rien de flagrant, sinon j'en aurais déjà parlé, mais des petites choses, oui…

Elle a ouvert la bouche pour continuer, comme si elle voulait m'en dire plus, et j'ai pensé qu'elle allait me faire une confidence, et me donner un brin d'espoir, mais nous avons été interrompues ; le policier qui était venu prendre le cahier d'école de Ben que John et moi avions apporté quelques jours plus tôt est apparu soudain à nos côtés, un trousseau de clés à la main.

— Inspecteur Bennett. Ça vous va si je vous raccompagne toutes les deux ? Apparemment vous ne vivez pas trop loin l'une de l'autre.

Il était 9 heures du matin et nous avions passé l'heure de pointe, la circulation s'était calmée. Bennett a traversé le centre-ville, là où les rues étaient cernées par des immeubles modernes, dont le sommet se perdait dans des nuages de pollution et dont les vitres teintées, qui renvoyaient leur reflet à l'infini, étaient placardées de panneaux « BUREAUX À LOUER », par des boutiques aux vitrines condamnées par des planches, des studios d'étudiants aux fenêtres en plastique de couleur, et des bâtiments en béton des années 1960 érodés par la fumée des pots d'échappement, recouverts de graffitis, et aux murs tachés. C'était l'heure à laquelle arrivaient les employés de bureau, chaussés de tennis, un café dans une main et un porte-documents dans l'autre.

J'ai été la première, dans la voiture, à rompre le silence. Il y avait une chose que je tenais à dire à Mlle May :

— Je ne suis pas sûre de vous avoir jamais remerciée pour tout ce que vous avez fait pour Ben, l'année dernière, quand mon mari et moi étions en plein divorce. Je vous en suis vraiment reconnaissante. Et Ben aussi.

— Ça a été très difficile pour lui.

Elle m'a lancé un faible sourire.

— Vous l'avez beaucoup aidé.

— C'était la moindre des choses, a-t-elle dit. Ils sont encore si petits. C'est un privilège de faire partie de leurs vies. Vous devez vous sentir tellement vide sans lui.

Bennett a insulté un cycliste qui grimpait laborieusement la pente raide menant à Park Street et qui, sous l'effort, zigzaguait devant nous. J'ai concentré mon attention sur le sommet de la pente, sur la tour à l'architecture gothique de l'ère victorienne qui dominait la ligne d'horizon : le bâtiment le plus facile à repérer de l'université de Bristol. À côté, se trouvait le Bristol Museum. Et j'ai repensé à ce que Ben y aimait particulièrement : un squelette d'ichtyosaure, une boîte contenant des cristaux d'un bleu éclatant, un dodo empaillé et le tableau d'Odilon Redon.

— Je ne me sens pas vide, car je sais qu'il est vivant. J'en suis sûre. Mais j'ai très peur, ai-je dit d'une voix sourde, dans un souffle – comme si mes mots étaient les derniers grains d'un sablier.

Elle s'est détournée pour regarder dehors, et j'ai craint d'avoir parlé trop librement, de m'être mise à nu sans faire attention à ce que je disais. Depuis, c'est une ligne que j'ai souvent franchie. Mais si vous parlez trop librement des choses horribles qui vous arrivent les gens se dérobent.

Son sac à main était posé sur le siège entre nous deux, grand ouvert, et mes yeux en ont scanné le contenu. Un trousseau de clés, un téléphone portable, un paquet de mouchoirs en papier, des feuilles A4 pliées en deux, un câble de chargeur, une brosse à cheveux, un portefeuille en cuir et d'autres choses encore : tout un assortiment d'objets quotidiens.

Quand Mlle May s'est retournée vers moi, son visage était impénétrable.

— Je suis désolée, ai-je dit. C'est si dur.

— Ce n'est rien. Je ne peux même pas imaginer à quel point ce doit être affreux pour vous. Moi-même, je ne dors plus, et je ne suis pas sa mère. Je ne cesse de penser combien ce doit être difficile pour lui sans sa nunny.

J'ai étouffé un cri, en pressant mon poing sur ma bouche, et j'ai essayé de ne pas éclater en sanglots une fois de plus.

— Désolée.

Et cette fois, les mots sont restés coincés dans ma gorge.

— Je vous en prie, ne soyez pas désolée. Je comprends parfaitement. C'est moi qui devrais être désolée. Je ne voulais pas vous bouleverser encore plus que vous ne l'êtes déjà.

J'ai respiré profondément, de longues inspirations laborieuses et éprouvantes, et je me suis ressaisie.

— Ça va, ai-je dit. Et vous avez raison, je crois qu'il n'a encore jamais dormi sans sa nunny.

Elle a hoché la tête. L'arrière de la voiture était mal éclairé et, dans l'ombre, son visage paraissait glauque. Les rues devant lesquelles nous passions étaient maintenant plus agréables, avec leurs maisons peintes dans des couleurs pastel ou de la teinte lumineuse de la pierre de Bath, gaies même sous un ciel gris.

Quand j'y repense, désormais, cette scène ressemble à l'image d'un film, comme si le temps s'était arrêté.

— Pauvre petit, a-t-elle ajouté.

Je regardais sa bouche s'ouvrir et se fermer, hypnotisée. J'ai senti un picotement sur ma nuque dû à un mauvais pressentiment.

J'ai jeté un œil à l'inspecteur Bennett. La bouche entrouverte, il était concentré sur sa conduite, manœuvrant pour prendre un virage, clignotant allumé, et ne faisait pas attention à ce qui se passait sur le siège arrière.

— Madame Jenner ?

Tandis qu'elle se penchait vers moi, son cou m'apparut anormalement long et blanc. J'ai tourné la tête du côté de la vitre en essayant de réfléchir, pour identifier précisément l'origine de mon trouble, la cause de mon inquiétude. Je me suis repassée la conversation dans ma tête, et mon malaise s'est cristallisé en une certitude, une lumière blanche d'une clarté parfaite et terrifiante.

J'avais la gorge sèche.

— On y est ? a demandé l'inspecteur Bennett.

La rue était étroite, avec des voitures de chaque côté, et nous avons bloqué la circulation. Nous étions garés devant une maison de ville à quatre étages, bordée d'un large trottoir composé de gros pavés irréguliers et usés. Elle était située dans une longue portion de rue en demi-cercle, aux demeures élégantes avec de petits jardins arborés, clos par des grilles en fer forgé. À chaque extrémité de la rue, les maisons avaient une vue panoramique sur la ville et le port avec, en toile de fond, la campagne environnante : au premier plan, des arbres et des toits et, au loin, d'autres habitations. On pouvait aussi apercevoir la rivière et, au-delà, des champs et des collines s'épanouissant sous un ciel gris ; ce matin-là, une pluie torrentielle s'approchait inexorablement de la ville.

Et j'ai compris que je n'avais que quelques secondes pour prendre une décision.

J'ai ensuite agi sous le coup d'une impulsion, sans plus réfléchir.

JIM

Je me suis réveillé la tête dans un étau, la bouche sèche avec l'envie de vomir, sans y parvenir. J'avais dormi tout habillé.

Woodley est passé me prendre à sept heures et quart. Il faisait encore nuit et il gelait. Il avait mis le chauffage à fond dans la voiture, et la ventilation envoyait de l'air chaud dans tout l'habitacle. Je bouclais ma ceinture de sécurité quand il a tapé sur le tableau de bord du plat de la main :

— Prêt, chef ? a-t-il demandé.

— Tu te décides à entrer l'adresse dans le GPS ou bien il faut que je sorte ma boussole ?

Il a démarré. Un journal traînait sur le plancher, sous mes pieds. Je l'ai ramassé. La disparition de Ben Finch ne faisait plus la une.

LA TEMPÊTE SANDY

Un ouragan se dirige vers New York.

Soixante millions d'Américains sont menacés par des vents violents, de fortes pluies et des inondations. Un cyclone s'apprête à ravager la côte Est des États-Unis mardi.

Il fallait attendre la page quatre avant de trouver un article concernant l'affaire :

FACE À UN MUR ?

Les policiers qui enquêtent sur la disparition de Benedict Finch « sont sur plusieurs pistes ».

Je n'ai pas pris la peine de poursuivre. L'article n'était certes pas intéressant mais il avait le mérite d'exister, on parlait encore de Benedict Finch. L'arrestation de Lucas Grantham n'était pas mentionnée. Le blog était une nuisance, avoir l'attention des médias n'était pas toujours bon, mais c'était mieux que ne rien avoir du tout.

J'ai reposé le journal sur le plancher.

Il faisait encore nuit et la route était mouillée ; les feux arrière des voitures devant nous devenaient flous chaque fois que les essuie-glaces balayaient le pare-brise. Nous avons quitté l'autoroute et nous sommes tout de suite retrouvés sur des petites routes de campagne sinueuses, pleines de virages, et la lumière des phares des voitures qui arrivaient en sens inverse semblait surgir de nulle part, nous éblouissant et nous obligeant à nous serrer sur le bas-côté ; les roues s'enfonçaient alors dans de profondes ornières pleines d'eau éclaboussant les vitres.

Au petit matin, nous avons peu à peu découvert le paysage : des collines arrondies se détachaient, comme de sombres silhouettes peintes en noir, sur un ciel bleu nuit. Et le jour a fini par se lever tandis que nous descendions en direction de Pewsey Vale, que nous voyions apparaître en contrebas, sous forme d'une plaine très étendue. Une brume épaisse stagnait au fond du vallon, transformant, de loin, la plaine en un lac. Une fois dans la vallée, nous avons été cernés par un brouillard givrant qui minimisait la portée de nos phares, dont la lumière se réfléchissait dans la blancheur environnante.

Plus nous avancions en direction du cottage, plus les chemins devenaient étroits et le brouillard épais, à tel point que nous ne voyions rien à plus de quelques mètres devant nous, et nous avons ralenti jusqu'à finir par rouler au pas. De hautes haies touffues nous entouraient, oppressantes, et Woodley devait conduire prudemment pour éviter les nids-de-poule de l'accotement.

Nous nous sommes rangés sur une petite aire de stationnement, à peu près à huit cents mètres du cottage, selon le GPS. Il était encore trop tôt pour rendre visite à Nicky Forbes. Il n'était que 8 h 30 et nous avions un peu de temps devant nous. Fraser voulait éviter que Nicky Forbes nous accuse de harcèlement.

Je suis sorti de la voiture et j'ai allumé une cigarette ; j'ai fait le tour et Woodley a baissé sa vitre de quelques centimètres.

— Tu as remarqué d'autres habitations en arrivant ici ? lui ai-je demandé.

— La maison la plus proche que j'ai vue doit se trouver à environ cinq cents mètres d'ici.

— Pareil pour moi.

J'étais mal à l'aise. Le brouillard épais semblait sans limite, les contours étaient indéfinis et j'avais l'impression d'être complètement désorienté. Un froid glacial insidieux m'avait envahi et je ne sentais déjà plus mes orteils. La cigarette ne me rendait pas service et je l'ai écrasée à moitié fumée seulement, ramenant le mégot avec moi dans la voiture ; j'ai vu Woodley faire la grimace quand je l'ai fourré dans le cendrier. J'étais nauséeux et je me suis frotté les yeux pour m'éclaircir les idées. Woodley a alors dit :

— Ça va, chef ?

— Ouais. Pourquoi tu me poses cette question ?

Il s'est tu, en hochant légèrement la tête. Il avait l'air nerveux. Il tenait son téléphone à la main et essuyait l'écran du revers de sa manche. J'avais l'impression qu'il fallait que je lui donne des conseils, mais je ne savais pas quoi dire.

— Avec notre boulot, on n'a pas une vie normale. On est en marge de la société.

Mes propos n'étaient pas clairs. Je voulais qu'il comprenne ma pensée, mais il ne me regardait pas et ne cessait de frotter l'écran de son téléphone.

— Certaines enquêtes te font mûrir.

À peine avais-je fini ma phrase que j'ai eu le sentiment d'être condescendant et de le prendre de haut, mais il n'a pas semblé y prêter attention.

— Vous est-il déjà arrivé de travailler sur une affaire qui n'a jamais été résolue ? m'a-t-il demandé.

— Cette affaire sera résolue, ai-je répondu. Nous y sommes presque. Je peux te le jurer.

— Je sais. C'est juste une question que je me posais.

J'ai repensé à ce qu'il venait de dire. Dans la plupart des affaires, il restait toujours de petites choses non élucidées. Un promeneur de chien jamais identifié, une voiture blanche qui s'est trouvée par hasard près de la scène de crime mais dont le chauffeur n'a jamais été reconnu. C'était normal et, pourtant, ces petits détails rendaient fous certains d'entre nous qui continuaient à chercher des réponses qu'ils n'auraient jamais. Mais ils ne voulaient pas renoncer. Je n'avais jamais travaillé sur une enquête dans laquelle le coupable n'avait pas été arrêté et je ne voulais pas que ce soit le cas, pour la première fois, dans cette affaire-ci. Pas quand la vie d'un enfant était en jeu. Pas quand le pire des crimes pouvait avoir été commis.

— Vous pensez qu'elle va se mettre à table ?

— Une femme comme Nicky Forbes ne va pas nous servir des aveux sur un plateau. On a du pain sur la planche.

Nous avons avancé prudemment dans le brouillard et avons trouvé le cottage à huit cents mètres de là, au bord du chemin. Au-dessus de nous, des arbres immenses se faisaient menaçants, même si seules les branches du bas étaient visibles.

Nous nous sommes garés près d'une Golf Volkswagen, devant une barrière en bois affaissée et recouverte de lichen. D'après la plaque d'immatriculation, je savais que cette voiture appartenait à Nicky Forbes.

Nous nous sommes approchés du cottage en ouvrant un portail blanc en bois, marchant le long d'une petite allée couverte de dalles irrégulières. Des feuilles mouillées étaient amassées près du pas de porte, et l'allée était bordée de rosiers taillés. Le cottage était joli, peint en crème, avec son toit de chaume que le givre rendait argenté et ses petites fenêtres alignées, encastrées dans des murs épais. La maison n'était pas très grande, d'après moi, il n'y avait que trois chambres et une salle de bains. En haut, les rideaux étaient tirés mais, à travers l'une des fenêtres, près de la porte d'entrée, j'ai pu apercevoir un petit salon bien rangé, meublé simplement, et doté d'une cheminée. Des étagères de livres en recouvraient les murs. Les journaux de la veille étaient ouverts sur la table basse.

De là où nous étions, nous ne voyions aucune dépendance ; mais le brouillard réduisant la visibilité il était difficile de savoir ce qu'il en était.

J'ai appuyé fort sur la sonnette et nous l'avons entendue résonner à l'intérieur.

RACHEL

Mlle May a regardé par la vitre, en direction d'une maison à la porte peinte en noir brillant.

— C'est ici. Parfait. Merci, a-t-elle dit.

— Merci à vous pour avoir répondu à nos questions, a rétorqué Bennett.

— C'est bien normal.

Elle est sortie de la voiture en prenant le temps de réajuster son manteau. Son sac était toujours sur le siège, à côté de moi. Je voyais ses clés mais, avant que j'aie pu réagir, elle a passé la tête par la portière ouverte en scrutant la banquette arrière pour s'adresser à moi.

— Si je peux faire quoi que ce soit pour vous, n'hésitez pas. Vraiment.

— Merci, ai-je répondu.

Une voiture était arrêtée derrière nous et le chauffeur a klaxonné frénétiquement pour que nous avancions.

— Il ferait mieux de se calmer, a dit Bennett en jetant un œil dans le rétroviseur, où nos regards se sont croisés.

C'était ma seule chance. Mlle May a allongé le bras pour attraper son sac mais, avant qu'elle y parvienne, je m'en suis emparé.

— Tenez, ai-je dit en lui tendant.

Ce faisant, je l'ai lâché ; il est tombé et tout son contenu s'est renversé en partie sur mes genoux mais aussi sur le plancher.

— Oh, je suis désolée ! ai-je fait.

Je me suis penchée pour ramasser ses affaires éparpillées dans le noir, en prenant soin de lui barrer la vue. J'ai remis l'essentiel dans son sac : une barre de céréales à moitié entamée, un porte-monnaie, un téléphone et son chargeur, des mouchoirs en papier, une boîte d'analgésiques, son portefeuille.

Mais j'ai gardé les clés par-devers moi et les ai glissées entre le siège et ma cuisse.

Derrière nous, le chauffeur s'impatientait.

— Dépêchez-vous, mesdames, a dit Bennett.

Je lui ai rendu son sac, en prenant soin de le tenir de manière à ce qu'il ne bâille pas.

— Tout y est, ai-je dit. Au revoir.

— Vous êtes sûre ? a-t-elle demandé.

La voiture derrière nous faisait des appels de phares.

— Tout est là, ai-je répété. Au revoir.

— Prenez soin de vous, a-t-elle dit, en refermant la portière de la voiture.

L'inspecteur Bennett a accéléré pour repartir. Dans le rétroviseur extérieur, je la voyais encore, debout sur le trottoir.

Je sentais les clés sous ma cuisse et, en prenant soin de ne pas les faire cliqueter, je les ai rangées subrepticement dans la poche de mon manteau.

Nous étions à dix minutes de chez moi, à Clifton Village. Nous avons longé les Downs, un espace vert, sans relief et boueux à la périphérie duquel se promenaient des gens avec des chiens et où les plus sportifs d'entre eux venaient courir. On y voyait quelques arbres épars, tel un troupeau au bétail clairsemé et abandonné, avec le château d'eau qui se profilait au loin.

J'écoutais attentivement l'émetteur radio dans la voiture. Je craignais que Melle May ne contacte la police dès qu'elle essaicrait de rentrer chez elle et qu'elle s'apercevrait qu'elle ne trouvait pas ses clés. Elle demanderait alors à l'inspecteur Bennett de faire demi-tour. J'aurais dû prendre son téléphone.

Nous avons longé la banlieue, essentiellement des maisons jumelées datant des années 1930, nous n'étions pas loin de chez John et Katrina. Quelques minutes plus tard, nous arrivions chez moi. La radio émettait des bribes d'informations mais rien au sujet des clés; cependant, la panique m'empêchait de déglutir et j'avais la bouche pleine d'une salive au goût amer, presque tannique, celui du thé que j'avais bu au commissariat.

— Inspecteur Bennett?

— Qu'y a-t-il chère madame?

— C'est à propos de Mlle May, et de ce qu'elle a dit; elle a parlé de la nunny de Ben.

— Qu'a-t-elle dit?

Nos regards se sont croisés dans le rétroviseur.

— Eh bien, elle n'est pas censée être au courant pour sa nunny.

— Je ne suis pas certain de bien vous suivre.

— Ben a un peu honte d'avoir cette nunny. C'est une vieille couverture, toute loqueteuse, qu'il avait quand il était bébé et qu'il a gardée depuis. Il dort avec. Et je suis sûr qu'il ne lui en a jamais parlé.

Il a fait le tour du rond-point sans rien dire.

— Il ne pourrait pas l'avoir évoquée avec elle, ne serait-ce qu'une fois ? a-t-il demandé.

Nous étions arrivés dans le quartier résidentiel aux maisons victoriennes alignées les unes à côté des autres et aux rues étroites qui montaient et descendaient.

Je me suis penchée entre les deux sièges avant.

— Jamais il ne lui en aurait parlé, j'en suis sûre.

La radio s'est remise à crachoter et j'ai dû parler plus fort pour couvrir le bruit. L'inspecteur Bennett s'est garé dans ma rue, à quelques mètres de ma maison, et s'est tourné vers moi.

— Très bien, a-t-il dit d'une voix traînante laissant entendre son scepticisme. Vous êtes sûre et certaine de ce que vous avancez ?

— Je n'ai jamais eu de plus grande certitude de ma vie.

— Alors je vais vous dire ce qui va se passer.

Le ton doucereux sur lequel il s'adressait à moi m'a donné l'impression qu'il ne me prenait pas au sérieux, mais plutôt qu'il se moquait de moi.

— Je vais transmettre cette information à notre chef. Ça vous semble une bonne idée ?

— Peut-on appeler maintenant ? Je pense que c'est important.

— Je vais filer directement là-bas et je vais les informer, je vous le promets.

— Inspecteur Bennett, je crois que vous ne comprenez pas…

— J'ai promis, n'est-ce pas ? Je ne peux pas faire plus. Ils vous appelleront s'ils pensent que ça en vaut la peine. Vous feriez mieux de rentrer chez vous. Ne vous tracassez pas. Allez. J'insiste, je ne plaisante pas.

Les quelques journalistes qui étaient toujours là nous observaient. Il a baissé sa vitre.

— Dégagez. Laissez-la passer, a-t-il lancé. Allez ! Foutez le camp !

L'émetteur radio s'est remis en marche et j'ai compris qu'il fallait que je sorte de la voiture car il n'allait certainement pas tarder à être question des clés de Mlle May.

Je me suis extirpée du véhicule, tête baissée, cachée sous ma capuche, et j'ai couru jusqu'à la maison.

Une fois à l'intérieur, je suis restée là un moment, les clés à la main en essayant de réfléchir à ce que je devais faire. Skittle, toujours plâtré, s'est maladroitement glissé entre mes jambes, remuant la queue en quête d'affection.

J'ai téléphoné au commissariat et, une fois de plus, j'ai demandé à parler à Fraser. Mais on m'a répondu qu'elle était occupée et qu'elle me rappellerait. On comprenait l'urgence de ma requête, on lui passerait le message et on me rappellerait dès que possible, m'a-t-on assuré.

Nicky a répondu et m'a écoutée sans rien dire pendant que je lui racontais toute l'histoire, sans reprendre mon souffle : l'arrestation de Lucas

Grantham, Mlle May dans la voiture en revenant du commissariat, absolument tout.

— Rappelle la police encore une fois. Il faut qu'ils t'écoutent.

J'ai entendu la sonnette du cottage.

— Où es-tu, Nicky ? Je croyais que tu étais chez toi, à la maison.

— Je dois aller ouvrir. Désolée. Je te rappelle.

— Attends.

— D'accord, ne quitte pas, je vais juste voir qui c'est et je reviens.

J'ai entendu le bruit de ses pas qui s'éloignaient, celui de la porte qui s'ouvrait et le son d'une voix d'homme, puis Nicky a repris le téléphone, en disant :

— Je suis vraiment désolée. Il faut que j'y aille.

Et elle a raccroché.

JIM

Quand elle a ouvert, Nicky Forbes était au téléphone. Vu la tête qu'elle faisait, nous étions les dernières personnes qu'elle s'attendait à voir.

Elle était déjà habillée mais pas maquillée, et elle était si pâle qu'on aurait dit un masque. En nous accompagnant dans la cuisine, elle avait l'expression grimaçante de quelqu'un qui vient de sucer un citron. Nous nous sommes assis à une petite table placée le long du mur.

Une cigarette encore allumée était posée dans un cendrier rond en céramique rempli de mégots écrasés. La table et les chaises en bois étaient peintes en orange brillant qui s'écaillait par endroits. Le sol était recouvert de carrelage blanc et noir et les placards blancs étaient bordés de bois.

La pièce datait des années 1960 et n'avait pas été rénovée depuis. Ce n'était pas ce à quoi je me serais attendu de la part de Nicky Forbes car j'avais vu son blog, avec des photos sur lesquelles elle s'affairait derrière sa gazinière AGA dans une cuisine parfaitement équipée et très moderne.

La bouilloire chauffait mais elle ne nous a rien proposé à boire.

— Inspecteur Clemo, vous fumez ? a-t-elle demandé en me tendant le paquet de cigarettes qui était sur la table.

— Non, merci, ai-je dit.

Et Woodley a secoué la tête quand, d'un air interrogateur, elle lui a montré le paquet.

Elle l'a reposé sur la table d'un geste brusque et a repris la cigarette à moitié fumée qui attendait dans le cendrier.

— J'avais arrêté depuis des années, quand j'étais enceinte de la première de mes filles, a-t-elle dit.

Elle aspirait profondément, ses yeux rivés aux miens, son regard direct et plein de défi.

— Je me demande pourquoi vous êtes là, a-t-elle ajouté en rejetant doucement la fumée qui est restée en suspens entre nous, alors que ma sœur est à Bristol et essaie d'attirer l'attention de quelqu'un qui voudrait bien l'écouter et la croire quand elle raconte qu'elle a la preuve que Ben est vivant. Je me demande aussi pourquoi vous êtes là sachant que vous avez déjà arrêté un suspect. L'assistant d'éducation de Ben, c'est bien ça ? Ne devriez-vous pas vous occuper de rassembler des preuves contre lui ?

Ses yeux passaient de l'un à l'autre, et quand aucun de nous deux n'a répondu, elle a tapé du poing sur la table, un geste de colère qui a fait sursauter Woodley, mais pas moi.

— Qu'est-ce qui vous prend, les gars ? Quel est votre problème ?

Elle était rouge de colère et ses manières s'apparentaient à celles d'un professeur qui attend des réponses aux questions qu'il vient de poser. Chez elle, tout n'était qu'une question de contrôle, de pouvoir, ai-je pensé. Elle essayait donc de nous montrer qu'elle avait le contrôle alors qu'elle l'avait déjà perdu. Mais je ne doutais pas de pouvoir la faire craquer ; je savais que j'étais doué pour mener les interrogatoires, très doué même.

Les premières années, quand j'étais encore stagiaire, je passais des heures avec mon père, à m'entraîner pour affûter mes compétences, en une sorte de jeu de rôle où il m'interrogeait, jusqu'à ce qu'il me piège, avec tous les sales tours qu'il avait dans sa manche, et qu'il m'apprenne à les reconnaître et à les utiliser.

— Tu entendras toujours des excuses, m'avait dit mon père un soir où j'étais venu rendre visite à ma famille.

Nous avions fini de dîner. Ma mère faisait la vaisselle et j'étais avec mon père, nous bavardions dans son bureau. La fenêtre était grande ouverte et, dehors, la chaleur de cette journée de fin d'été commençant tout juste à se dissiper, nous profitions de la douceur de la nuit.

— Certains te diront qu'on n'est pas des magiciens, qu'on ne peut pas nous demander l'impossible. C'est des conneries tout ça. Rien que des lamentations. C'est réservé aux gars qui ne sont pas assez bons. Si tu es doué, alors tu peux obtenir des aveux de n'importe quel coupable. Mais il faut être vraiment bon, avait-il continué.

Deux verres en cristal taillé remplis de whisky étaient posés sur la table entre nous. Mon père avait fermé la fenêtre et allumé sa lampe de bureau qui projetait un rectangle de lumière vert foncé.

Il s'était rassis.

« À chaque fois », avait-il ajouté.

Et, à cet instant, dans la cuisine de Nicky Forbes, j'ai pris une chaise que j'ai approchée d'elle le plus possible de telle manière que nos genoux se touchaient presque.

RACHEL

La situation était la suivante :

Que faire quand vous êtes toute seule à être convaincue ? Quand vous savez quelque chose mais que personne ne vous écoute ? Quand vous voulez agir, mais que vous ne pouvez pas évaluer le danger que représente cette action ni ce que vous risquez ? Quand vous n'avez que quelques minutes pour vous décider ?

Nombre de décisions que j'avais prises dans ma vie avaient été guidées par les relations compliquées que j'avais avec les autres.

Dois-je en dresser la liste ? C'est la même chose pour presque tout le monde. Rien de spécial. Des décisions prises par ressentiment à l'égard de vos parents, ou de votre sœur, ou pour faire plaisir à votre famille ou à votre mari, ou par peur de le perdre. Des décisions prises par ambition, ou pour complaire à l'idée que vous avez du rôle de parents. Et j'en passe.

Mais le lundi 29 octobre, à 9 heures du matin, tout s'est écroulé. Il n'y avait que moi, et je devais faire un choix. J'aurais pu croire tout ce que les gens écrivaient à mon propos, que je ne valais rien, que j'étais incapable de prendre des décisions sensées et justes, et j'aurais pu obéir à l'inspecteur principal Fraser et attendre patiemment chez moi d'avoir des nouvelles.

Mais j'ai choisi d'agir, en tenant compte de ma certitude. Toute seule. Une fois de plus. Car j'étais persuadée d'avoir raison.

Ne croyez pas que le doute ne s'est pas insinué en moi, menaçant de me faire renoncer. Ne croyez pas que je n'ai pas mesuré les risques qu'il y avait à agir seule. Des risques pour Ben et pour moi-même.

Je l'ai écarté de ma pensée car je savais que je pouvais me fier, purement et simplement, à mon instinct de mère.

— Sois forte, m'avait dit Ruth. Tu es une mère. Tu dois être forte.

Et ce fut suffisant. J'ai compris, en cet instant, ce matin-là, qu'être mère avait donné à Ruth cette force – certes semblable à un fil de soie, un seul, mais aussi solide qu'une toile d'araignée –, qui la gardait en vie. C'était le fil qui l'avait guidée, à plusieurs reprises, à travers les profondeurs du labyrinthe de sa dépression pour l'en sortir. C'est ce qui lui avait évité de sombrer définitivement, irrémédiablement, dans l'obscurité séduisante de la mélancolie et ce qui l'avait empêchée de vouloir fuir en prenant une dose fatale de médicaments ou en se jetant dans le vide pour atterrir, brisée, tout en bas.

Ce qui n'avait pas été le cas pour ma mère. Elle s'était laissé déborder par son amour et la peur qui en résultait. Ses émotions avaient eu raison de sa santé mentale.

Mais j'étais différente.

Je savais que mon fils était vivant, et je savais où le trouver.

Vous vous demandez donc ce que j'ai fait.

J'ai ouvert un tiroir dans ma cuisine pour en examiner le contenu. J'ai choisi un épluche-légumes. Petit, pointu, facile à cacher. Je l'ai glissé dans l'une des poches profondes de mon manteau, la lame vers le bas, avec mon téléphone portable. J'ai mis les clés que j'avais subtilisées dans l'autre poche. Je suis sortie de chez moi par-derrière ; personne ne m'a vue et j'ai couru.

JIM

Ma proximité physique perturbait Nicky Forbes. Elle s'agitait, essayant de glisser ses jambes sous la table, loin de moi. Tout, dans son attitude, montrait qu'elle cherchait à m'éviter, mais peu m'importait. J'avais appris à être patient.

Woodley était assis de l'autre côté, gardant une certaine distance, l'air détendu. Bien, ai-je pensé, il m'avait écouté.

Nous avions prévu d'utiliser la méthode Reid. C'est une technique d'interrogatoire assez éprouvante mais très efficace ; elle fait appel au numéro bien connu du gentil flic et du méchant flic et Woodley avait donc un rôle à jouer. Il serait non seulement mon faire-valoir, mais il me servirait d'observateur. Il scruterait, décortiquerait chacun des gestes ou des expressions qui la trahiraient.

Nicky Forbes a croisé les bras, comme pour se protéger.

— C'est bon, vous avez fini ? ai-je demandé.

Elle a tressailli, un petit mouvement de la tête pour s'éloigner de la main qui tenait sa cigarette juste devant sa bouche, les volutes de fumée emplissant l'espace entre nous.

— D'accord. Dans ce cas, je vais vous expliquer comment je vois les choses.

Je parlais d'une voix calme mais ferme, car je voulais qu'elle écoute chacun des mots que je prononçais.

— Je pense que l'épreuve que vous avez traversée quand vous étiez enfant a été terrible. Je pense que vous ne vous êtes jamais remise de la perte de votre frère, de la mort de Charlie. N'ai-je pas raison ? Puis il vous fallut vous occuper de Rachel qui n'a guère été reconnaissante, n'est-ce pas ? Elle n'a jamais su à quel point vous aviez souffert ni combien il avait été difficile de garder secrets les événements qui concernaient la mort de vos parents et celle de Charlie.

Elle a tiré nerveusement sur sa cigarette, ses yeux toujours rivés aux miens. J'ai continué.

— Et donc, quand Rachel a eu Ben, ça a été difficile pour vous, n'est-ce pas ? Vous aviez quatre filles, mais ce n'est pas exactement la même chose que d'avoir un fils, n'est-ce pas ? Elle ne se rendait même pas compte de la chance qu'elle avait car, pour vous, avoir un fils aurait été comme avoir retrouvé Charlie.

« Et donc, je pense que vous n'aviez pas le choix. Je pense que vous croyiez que Rachel n'était pas une bonne mère pour Ben. Vous considériez qu'elle ne s'occupait pas de lui aussi bien que vous l'auriez fait. Après tout, elle était divorcée, pleine de rancune à l'égard de son mari et de sa nouvelle femme. Ce n'était pas la maison du bonheur. Et l'année dernière, Ben avait été malheureux ; c'est ce que nous a dit sa maîtresse. Vous deviez en être peinée. Et je pense que vous avez vraiment eu du mal à le supporter. »

Elle a secoué la tête, d'un geste brusque, a écrasé sa cigarette dans le cendrier, puis a de nouveau croisé les bras.

— Quatre enfants, c'est beaucoup, et que des filles. Aviez-vous envie d'avoir un garçon, Nicky ? Est-ce la raison pour laquelle vous vouliez essayer d'avoir un autre enfant ? C'est votre mari qui m'en a parlé. S'agissait-il de vouloir remplacer Charlie ?

Ses yeux se sont remplis de larmes, mais elle n'a pas bougé. Je n'ai pas pris le temps de souffler. Il est préférable de ne pas le faire, sinon, la personne interrogée peut en profiter pour nier les faits avancés, et, ainsi, se sentir plus forte. Vous devez continuer à mener la conversation jusqu'à ce qu'elle conclue pour vous, et vous serve sur un plateau la fin que vous attendiez.

J'ai rapproché ma chaise encore un tout petit peu plus de la sienne. Elle a baissé la tête. Je me suis penché vers elle, mes coudes sur mes genoux, et l'ai regardée fixement.

— Vous voyez, je pense que, pour finir, c'était trop difficile pour vous. Le fait que Rachel ait Ben. Vous étiez persuadée que vous seriez une meilleure mère qu'elle et vous vouliez un fils.

Elle a frissonné.

— Je sais ce que c'est que vouloir protéger quelqu'un, ai-je dit. Et je peux comprendre pourquoi vous avez agi de la sorte. Vous avez abandonné votre propre famille ; vous n'en vouliez plus. C'est lui seul que vous vouliez. Et vous le vouliez lui pour les bonnes raisons, dictées par votre instinct maternel, un bon instinct maternel, n'est-ce pas ? Vous saviez que vous seriez une meilleure mère que votre sœur.

Elle a enfoui son visage entre ses mains, en gémissant.

Je me suis demandé si elle allait craquer plus vite que je ne le pensais.

Je percevais presque l'odeur de sa défaite.

RACHEL

Il m'a fallu vingt-cinq bonnes minutes pour retourner là-bas.

Je suis restée devant la maison de Mlle May, essoufflée, trempée. Seules les poches de mon manteau étaient au sec, celle dans laquelle mes doigts serraient le manche du couteau et celle où les arêtes des clés s'enfonçaient dans la paume de ma main.

La rue était vide et, devant moi, le ciel, d'un gris ardoise, se reflétait dans les vitres étincelantes sur lesquelles glissaient des gouttes de pluie. Les grilles en fer forgé peintes en noir, qui séparaient la maison du trottoir, paraissaient menaçantes et dissuasives.

Je me suis approchée et ai lu les noms accolés aux sonnettes sur le côté de la porte d'entrée. Celui de Mlle May n'était pas indiqué. J'ai jeté un œil par-dessus la grille qui formait un petit enclos autour d'une cour humide, en dessous du niveau du trottoir.

Essayer ne coûtait rien.

J'ai descendu les marches une par une, doucement, car la pierre était glissante et traître. Il n'y avait pas de nom sur la porte. J'ai sonné. Pas de réponse.

J'ai sorti ses clés et essayé la plus longue dans l'une des serrures. Elle s'y est enfoncée facilement, de même que la clé de sûreté, un déclic tout en douceur ; j'ai dû pousser légèrement la porte pour qu'elle s'ouvre et me suis retrouvée à l'entrée d'un hall plongé dans le noir qui me défiait d'avancer.

— Il y a quelqu'un ? ai-je demandé.

Il n'était pas trop tard pour prétendre rapporter les clés, mais personne n'a répondu.

— Ben ? ai-je appelé.

Rien. La peur me paralysait presque mais je me suis fait violence et j'ai avancé dans le couloir sombre et étroit. À l'autre bout, la lumière filtrée du jour m'adressait comme un signe d'encouragement.

J'ai jeté un œil par une porte ouverte sur ma gauche. C'était une salle de bains, immaculée : la robinetterie étincelait, des articles de toilette luxueux étaient bien rangés sur les étagères. Une porte, en vis-à-vis, menait à sa chambre ; une valise grande ouverte, remplie de vêtements soigneusement pliés, était posée sur le lit.

Le couloir débouchait sur la pièce principale : grande, rectangulaire, qui occupait toute la largeur à l'arrière de la maison, divisée en un coin-cuisine avec une petite table d'un côté et, de l'autre, un coin-salon. Le sol était recouvert de parquet brut, nu, et l'endroit était éclairé par trois belles et grandes fenêtres, avec des volets intérieurs en bois rabattus, et des rebords suffisamment bas et larges pour qu'on puisse s'y asseoir. Elles donnaient sur une petite cour qui n'était guère plus qu'un puits de lumière mais aménagée avec goût, de manière ingénieuse, avec de très jolis meubles de jardin. En d'autres circonstances, j'aurais pu être envieuse.

Je me suis vue, debout au milieu de la pièce, dans le miroir au-dessus de la cheminée. J'étais si pâle qu'on aurait dit un fantôme. Mes cheveux, rendus plus foncés par la pluie, pendaient en mèches mouillées autour de mon visage, et des cernes noirs dessinaient comme des nuages sombres sous mes yeux. Ma peau semblait flétrie, mal hydratée, et ma blessure au front, bien que cicatrisée, laissait apparaître une boursouflure. Mes yeux reflétaient ma peur mais il y avait aussi autre chose : on y lisait le désespoir, un regard presque sauvage.

J'avais l'air d'une folle.

Le doute s'est glissé en moi.

Ce devait être les signes d'une vraie dépression nerveuse, ai-je pensé. Vous vous retrouvez debout quelque part où vous n'êtes pas censée être, en train de faire une chose qui vous ressemble si peu que vous vous demandez si vous n'êtes pas devenue quelqu'un d'autre. La situation vous échappe, vous avez pris la mauvaise bifurcation, vous êtes montée dans un train dont la destination n'est que pure folie.

Je dois partir, ai-je pensé. Je dois rentrer chez moi.

Et c'est ce que je m'apprêtais à faire ; mais, en me retournant pour quitter les lieux, j'ai remarqué une porte. Elle était dans un coin de la pièce, cachée en partie par les éléments de cuisine. Un tablier, des maniques et des torchons y étaient accrochés. Des couches de peinture successives en avaient effacé les moulures. Je me suis dit qu'il ne s'agissait probablement que d'un garde-manger ou d'un placard à balais et qu'il était temps que je parte.

Mais j'en étais incapable. J'étais comme entraînée irrésistiblement vers cette porte : je m'en suis approchée en entendant un gémissement, avant de m'apercevoir que c'était le mien.

Je me suis arrêtée devant. Je serrais le manche du couteau de ma main gauche et j'ai posé le bout de mon index sur le tranchant de la lame en appuyant légèrement jusqu'à avoir mal au point de tressaillir. Tout était silencieux, si ce n'était le bruit de la pluie. Même les aiguilles de la pendule de la cuisine bougeaient sans bruit.

Avec un sentiment d'horreur, j'ai tendu ma main vers la porte pour attraper fermement la poignée, que j'ai tournée ; mais elle résistait.

En haut, un loquet qui était poussé en bloquait l'ouverture. De mes doigts gourds et tremblants, j'ai réussi à le tirer.

J'ai ouvert la porte et j'ai avancé, en la repoussant, avant d'entendre un léger déclic.

Je ne voyais rien. Il faisait noir comme dans un four, et j'ai dû me servir de mon téléphone pour m'apercevoir que j'étais en haut d'un escalier au pied duquel se trouvait une autre porte, elle aussi fermée par un loquet.

J'ai commencé à descendre. L'obscurité était telle que je devais m'aider de mes mains en suivant les murs qui longeaient l'escalier étroit.

Encore deux marches, et j'étais arrivée. Là encore, j'ai tiré le loquet de mes doigts tremblants et ai poussé la porte.

En tâtonnant le long d'un mur, j'ai trouvé l'interrupteur. L'ampoule a clignoté, diffusant une pâle lumière orange comme celle d'un coucher de soleil voilé par la pollution, avant d'éclairer pleinement la pièce où je me trouvais : j'ai sursauté.

Il m'a fallu un moment pour comprendre ce que je voyais.

C'était une chambre de petit garçon : des murs fraîchement peints en jaune vif, une moquette bleue épaisse au sol. Un poster de rugby, une écharpe de supporter au nom d'un club de rugby, des livres, un ours en peluche sur le lit avec une petite écharpe autour du cou. Quelques vêtements, une paire de chaussons, un peignoir en tissu éponge blanc. Un lit en bois recouvert d'une couette représentant des personnages de dessin animé, une pile de DVD, une petite télévision dans un coin, et une commode décorée d'autocollants de pirates.

Pas de Ben. Pas de lumière naturelle.

J'ai attrapé l'un des vêtements : c'était un haut de pyjama de petit garçon, au col crasseux, en coton rouge, avec un dinosaure dessiné sur le devant. Une étiquette indiquait « 8 ans ». J'ai enfoui mon visage dans le tissu et j'ai reconnu l'odeur ; j'ai tout de suite su que Ben l'avait porté.

Il avait été ici.

Mes doigts ont fouillé le coton doux et j'ai tenu le haut de pyjama comme s'il s'agissait d'une chose vivante qui respirait comme mon fils.

— Ben, ai-je murmuré. Ben.

J'ai de nouveau parcouru la pièce des yeux pour trouver d'autres signes de la présence de Ben.

Et j'ai été frappée en découvrant que rien, absolument rien, pas le moindre détail, dans cette pièce, n'était approprié.

Si Mlle May avait aménagé cet espace pour mon fils, et j'étais convaincue que c'était le cas, elle avait tout faux. Ben ne s'intéressait pas au rugby. Il n'aurait jamais choisi une peinture jaune pour les murs, ou une couette de bébé, ou les livres qu'elle avait mis à sa disposition, et il n'aurait pas aimé les autocollants de pirates sur la commode car il préférait les dinosaures. L'ourson sur le lit était une pâle copie de Baggy Bear mais ce n'était pas lui. Ses oreilles n'avaient pas été tétées.

C'était une chambre pour un petit garçon imaginaire, pas pour le mien qui ne se serait jamais senti ici chez lui.

Et c'est alors que j'ai remarqué autre chose.

Les composants d'un ordinateur portable étaient éparpillés sur le dessus du lit, sous une trace récente d'impact faite dans le mur : des morceaux de plastique, des petites unités électroniques, des touches de clavier, dispersés sous la force d'un geste violent.

Ben aurait aimé avoir un ordinateur ici. Il aurait pu jouer avec.

Mais il n'aurait probablement pas eu le droit de se connecter en ligne pour jouer à son jeu préféré. Quelqu'un lui aurait alors arraché l'ordinateur des mains en le lançant contre le mur avec colère.

Et cette colère avait pu se retourner contre lui.

J'ai fouillé ma poche pour prendre mon téléphone. Le réseau était faible mais suffisant. J'ai composé le numéro de la police.

Après avoir raccroché, je suis restée là, au milieu de cette pièce, si inappropriée que j'en étais peinée, avec les composants désassemblés de l'ordinateur comme une preuve de violence ; d'une voix suppliante j'ai crié le nom de mon fils et mes gémissements se sont transformés en un hurlement, comme la semaine dernière dans les bois.

Je suis tombée à genoux, tous mes espoirs envolés.

RETRANSCRIPTION

APPEL D'URGENCE – 29/10/2012 à 10 heures 17 minutes et 6 secondes

Opérateur : Service ambulancier des Urgences. Bonjour, quelle est l'urgence ?

Appel entrant : J'ai trouvé un petit garçon.

Opérateur : O.K., où l'avez-vous trouvé ?

Appel entrant : Dans la forêt de Leigh Woods, de l'autre côté du pont suspendu. C'est mon chien qui l'a trouvé. Il est allongé par terre. Il est recouvert d'un sac-poubelle.

Opérateur : Peut-il vous parler ?

Appel entrant : Il est en boule. Il ne se réveille pas.

Opérateur : Il est donc inconscient ?

Appel entrant : Oui, il est inconscient.

Opérateur : Est-ce qu'il respire ?

Appel entrant : Je ne sais pas.

Opérateur : D'accord. Pensez-vous être capable de vérifier s'il respire ?

Appel entrant : Il est complètement recroquevillé sur lui-même, je ne vois pas son visage. Attendez.

Opérateur : Quel âge a-t-il ?

Appel entrant : Je ne sais pas, peut-être sept ou huit ans. Il est petit. Il est tout blanc, il est vraiment très pâle. Oh, mon Dieu, il faut vite envoyer une ambulance.

Opérateur : Les secours sont déjà en route. Ils sont partis, avant même que je vous pose toutes ces questions. Ne vous inquiétez pas pour ça. Il faut que vous regardiez pour voir s'il respire, d'accord ?

Appel entrant : Je viens de le toucher, il est glacé. Il est dans un drôle d'état. Oh mon Dieu ! Il est presque nu, à part ses sous-vêtements. Mon Dieu !

Opérateur : Bon. C'est très bien, les secours arrivent, ils ne vont pas tarder. Pouvez-vous me préciser où vous êtes exactement dans les bois ?

Appel entrant : Je suis à l'écart de l'allée principale, près d'une corde pour se balancer. Au secours, vite, à l'aide !

Opérateur : Pendant que nous parlons, les secours arrivent, ne vous inquiétez pas. Avez-vous réussi à savoir s'il respirait ?

Appel entrant : Oh, mon Dieu, c'est lui, n'est-ce pas ? Je crois que c'est Ben Finch, c'est le... [la communication est interrompue]

Opérateur : [rappelle mais tombe sur la boîte vocale]

JIM

L'expression sur le visage de Nicky Forbes était difficile à lire : de la fierté, de la provocation, certes, mais autre chose aussi que j'interprétais comme une reddition, un renoncement. Nous étions sur le point d'obtenir des aveux, je le savais. Mais le téléphone de Woodley a sonné.

C'était la sonnerie la plus stupide, la plus infantile que j'ai jamais entendue : le thème musical de *La Guerre des étoiles* et, un instant, tout s'est effondré.

Woodley était mortifié. J'étais furieux.

Nicky Forbes riait.

— Vous n'êtes qu'une bande d'incapables ! s'est-elle écriée.

Je sentais le sang battre dans mes tempes tandis que Woodley, plutôt que de l'éteindre, sortait son téléphone de sa poche pour voir qui appelait.

Elle n'était pas aussi prête à renoncer que je l'aurais cru. Elle s'accrochait. Mais ce n'était pas un problème. Je savais que je pouvais m'en accommoder. Cependant, Woodley est intervenu :

— C'est Fraser, il vaut mieux que je réponde, a-t-il dit.

Nicky Forbes nous observait, sans en perdre une miette. Je ne voulais surtout pas qu'elle reprenne le dessus. Le succès de la méthode Reid nécessite que celui qui interroge garde le contrôle pendant tout le temps de l'interrogatoire. Alors que Woodley sortait de la pièce, j'ai essayé de reprendre la main.

— Parlons de ce que vous avez fait dimanche, le 21 octobre.

— Non, a-t-elle dit. Parlons plutôt de pourquoi vous êtes ici, à perdre votre temps et à me harceler, quand vous devriez être en train de rechercher Ben. Où est Ben, inspecteur Clemo ? Vous avez quelqu'un en détention provisoire, et vous êtes ici, à me prendre pour cible. Vous ne savez rien de moi ! Absolument rien ! Peut-on inculper un policier qui perd son temps ? C'est possible ? Parce que c'est ce que vous faites, vous perdez votre temps. Ma famille est tout pour moi, *tout*. En ce moment, j'ai du mal à tenir le coup, mais ça ne regarde personne à part moi, et mon mari. Ce n'est pas un crime que de vouloir se retrouver seule de temps en temps ; vous allez donc cesser de me traiter comme si j'étais un monstre. Ma vie, parfois, n'a pas été facile ; je me débrouille comme je peux. Est-ce que je veux un fils ? OUI ! Est-ce que je voudrais que Charlie revienne ? OUI ! Est-ce que, parfois, j'ai du mal à m'occuper de ma famille ? OUI ! Est-ce que j'ai enlevé Ben ? NON, CE N'EST PAS MOI ! Suis-je un monstre ? NON, JE NE SUIS PAS UN MONSTRE ! Est-ce que j'aime mon mari, mes filles, ma sœur et mon neveu ? OUI, JE LES AIME ! C'est bon ? J'ai répondu à toutes vos questions ?

Elle tapait du plat de la main sur la table à chacune de ses allégations, comme si sa vie dépendait du fait que je comprenne ce qu'elle disait.

Confronté à la force de ses propos et à son assurance, j'ai tout simplement compris que la procédure en cours m'échappait : non seulement l'interrogatoire mais aussi le dossier que je voulais monter contre elle.

J'ai reculé ma chaise et desserré mon col.

Dehors, le brouillard était épais et il était impossible de voir dans le jardin à plus de quelques mètres.

Ressaisis-toi, me suis-je dit, *concentre-toi, reste calme. Tu peux y arriver.* Mais Woodley a réapparu et, quand j'ai vu sa tête, j'ai su que j'aurais beaucoup de chance si jamais je me sortais de cette situation avec un tant soit peu de dignité.

Il me montrait son téléphone comme pour me donner à lire une injonction.

— Il faut y aller, a-t-il dit.

Et quelque chose dans le ton de sa voix m'a fait comprendre que ce n'était pas négociable.

— Merci de votre attention, ai-je finalement bredouillé.

Quand je me suis levé, ma chaise a raclé le sol. Un bourdonnement résonnait dans ma tête ; un bruit qui avait une forme et qui enflait, comme un ballon qui gonfle.

— Sortez, a-t-elle dit, calmement, mais comme si elle n'avait jamais vu quelqu'un d'aussi répugnant que moi.

En arrivant à la voiture, Woodley a dit :

— Ils ont trouvé un petit garçon. Dans la forêt. Et ils ont trouvé l'endroit où il a été enfermé.

— Woodley… ai-je commencé.

Mais je n'ai pas su quoi ajouter.

J'ai vomi sur l'un des rosiers taillés de Nicky Forbes. De la bile et des restes non identifiables ont éclaboussé le sol autour, laissant des traces qu'il était impossible de confondre avec autre chose que des tripes et boyaux fraîchement régurgités.

Je me suis essuyé la bouche, et me suis redressé. J'avais mal à l'estomac.

— Je conduis, ai-je dit à Woodley qui m'a tendu les clés de la voiture.

RACHEL

Ils m'ont soulevée pour me remettre debout. La moquette avait été posée si récemment que mon pantalon, aux genoux, et mes bras et mon front étaient recouverts de petites peluches bleues.

Ils m'ont enveloppée d'une couverture pour me sortir de l'appartement et m'ont mise dans une ambulance qui était garée dans la rue, devant la maison.

Les journalistes étaient là ; bien évidemment. Seuls quelques-uns d'entre eux ont été assez rapides pour me photographier pendant qu'on me conduisait jusqu'à l'ambulance. Mais je savais qu'il suffisait d'une seule photo. « Rachel ! Rachel ! » criaient-ils tandis que les déclencheurs crépitaient. « Vous allez bien ? Pouvez-vous nous dire ce qui s'est passé ? »

À l'intérieur du véhicule, un ambulancier m'a examinée en me posant quelques questions. Ils m'ont expliqué que j'étais en état de choc.

Je refusais de rester allongée. Je me suis assise, enveloppée dans la couverture. Je n'avais plus de force. Mon corps était agité de tremblements, comme sous l'effet d'une convulsion.

Puis ce fut au tour de la police de venir me voir. Ils m'ont dit qu'ils étaient à la poursuite de Joanna May. Mais ils ne m'ont pas parlé de Ben. Leurs visages étaient sombres et j'étais incapable de leur poser des questions.

Je délirais. J'avais l'impression que des morceaux de mon corps tombaient. Je voyais du sang apparaître en périphérie de ma vision, une vague rouge qui enflait. Je savais que j'étais arrivée trop tard. Il avait été enfermé dans cet endroit et, maintenant, il avait de nouveau disparu. Quelles étaient les chances pour qu'elle ne l'ait pas encore tué ?

J'ai abandonné tout espoir.

Soudain, au milieu du brouhaha des voix autour de moi, j'ai distinctement entendu la radio du véhicule. Le dispatcher demandait une ambulance pour répondre à un appel en provenance de la forêt de Leigh Woods. Lieu exact non précisé. Un petit garçon venait d'y être trouvé. État non précisé.

Ils durent me mettre sous sédatif. J'ai perdu conscience : un voile noir est descendu devant mes yeux aussi rapidement que la lame d'une guillotine.

RETRANSCRIPTION
APPEL D'URGENCE – 29/10/2012 à 10 heures 38 minutes et 28 secondes

Opérateur : Bonjour, service des ambulances et urgences. Comment…

Appel entrant : Oh, merci mon Dieu. Je n'avais plus de réseau. Vous m'entendez ? J'ai essayé de vous rappeler. J'étais en train de parler à quelqu'un mais mon téléphone s'est éteint et je n'avais plus de réseau. J'ai trouvé un petit garçon. Mais il est très mal en point.

Opérateur : Où êtes-vous ?

Appel entrant : Dépêchez-vous, s'il vous plaît.

Opérateur : Pouvez-vous nous dire où vous êtes précisément ?

Appel entrant : Je suis dans la forêt de Leigh Woods, près d'une corde pour se balancer. À l'écart de l'allée principale. Est-ce qu'ils sont arrivés ? Ils nous cherchent ? Est-ce que je dois retourner sur l'allée principale ?

Opérateur : Attendez une seconde, d'accord ? [il consulte brièvement quelqu'un d'autre]… Très bien. Les secours arrivent, ils ne vont pas tarder, mais il est préférable que vous restiez près du petit garçon. Et j'ai vraiment besoin que vous me disiez s'il respire.

Appel entrant : Oui, il respire. Mais très difficilement ; je sens son pouls. Il est gelé. J'ai posé mon manteau sur lui.

Opérateur : Parfait. Est-il conscient ?

Appel entrant : Non.

Opérateur : D'accord. C'est bon. Pouvez-vous me dire s'il est blessé ? Est-ce qu'il saigne ?

Appel entrant : Je ne vois pas de sang. Il a des bleus sur son bras. Il fait de drôles de bruits.

Opérateur : Bien. Pouvez-vous le retourner sur le dos, en faisant très attention, mais le plus rapidement possible, et, si vous le pouvez, ouvrir sa bouche pour voir s'il n'y a rien à l'intérieur qui obstruerait sa respiration ? Faites en sorte qu'il repose le plus à plat possible.

Appel entrant : Ça y est. Oh, mon Dieu, il est tout froid, et il est trempé. Oh, mon Dieu. Mais où sont-ils ?

Opérateur : Ils arrivent. Comment respire-t-il, maintenant ?

Appel entrant : Mal.

Opérateur : Mais il respire encore, n'est-ce pas ?

Appel entrant : Je l'ai allongé sur le dos.

Opérateur : Regardez dans sa bouche. Vous voyez quelque chose ? De la nourriture, du vomi ?

Appel entrant : Non. Ses lèvres sont bleues.

Opérateur : Il respire encore ?

Appel entrant : Oui, il respire. Je vais m'allonger à côté de lui, pour le réchauffer.

Opérateur : D'accord. Ils seront là dans quelques minutes seulement ; ils sont dans la forêt, ils avancent sur l'allée principale. Pouvez-vous me donner d'autres détails sur l'endroit où vous vous trouvez et me dire à quel moment ils doivent tourner ?

Appel entrant : Il y a un tas de bois en face de l'entrée du petit chemin. Du bois coupé, en tas.

Opérateur : Je leur transmets.

Appel entrant : Je suis allongé à côté de lui. Il respire vraiment très mal.

Opérateur : Pouvez-vous crier ? Je veux que vous restiez près de lui et que vous me préveniez au cas où il arrêterait de respirer ; mais pouvez-vous crier pour les aider à vous trouver ? Ils ne sont pas loin, mais ils ne vous voient pas.

Appel entrant : AU SECOURS ! PAR ICI ! AU SECOURS !

Opérateur : Bravo. Ils vous ont entendu. Continuez à crier.

Appel entrant : À L'AIDE ! À L'AIDE ! PAR ICI ! Où sont-ils ?

Opérateur : Ne vous inquiétez pas, ils vous ont entendu et, cette fois, ils vous ont vu.

Appel entrant : Oui, moi aussi je les vois. ICI ! VITE ! IL EST ICI !

Opérateur : Ils sont avec vous ?

Appel entrant : Oui, ils sont là.

Opérateur : D'accord. Je vous laisse avec eux, O.K. ?

Appel entrant : Oui, d'accord. Merci.

JIM

Il nous a fallu à peine une heure pour arriver jusqu'à la forêt. J'avais posé le gyrophare sur le toit de la voiture et enclenché la sirène.

Sur le trajet, nous avons eu plus de détails sur l'état dans lequel se trouvait Ben Finch, et sur Joanna May et la pièce dans le sous-sol de son appartement.

— Nous l'avons interrogée, ai-je dit à Woodley. Putain, nous aurions dû remarquer quelque chose.

Il n'a pas répondu.

Les ambulanciers étaient encore là, avec Ben Finch. Ils n'avaient pas pu amener l'ambulance jusqu'à l'endroit où il était caché, ils devaient donc le stabiliser et le bouger progressivement, par étapes.

Nous nous sommes garés et j'ai couru. Je voulais être avec Ben Finch. Je voulais voir ses yeux bleu clair, pour y déceler une lueur de vie. Je voulais lui dire que tout irait bien et que sa maman l'attendait. Je voulais faire au moins ça pour lui.

Il pleuvait des trombes d'eau qui transperçaient la canopée. Les arbres plantés le long de l'allée principale penchaient sous le vent et formaient une arche au-dessus de moi, un tunnel de branches nues, tel un squelette, qui m'exhortait à continuer tout en me donnant l'impression que je n'y arriverais jamais.

Ma respiration était courte et rapide, mon cœur battait à tout rompre et, maladroit, je me prenais les pieds dans des branches, des pierres, je trébuchais, avançant trop lentement. J'étais de plus en plus trempé mais, plus je me rapprochais, et moins j'y prêtais attention.

J'ai pris un virage et j'ai aperçu l'ambulance dans laquelle on chargeait une civière.

J'ai accéléré pour essayer d'arriver à temps, et j'ai tenté de crier pour appeler, mais c'était inutile et ridicule car les ambulanciers avaient refermé la porte arrière bien avant que je les aie rejoints. Et, une fois sur place, ils manœuvraient déjà pour faire demi-tour.

Mark Bennett les guidait. J'ai reculé et me suis rangé sur le côté de l'allée pour laisser passer l'ambulance tandis qu'il tapotait l'arrière du véhicule en guise d'au revoir, aurait-on dit.

Bennett, habillé d'une combinaison imperméable, les mâchoires serrées, le visage ruisselant de pluie, a dit :

— Il ne va pas fort, Jim. Vraiment pas.

Il était tourneboulé. Je m'en rendais compte.

Et j'ai dit :

— Je voulais le voir.

J'ai essuyé la pluie sur mon visage, j'avais froid, mes vêtements me collaient au corps.

— Nous ne pouvons plus rien faire pour lui, maintenant. C'est trop tard. Il est entre les mains des toubibs désormais.

Je l'ai détesté pour cette réflexion, je l'ai détesté pour avoir été là quand c'est moi qui aurais dû être présent sur les lieux, et je me suis détesté d'avoir laissé quelqu'un faire du mal à ce petit garçon.

ENREGISTREMENT DES TÉMOIGNAGES : POLICE JUDICIAIRE D'AVON ET DU SOMERSET

OPÉRATION HUCKLEBERRY – PIÈCE À CONVICTION SAC N° 2

COPIE, AUTORISÉE PAR LE BUREAU DES ADMISSIONS DE L'HÔPITAL, DU DOSSIER DE BENEDICT FINCH, HÔPITAL POUR ENFANTS, BRISTOL, LUNDI 29 OCTOBRE À 12 h 07

Description

Nom : Benedict Finch. Âge : 8 ans. Sexe : masculin
Date de naissance : à confirmer.

Benedict Finch, sexe masculin, 8 ans, identité confirmée par l'agent de police présent sur les lieux dans la forêt. En attente de confirmation par un membre de la famille.

À l'arrivée à l'hôpital présente des signes graves d'hypothermie après avoir passé la nuit dehors dans la forêt de Leigh Woods, sans vêtements. L'hypothermie a entraîné un coma. Hypotension (78/54) ; température du corps : 28 °C ; pulsation cardiaque : 30. État général très faible. Poids insuffisant. Sale et déshydraté. Des hématomes visibles sur le bras gauche.

Copie originale, n° 3. Dossier 345.112

PAGE WEB
FLASH D'INFORMATIONS
WWW.MINUTEPARMINUTE.CO.UK

Information de dernière minute
29 octobre 2012, 14h13

Le site rend compte de la chronologie des derniers développements dramatiques de l'affaire Benedict Finch, 8 ans, disparu.

Les derniers événements importants relatifs à l'affaire ont été confirmés par le COMMISSARIAT CENTRAL de l'AVON ET DU SOMERSET lors d'une conférence de presse organisée à la hâte cet après-midi par le commissaire Giles Martyn.

10h15 Le corps d'un petit garçon est retrouvé dans la forêt de Leigh Woods sur les lieux mêmes de l'enlèvement de Benedict Finch il y a tout juste une semaine. Cette découverte a été faite par un promeneur qui a immédiatement contacté le service des Urgences. Le petit garçon est vivant, mais dans un état critique.

12 h Les recherches pour retrouver Benedict Finch sont officiellement terminées, après que l'identité du petit

garçon a été confirmée dès son arrivée à l'hôpital pour enfants de Bristol.

12 h 45 Quelques personnes commencent à se rassembler à l'extérieur de l'hôpital. Ils allument des bougies et prient pour Benedict Finch. Et les messages pour qu'il se rétablisse affluent en masse sur Twitter.

13 h 17 Arrestation à l'aéroport de Bristol : la police confirme qu'une personne liée à l'affaire est en détention.

14 h 10 La police annonce que la personne en détention en lien avec la disparition de Benedict Finch est une maîtresse de son école, Joanna May, âgée de 27 ans.

D'autres informations non confirmées concernent la mère de Benedict Finch qui aurait été prise en charge par une ambulance ce matin devant une maison de Clifton. On pense qu'il s'agit de l'adresse de Joanna May.

Des informations de dernière minute, minute par minute.

Faites passer le mot : Facebook, Twitter.

RACHEL

L'odeur dans l'hôpital pour enfants de Bristol est tout autant celle de la propreté que de la maladie. Les seules fois où j'y avais mis les pieds, c'était pour retrouver John après le travail.

Nous avons pris un petit ascenseur où les voix enregistrées de Wallace et Gromit répétaient en boucle « Attention à la porte ». Des parents en état de choc, privés de sommeil, entraient et sortaient, en vérifiant les panneaux qui indiquaient les différents services et étages où ils devaient se rendre ; leurs doigts glissaient sur la liste, s'arrêtant sur « Oncologie » ou « Néphrologie ».

Parmi eux, il y avait une femme vêtue d'une burqa, et dont même les yeux étaient cachés derrière une grille en tissu. Le bébé qu'elle tenait dans ses bras avait un tube dans le nez, maintenu en place par un pansement ; ses yeux grands ouverts regardaient les lumières du plafond. Je me demandais comment elle pouvait le rassurer, confinée comme elle l'était dans ce voile intégral, alors même que leurs regards ne pouvaient se croiser. Était-il possible que ses doigts non recouverts caressent la joue de son enfant ? Était-ce suffisant ?

Je ressentais de la peine pour eux deux, la même que celle qui me serrait le cœur en pensant à mon fils.

L'inspecteur Bennett et moi sommes sortis de l'ascenseur au quatrième étage. L'endroit était décoré de couleurs éclatantes, le bleu et le jaune dominaient, les murs étaient peints de motifs aquatiques ; et d'une certaine manière, un sentiment d'espoir imprégnait l'atmosphère, et mes attentes grandissaient.

Dans le petit vestibule à la sortie de l'ascenseur, où les fenêtres sur toute la hauteur nous offraient une vue en contreplongée sur la ville chaotique de Bristol, l'inspecteur Bennett m'a raconté qu'il était dans la forêt quand Ben avait été retrouvé. Il lui était difficile de me regarder dans les yeux mais il m'a tenu la porte et m'a guidée le long du couloir, me soutenant légèrement par le coude ; un geste touchant, bien que peu agréable.

Dans le couloir menant à la chambre de Ben, j'ai été accueillie par deux médecins qui m'ont poliment entraînée dans une pièce. L'infirmière qui était là m'a offert une tasse de thé ; l'endroit était silencieux, hormis le tintement de la porcelaine, tandis que tout le monde attendait qu'elle me serve.

Ils m'ont expliqué que Ben était à deux doigts de mourir quand ils l'avaient retrouvé ; la température de son corps était dangereusement basse mais ils avaient pu le réchauffer et, maintenant, son état était stable. Il était amoché, couvert de bleus, très faible, mais son pronostic vital n'était pas engagé.

Le soulagement et la joie de le savoir vivant ont balayé mon anxiété. Ils ont eu du mal à me retenir.

— Il n'est pas encore hors de danger, voulurent-ils me dire avant de me laisser le voir. Vous comprenez ?

J'ai fait signe que oui. J'ai reposé la tasse de thé sur une table.

Voulez-vous que je vous décrive nos retrouvailles ?

Je peux vous dire qu'une infirmière était postée devant la chambre où se trouvait Ben, qu'elle a tendu une main pour attraper la mienne quand je suis arrivée, en m'effleurant à peine, mais avec douceur même si nous ne nous connaissions pas. Nous n'avons pas échangé un seul mot mais elle m'a tenu la porte pour que je puisse entrer.

JIM

Quand Woodley et moi sommes arrivés, couverts de boue et trempés, à Kenneth Steele House, Fraser avait commencé à interroger Joanna May. Ils l'avaient rattrapée à l'aéroport de Bristol où elle attendait un vol pour quitter le pays.

Bien sûr, nous n'avons pas eu les informations en direct puisque nous n'étions pas là au moment des faits. La salle de commandement bourdonnait du bruit des conversations qui tournaient autour de ces dernières nouvelles. Le soulagement se lisait sur tous les visages, bien que des propos sous-jacents fassent mention de l'état grave dans lequel se trouvait Benedict Finch ; il fallait attendre. Personne ne se réjouissait donc vraiment, personne n'en avait envie.

Fraser avait laissé des instructions pour que Bennett aille à l'hôpital et que Woodley et moi partions chez les parents de Joanna May. Elle voulait que nous vérifiions l'alibi qu'ils avaient donné pour leur fille et que nous découvririons ce qu'ils savaient.

Il était trois heures de l'après-midi quand nous nous sommes garés dans une rue tranquille de maisons victoriennes mitoyennes, assez loin dans la banlieue de Bristol, là où les lampadaires sont peu nombreux et espacés.

À notre arrivée, deux policiers en uniforme sont sortis discrètement, nous laissant, Woodley et moi, avec les parents qui avaient dans les soixante-dix ans et qui donnaient l'impression de vouloir que le sol s'ouvre sous leurs pieds et les engloutisse.

Nous nous sommes retrouvés dans leur salon. Pas de thé, ni de café. De larges fenêtres, avec des vitraux, donnaient sur un potager, où des tiges de bambou, assemblées en triangle, sortaient du sol recouvert de flaques boueuses.

Sur le manteau de la cheminée en marbre travaillé, un vase de fleurs était entouré de photos de famille qui envahissaient jusqu'aux étagères adjacentes recouvrant les murs du sol au plafond. Parmi ces photos, nous avons reconnu celles de Joanna May.

Un grand miroir au cadre doré accroché au-dessus de la cheminée reflétait notre triste rassemblement : Woodley et moi, debout au milieu de la pièce, grands et sombres, tels des corbeaux, Mme May enfoncée dans son fauteuil, une canne à portée de main, des pansements visibles à travers les épais collants marron qui recouvraient ses jambes, et M. May, installé à ses côtés, dans un fauteuil identique, des mèches de cheveux blancs balayant son front, des poils de chat sur son pantalon. Tous deux avaient l'air effondrés.

— C'est notre quatrième enfant, a dit Mme May après que Woodley et moi avons pris place sur un canapé sur lequel était posé une couverture.

Elle parlait d'une voix chevrotante et timide.

— Nous avons eu cinq enfants. Rory, notre fils aîné, est mort quand il était encore tout petit, mais nous étions une famille heureuse, n'est-ce pas, Geoff ?

M. May a attrapé sa main en la serrant gentiment.

— Mais quelque chose chez elle clochait depuis le début, a-t-il dit en s'adressant à Woodley et moi. Dès qu'elle a commencé à être en présence d'autres enfants, nous avons compris qu'elle n'allait pas bien.

— Comment ça ? ai-je demandé.

Mme May a baissé les yeux.

— Elle était très manipulatrice, a expliqué son mari. Elle voulait toujours attirer l'attention, c'était un vrai tyran, elle rudoyait ses frères et sœurs pour obtenir ce qu'elle voulait, et elle mentait, tout le temps. Elle était constamment en train de mentir, c'était exaspérant.

M. May faisait peine à voir. C'était comme s'il perdait peu à peu sa dignité, au fur et à mesure qu'il nous parlait, et que la vie qu'ils avaient construite, avec sa femme, s'écroulait.

— Quand quelqu'un a l'habitude de mentir, vous ne pouvez jamais lui faire confiance, inspecteur. Ça mine les relations, même entre un parent et son enfant.

Il a passé une main tremblante sur son front à la peau parcheminée.

— Nous savions qu'elle se comportait mal et qu'elle n'était pas complètement ce qu'on appelle « normale », mais nous n'aurions jamais imaginé qu'elle irait jusqu'à faire une chose pareille.

— Est-ce que l'enfant va bien ? a demandé Mme May. Le petit garçon ?

Elle semblait incapable de prononcer son nom.

— Nous avons regardé les informations à la télévision.

— C'est encore un peu tôt pour savoir. Mais, pour autant que je sache, son état est stable, ai-je répondu.

Elle a hoché la tête, en déglutissant, et a fait un petit signe de croix.

— Si je ne me trompe, vous avez fourni un alibi à votre fille pour dimanche dernier. C'est bien ça ?

— Oui, en effet, a dit Mme May. Votre collègue nous a appelés à ce sujet. Une charmante jeune femme qui s'appelait, comment s'appelait-elle, chéri ?

— L'enquêtrice Zhang, a répondu M. May.

— Puis-je vous demander ce qu'il en était ?

— Eh bien, a dit M. May. Eh bien oui, Joanna est venue déjeuner avec nous ce jour-là et nous ne sommes pas vraiment sûrs de l'heure à laquelle elle est repartie, mais elle nous a rappelé qu'il était seize heures trente et c'est ce que nous avons dit à votre collègue.

— Joanna vous l'a rappelé ?

— Oui, nous lui avons demandé car nous n'étions pas sûrs. Nous n'avons pas pensé à remettre sa parole en cause, car il aurait effectivement pu être seize heures trente, n'est-ce pas Mary ?

Mme May a acquiescé.

— Nous n'avons pas vraiment fait attention, a-t-elle dit. Nous avons commencé à déjeuner assez tard. Mais je suppose qu'il pouvait être plus tôt. Maintenant que j'y repense. Nous n'avons pas regardé l'heure.

— Vous n'en étiez pas sûrs ?

— Non, c'est vrai, mais votre collègue nous a dit que c'était normal.

— Seriez-vous d'accord pour faire une déposition à ce sujet ?

— Nous n'aurions jamais cru que notre fille serait capable d'une chose pareille, a répété M. May. Si nous avions pu imaginer... Oh, mon Dieu... auraient-ils pu retrouver le petit garçon bien avant ?

— Ce n'est pas votre faute, ai-je dit.

Mais j'ai baissé les yeux et j'ai compris qu'ils ne cesseraient jamais de se poser cette question.

— Puis-je vous demander si vous avez une idée de ce qui a poussé Joanna à faire une chose pareille ? ai-je dit.

Ils se sont regardés et Mme May a soupiré en haussant les épaules.

M. May a dit :

— Joanna est stérile. C'est la seule explication que j'ai. Elle l'a découvert au printemps dernier, quand elle a essayé de tomber enceinte par insémination artificielle. Nous n'étions pas d'accord avec ça. Nous pensions qu'elle devait d'abord avoir une relation stable avec quelqu'un avant de faire un bébé. Mais elle a insisté, comme toujours, et nous lui avons donc donné de l'argent, pour les inséminations puis pour les tests de fertilité car, vous savez, on veut toujours aider ses enfants. On se sent responsables de leur bonheur. Mais je pense qu'elle ne nous en aurait pas parlé si elle n'avait pas eu besoin d'argent. Elle ne se confiait pas à nous.

En fait, nous n'avions de ses nouvelles que lorsqu'elle avait besoin de quelque chose. Quoi qu'il en soit, cette histoire d'infertilité l'a profondément bouleversée. Elle n'était pas habituée à ne pas obtenir ce qu'elle voulait. À mon avis, elle a enlevé ce petit garçon parce qu'elle voulait un enfant. Mais laissez-moi vous dire une chose : ne vous attendez pas à ce qu'elle vous explique pourquoi elle a commis ce crime. Quand elle était petite, elle n'avouait jamais rien, et je doute qu'elle le fasse aujourd'hui.

Il s'est levé, péniblement, et s'est dirigé vers la cheminée. Il a pris une photo de Joanna May et l'a regardée pendant un certain temps avant de la montrer à sa femme. Sur cette photo, Joanna était à la plage. Elle ne devait pas avoir plus de dix ou onze ans. Elle était assise en maillot de bain près d'un tas de sable de forme humaine d'où dépassait la tête d'un enfant plus jeune. Elle brandissait fièrement une petite pelle et l'autre enfant souriait aussi.

— Mary, je crois que je vais nous débarrasser de cette photo, a dit M. May.

— Oui.

Elle a baissé les yeux, et ses doigts trituraient le tissu de sa jupe.

Nous attendions silencieusement que M. May revienne s'asseoir mais un bruit de verre brisé a fait sursauter Mme May.

RACHEL

Je suis allée au chevet de mon fils avec une réserve infinie d'amour à lui donner et avec l'humilité de quelqu'un qui a été mis à terre par tous les moyens possibles.

Je venais vers lui avec un soulagement exagéré et un trop-plein d'émotions qui auraient été parfaits dans un film hollywoodien, accompagnés par une musique d'orchestre symphonique, sans oublier la boîte de Kleenex. La totale.

Mais ce fut différent.

Quand je suis entrée dans sa chambre, il me tournait le dos, immobile, recroquevillé en boule sous des couches de couvertures ; les contours de son corps dessinaient une forme anguleuse.

Je voyais sa nuque et ses cheveux blond cendré décoiffés, ternes. L'un de ses bras, recouvert en partie par la manche d'une blouse d'hôpital, reposait sur la couverture du dessus ; son avant-bras était visible : un épais pansement était posé sur son poignet pour tenir une canule reliée à un tube rempli d'un liquide transparent qui passait dans ses veines.

Je me suis approchée. Un masque à oxygène, posé sur l'oreiller près de sa tête, laissait échapper un sifflement. J'apercevais son profil. Ses lèvres étaient gercées, et il avait les yeux fermés mais ses paupières, à la peau si fine, se contractaient de temps à autre, comme agitées de tics. Ses cils étaient toujours aussi longs et épais mais ne parvenaient pas à masquer les marques sombres qui cernaient ses yeux ni la pâleur grisâtre de sa peau.

— Ben, ai-je chuchoté.

J'ai posé ma main sur l'une de ses tempes, là où la peau est si douce, et j'ai dégagé les quelques mèches de cheveux qui balayaient son front.

Il n'a pas réagi. Il dormait du sommeil des morts.

Derrière moi, j'ai entendu le médecin me dire :

— Il peut lui falloir quelques minutes avant qu'il se réveille tout à fait.

Il était debout, mal à l'aise près de la porte. Il restait en retrait. J'avais compris qu'il était là car les médecins craignaient que mes retrouvailles avec Ben le perturbent.

— Ben, ai-je répété. C'est moi, c'est maman.

Je me suis assise au bord du lit. Je voulais qu'il se réveille, je voulais qu'il vienne vers moi et se blottisse dans mes bras, comme si, après être tombé de très haut, il atterrissait enfin en lieu sûr.

Ses paupières ont papillonné, puis se sont refermées.

— Mon amour, c'est maman. Je suis là. Ben.

Il a cligné des yeux et, enfin, je les ai vus : ses iris bleu clair. Cependant, son regard n'était pas le même que d'habitude. D'abord, ce fut comme s'il ne me voyait pas, et c'est seulement quand j'ai de nouveau prononcé son prénom qu'il m'a regardée bien en face.

Puis il a de nouveau cligné des yeux.

Je me suis penchée vers lui, ma respiration se mêlait à la sienne, sa tête reposait immobile près de la mienne. Je l'ai embrassé, et les larmes qui coulaient sur mes joues ont glissé sur la sienne. J'ai senti ses lèvres bouger et me suis reculée pour mieux le voir et l'entendre :

— Qu'as-tu dit Ben ? Qu'as-tu dit ?

Ses yeux se sont refermés, son bras a été agité d'un léger soubresaut. Et je me suis demandé où était mon enfant, celui qui ne restait pas en place et dont chaque mouvement débordait de vie.

J'ai entendu sa respiration faiblir et les pas du médecin qui se rapprochaient du lit ; puis elle s'est stabilisée et il s'est contenté de rapprocher le masque à oxygène de la bouche de Ben.

Une terrible tristesse m'a envahie, avec une violence telle qu'elle en était douloureuse. Mes mains se sont mises à trembler. J'ai levé les yeux vers le médecin, son regard était empli de gentillesse et, très calmement, il m'a dit :

— Donnez-lui un peu de temps.

Et il avait raison car, quand Ben a bougé et que ses yeux ont de nouveau croisé les miens, même s'ils ne semblaient pouvoir se fixer sur moi, ses lèvres ont remué et, cette fois, il a clairement dit : « Maman. » Et des larmes ont coulé, lentement, en silence sur ses joues.

Je l'ai pris dans mes bras, même si le médecin s'est d'abord avancé vers moi pour m'empêcher, avant de me laisser faire. J'ai soulevé Ben et l'ai pris sur mes genoux, et j'ai serré son petit corps amorphe contre le mien ; j'ai cru alors sentir de la force dans ses bras, suffisamment pour qu'il m'étreigne puis s'accroche à moi. Il était encore faible, et n'a pas dit un mot, mais nous sommes restés ainsi si longtemps que le médecin a dû l'obliger à me lâcher.

Après que le personnel médical l'a allongé de nouveau, ils l'ont rattaché et ont réajusté sa canule, en vérifiant qu'il était bien relié à toutes les machines. Quand ils se sont éloignés, le regard de Ben a croisé le mien avec plus de vivacité qu'auparavant.

Je lui ai souri, car ce que je souhaitais le plus était que lui aussi me sourie. C'est la dernière chose que j'avais vue de lui dans les bois : son sourire, et je voulais, plus que tout, le revoir. Mais il ne m'a pas répondu, car il a regardé ailleurs et ses yeux se sont refermés sur les larmes qui continuaient de tomber ; il a tourné la tête.

Et c'est ce qui me préoccupe : je n'ai pas su s'il avait tourné la tête parce qu'il était fatigué, très faible, ou parce qu'il ne voulait pas que je voie ce que son regard pouvait trahir des choses profondément enfouies en lui.

Pour moi, ce furent de belles retrouvailles. Vraiment. Les bras de Ben qui m'étreignaient étaient tout ce dont j'avais rêvé pendant son absence. Mais le reste : sa condition physique désespérée, son profond chagrin, silencieux, et la manière dont il avait évité mon regard, étaient terriblement effrayants, je ne pouvais pas le nier – car, après tout, je me dois de faire un récit honnête de ce qui s'est passé.

Vous vouliez une catharsis ? Moi aussi. Mais il n'y en a pas eu. Je suis désolée.

ÉPILOGUE

Noël 2013 – Un an et cinq semaines plus tard

PAGE WEB – WWW.INFO24H7J.CO.UK/UK

Bristol – 3 h 15 PM GMT 11 Déc. 2013

JOANNA MAY RECONNUE COUPABLE DE L'ENLÈVEMENT DE BENEDICT FINCH

Par Danny Deal

Joanna May a plaidé coupable pour l'enlèvement de Benedict Finch, 8 ans, aujourd'hui, devant le juge Evans à la Cour d'assises de Bristol.

La jeune femme de 27 ans, obsédée par Benedict Finch, a enlevé le petit garçon après avoir découvert qu'elle était stérile, une information que nous pouvons désormais rendre publique.

May avait été arrêtée et accusée de l'enlèvement après que Benedict avait été retrouvé dans la forêt de Leigh Woods. Elle l'avait gardé enfermé pendant sept jours en octobre 2012 dans le sous-sol de son appartement dans le quartier de Mortimer Crescent, à Clifton.

Par le passé, May avait déjà manifesté des symptômes de mythomanie et fait preuve d'un intérêt « malsain » à l'égard du bébé d'une amie.

Cette information peut maintenant être rendue publique après que le juge Evans a levé l'ordre d'interdiction de publication.

Durant le procès, May regardait droit devant elle, sans montrer aucune émotion.

Le juge a dit que May avait commis « un acte atroce, odieux, ayant entraîné des dommages émotionnels et physiques irréversibles chez un jeune enfant vulnérable » et que l'enlèvement avait plongé la famille de Benedict dans d'affreuses souffrances « pendant sept jours d'incertitude, un véritable calvaire », sans compter « le harcèlement impardonnable et les propos calomnieux de la part des médias dont la famille a été victime ».

Julian Paget QC, procureur général, a décrit May comme une personne « calculatrice, manipulatrice et extrêmement dangereuse ».

Les membres de la famille de Benedict Finch présents lors du verdict sont restés discrets et n'ont pas souhaité faire de commentaire.

La sentence sera rendue la semaine prochaine.

286 commentaires et 7 personnes répondent à cet article.

Simon Flynn

Cette affaire fait vraiment froid dans le dos. Espérons qu'elle soit aussi sévèrement condamnée qu'elle le mérite. Mes pensées vont à la famille de Benedict Finch.

Jean Moller

C'est une vraie ordure, elle fait partie de la lie de l'humanité. Ha ha ha ha ha ha Joanna May, tout le monde en prison va savoir ce que tu as fait et on te fera subir les pires humiliations ; j'espère que tu ne seras jamais libérée. À ton tour de souffrir.

Anthony Smith

Exode, 22:18 : « Tu ne laisseras point vivre la sorcière. »

Samantha Singh

On espère que ce procès permettra à la famille de tourner la page. Je pense à eux et au pauvre petit Benedict.

Patricia Gumm

Nous sommes contents que justice soit faite, pour Ben et sa famille. Et nous ne devons pas non plus oublier tous les autres petits enfants qui ont eu affaire à cette maîtresse sans savoir qu'elle était le diable.

Jasleen Harper

Allons-nous devoir payer pour qu'elle puisse se reposer en prison avec la télévision par satellite et bénéficier d'une psychothérapie ? Les gens comme elle devraient être condamnés à nettoyer la merde car ils ne sont rien d'autre, ils ne valent pas mieux.

Cliff Downs

Jasleen tu ne devrais pas employer ce langage par respect pour Ben et sa famille.

Simon Flynn

24h/24 et 7j/7, la presse n'est rien d'autre qu'un monstre, qui dévore la vraie information et qui se nourrit de nos opinions. Nous pouvons donc nous exprimer comme nous l'entendons, sans avoir peur, même si nous n'apprécions pas le langage que les autres utilisent. Cela s'appelle la liberté d'expression.

Les commentaires sont désormais bloqués.

RACHEL

Il y a quelques semaines, on m'a demandé si je pensais qu'une fois le procès passé, Ben et moi pourrions tourner la page. Je n'ai pas su quoi répondre, les mots m'ont manqué. Vraiment. Car, en vérité, nous ne pourrons jamais « tourner la page ». Si seulement c'était si simple. Il est des événements et des incertitudes que vous emportez dans la tombe et qui menacent de vous faire trébucher à chaque instant, jusqu'à votre mort.

Si « tourner la page » signifie chercher des réponses et tenter de dissiper toute ambiguïté, alors laissez-moi vous expliquer où nous en sommes.

Voici ce que je sais de manière sûre :

Je sais que ce dimanche après-midi-là, dans la forêt, mon fils a accepté de suivre Joanna May, en la tenant par la main. Il l'a regardée dans les yeux, lui a accordé sa confiance et a cru ce qu'elle lui a raconté.

Elle l'a emmené jusqu'à sa voiture après lui avoir fait mettre les vêtements de rechange qu'elle avait apportés pour lui. Joanna May n'avait pas prévu que Skittle les suivrait et elle lui a donné un coup de pied pour le renvoyer, et lui a alors cassé une patte.

Puis elle est partie avec Ben. Elle a évité toutes les routes équipées de caméras de surveillance.

Parmi toutes les choses qui lui sont arrivées au cours de cette semaine-là, celle dont Ben parle le plus est la manière dont elle a traité le chien. Il ne cesse de ressasser cet incident, et n'arrive pas à comprendre une telle cruauté. Ce qui le dérange le plus, c'est qu'elle l'ait obligé à laisser Skittle qui souffrait et gémissait. C'est à ce moment-là qu'il s'était rendu compte pour la première fois qu'elle était déséquilibrée.

Pour le reste, il n'y a pas grand-chose que je sache avec certitude, si ce n'est que c'était Ben, en effet, que j'avais retrouvé sur le jeu en ligne *Furry Football* une semaine après sa disparition. Mais entre les deux, c'est le vide : un trou de sept jours dans sa vie.

Certains faits nous en disent un peu plus. Les débris d'ordinateur et les marques de doigts qui ont laissé des bleus sur le bras de Ben montrent qu'après l'avoir trouvé en train de jouer en ligne sa colère était telle qu'elle a perdu le contrôle, ce qui l'a poussée à emmener Ben dans les bois et à le traîner, au milieu de la nuit, jusqu'à l'endroit où elle l'avait enlevé.

Elle l'avait laissé, tout seul, en sous-vêtements, recouvert d'un sac-poubelle noir pour le protéger de la pluie. En agissant de la sorte, elle l'avait humilié et effrayé, et l'hypothermie avait failli le tuer.

Nous savons que de retour chez elle, elle avait réservé un billet d'avion pour le lendemain, tard dans la matinée, qu'elle avait fait sa valise et rangé son passeport dans le portefeuille qu'elle avait mis dans son sac.

Nous savons aussi que Lucas Grantham avait entraîné sa chute ; la police l'avait appelée très tôt ce matin-là pour l'interroger à son sujet. Elle avait pris un risque et s'était rendue à Kenneth Steele House pour ne pas éveiller de soupçons, tout en pensant qu'elle aurait le temps d'attraper son vol.

Cependant, elle ne pouvait pas savoir que nous nous retrouverions toutes les deux dans la même voiture et qu'elle laisserait échapper une information qui me pousserait à voler ses clés.

Jc l'imagine debout sur le trottoir, devant chez elle, tandis que l'inspecteur Bennett et moi nous éloignons en voiture ; elle cherche les clés de son appartement dans son sac à main, ne les trouve pas, revoit l'instant où toutes ses affaires sont tombées sur le plancher de la voiture et, très certainement, comprend ce qui s'est passé et décide qu'elle n'a plus le temps d'aller les récupérer ou de se procurer un double. D'après les informations de la police, elle n'a absolument pas essayé d'entrer dans l'appartement pour prendre ses affaires avant que j'arrive, probablement parce qu'elle avait déjà son passeport sur elle, dans son sac. Nous savons qu'elle était dans un taxi, en route pour l'aéroport, vingt minutes seulement après que l'inspecteur Bennett et moi l'avions déposée, elle n'avait donc pas tergiversé. J'aime penser à ce moment comme étant celui où le chasseur a été chassé, sa respiration est devenue haletante et elle a commencé à regarder par-dessus son épaule.

Voilà donc la liste de tout ce que je sais avec certitude.

En revanche, voici ce que j'ignore :

Pourquoi l'a-t-elle enlevé et comment l'a-t-elle traité ?

Pourquoi je ne le sais pas, me direz-vous ?

Parce que Ben n'en parle pas.

Pourquoi pas ?

Nous n'en savons rien. Je pense que mis à part ce qu'il veut bien dire, il y a des choses dont il ne se souvient pas, des choses perturbantes ou des choses dont il a peut-être peur de parler.

Je pense qu'il n'aime pas la manière dont les regards s'éclairent et l'attention s'aiguise quand il fait un tant soit peu allusion à la pièce dans laquelle il a été enfermé ou à Mlle May. J'ai le sentiment qu'il se sent mal à l'aise et honteux. Il ne veut pas être le point de mire, il préfère tout oublier.

Nous devons donc prendre garde à ne pas aggraver les choses car nous ne voulons le meurtrir davantage et le voir se renfermer dans sa coquille au point de ne plus pouvoir communiquer. C'est ce qui peut se passer avec les enfants dans sa situation. J'ai lu des choses à ce sujet.

Et bien que je déteste avoir à l'avouer, je me demande vraiment si parfois, par son silence, il n'essaie pas de la protéger. Car, après tout, ils étaient très liés, avant.

Pourquoi ne pourrions-nous pas apprendre de Joanna May ce que nous avons besoin de savoir ?

Parce qu'elle et Ben ont une chose en commun, hormis ces sept jours passés ensemble dans son appartement : elle aussi refuse de parler de ce qui s'est passé. Elle a toujours refusé de le faire depuis l'instant où elle a été arrêtée. Avoir plaidé coupable lui a suffi.

Alors que nous avons besoin qu'elle parle, elle a décidé de se taire. Ce qui est son droit.

Et donc, nous émettons des suppositions. Nous avons construit une histoire qui semble cohérente avec le peu d'éléments que nous avons.

Et voici ce que raconte cette histoire :

En échange de la confiance que Ben lui a accordée, en glissant sa petite main dans la sienne, Joanna May l'a emmené de force dans un endroit où elle l'a enfermé.

Je crois qu'elle a fait une chose pareille parce que soit elle aimait Ben, soit elle aurait vraiment voulu l'aimer. C'était un amour dénaturé, égoïste, le fruit d'un cerveau dérangé, mais qui, malheureusement, existe.

Je pense qu'elle avait créé un lien avec lui la première année où elle avait été sa maîtresse d'école et qu'elle avait commencé à vouloir l'avoir pour elle seule. Elle avait découvert qu'elle était stérile, – une information qui a été rendue publique récemment –, au moment même de mon divorce, quand je lui avais demandé de l'aide pour Ben. Je pense que c'était une période de sa vie où elle était très fragile, l'époque où son désir d'enfant était très fort, et elle a cru voir en Ben un enfant qui n'était pas assez aimé ou dont on ne s'occupait pas assez et elle avait cru que prendre mon fils répondrait à son envie de devenir mère et atténuerait la tristesse de Ben.

Cette idée avait dû se renforcer au fil des mois jusqu'à aboutir à un plan mûrement réfléchi qu'elle avait exécuté à la lettre, il y avait maintenant un peu plus d'un an, le dimanche 21 octobre 2012.

Une fois qu'elle l'avait enfermé, je pense qu'elle avait commencé un travail de sape en lui faisant croire que sa famille n'était pas gentille avec lui et qu'elle était la bonne personne pour s'occuper de lui.

Nous ne savons pas quelles étaient ses intentions à long terme, mais Ben avait évoqué un projet de voyage pour eux deux et je la soupçonne d'avoir voulu disparaître avec lui. Je ne sais ni où ni comment, cependant.

La chambre qu'elle avait installée est la preuve de sa volonté de créer pour lui un environnement agréable, de bien s'occuper de lui et, en fait, je pense que c'est vraiment ce qu'elle souhaitait, même si, en réalité, ce n'était rien d'autre qu'une cellule décorée avec soin.

Mais, une fois qu'il avait été là, avec elle, je crois que rien ne s'est passé comme elle l'imaginait. Je pense qu'elle n'avait pas prévu que sa maison lui manquerait, que moi, son père et sa belle-mère, ou son chien, lui manquerions. Je pense qu'elle ne s'attendait pas à ce que, sans nous, il soit aussi malheureux. Elle ne s'était pas rendu compte que c'était un enfant très aimé et que, en retour, il nous aimait.

Ce sont les explications que nous avons trouvées. Ce sont les mobiles que nous lui accordons, et la chronologie que nous avons reconstituée pour essayer d'expliquer ce qui s'est passé. Et nous continuons à essayer de remplir les blancs et à trouver chaque pièce manquante du puzzle.

Nous supposons que Joanna May avait sous-estimé les compétences informatiques d'un petit garçon. Sinon, pourquoi lui aurait-elle donné accès à un ordinateur portable ? À moins qu'elle ait été fatiguée d'avoir à le distraire et qu'elle n'ait pas eu d'autres idées ? Avait-elle cru qu'il n'y avait pas de danger car il ne pourrait pas se connecter en ligne ? Jusqu'à quel point s'était-elle emportée quand elle s'était aperçue que Ben avait trouvé une connexion Wi-Fi qui ne nécessitait pas de mot de passe ?

Au point de mettre la vie de Ben en danger ; et je crois qu'elle en était arrivée là car elle avait eu l'impression de perdre le contrôle et qu'elle s'était aperçue qu'elle n'était pas à la hauteur de la situation. Sa solution ? L'emmener dans la forêt et l'y abandonner, puis rentrer chez elle et préparer sa fuite.

Est-ce parce qu'elle l'aimait vraiment qu'elle n'était pas allée jusqu'au bout et qu'elle ne l'avait pas tué et plongé dans le silence à jamais ? Je le crois, même si cette idée me révulse.

Pour confirmer ces hypothèses, nous essayons tous d'exhorter Ben à nous donner plus d'informations : des thérapeutes, des médecins, des psychiatres, nous tous. Mais, pour l'essentiel, il a choisi de se taire, peut-être pour ne pas perdre le contrôle. Et nous devons accepter son silence. Nous devons nous contenter de ce que nous croyons savoir.

J'aurais voulu avoir accordé plus d'importance à tout ce qu'il racontait spontanément avant d'être enlevé. Je regrette de ne pas avoir pris de notes ; tous ses mots que j'aurais pu rassembler, et garder précieusement, après les avoir soigneusement emballés dans des paquets fermés par un ruban et mis en lieu sûr, pour plus tard. J'aurais voulu ne pas avoir été distraite et avoir pu entendre chacun des mots qu'il avait prononcés. J'aurais voulu ne pas l'avoir laissé partir en courant. Il y a tant de choses que j'aurais voulues, mais tout cela ne sert plus à rien désormais. Vraiment plus à rien.

Ben n'est plus le même. Il lui est difficile de faire confiance, il ne comprend pas pourquoi John et moi ne l'avons pas trouvé plus vite ni pourquoi sa maîtresse qu'il aimait tant s'est avérée être une mauvaise personne.

Il ne manque presque jamais l'école, même si, régulièrement, John ou moi recevons un coup de fil pour nous dire que, de nouveau, il ne se sent pas bien, qu'il souffre d'une migraine si grave qu'il doit garder les yeux fermés et que nous devons venir le chercher.

D'un point de vue émotionnel, son quotidien n'est pas facile ; il est d'humeur volatile et imprévisible. Il peut aller bien plusieurs jours de suite et, tout à coup, être bouleversé, déstabilisé. Dans ces occasions, il peut devenir complètement dépendant, se coller à moi, ou se mettre en colère, tout dépend sous quelle forme se manifeste sa tristesse. Ses émotions sont puissantes et viscérales. Rarement, très rarement, il se bat contre nous à coups de pied ou de poing. Le plus souvent, il ne peut dormir paisiblement et se réveille en hurlant de peur.

Quand c'est le cas, je me précipite à son chevet et je le prends dans mes bras pour le porter jusqu'à mon lit, où nous restons allongés l'un contre l'autre, les yeux grands ouverts, et je le garde dans mes bras en attendant qu'il arrête de trembler et en surveillant les poussées de fièvre qui surgissent parfois après de tels cauchemars.

Je prends aussi Skittle avec nous, car le chien est l'objet d'une affection simple pour Ben. J'ai plaisir à les voir jouer tous les deux, à être témoin de la gentillesse de Ben pour Skittle et de l'adoration que lui voue le chien. Quand Ben est chez John, il l'emmène. Et si ses griffes laissent des traces sur le parquet, personne n'y prête attention.

Mais même quand Ben et moi restons allongés enlacés et que nos cœurs battent à l'unisson, j'ai souvent l'impression que nous sommes très loin l'un de l'autre car je sais qu'une part de lui est restée dans la forêt, frigorifiée, ou peut-être dans le sous-sol, avec des choses qui volent en éclats autour de lui et le sentiment que quelqu'un s'approche pour l'emmener, même s'il se cache derrière ses mains, même s'il se recroqueville.

Ces pensées ne sont que le fruit de mon imagination car, comme je l'ai dit, Ben ne veut pas en parler.

Son silence me tourmente, me rend malheureuse, car je voudrais être capable de l'aider à aller mieux, mais c'est son silence à elle qui me pèse le plus, car lui n'y peut rien, alors qu'elle est adulte et refuse volontairement de donner des informations qui pourraient nous aider à mieux comprendre ce qu'il s'est passé et, ainsi, à le guérir plus vite. Pour cette raison, je ne peux lui pardonner.

JIM

Addendum au compte rendu de l'inspecteur James Clemo pour le Dr Francesca Manelli

Retranscription faite par le Dr Francesca Manelli

Inspecteur James Clemo en consultation avec le Dr Francesca Manelli

Les notes évoquant l'état d'esprit et le comportement de l'inspecteur Clemo, quand les siennes seules ne sont pas suffisantes, sont en italique.

F.M. : J'ai lu le compte rendu de ce qui s'est passé le dernier jour de l'enquête.

Il se contente de hocher la tête.

F.M. : Je suis désolée que les choses aient mal tourné pour vous ce jour-là.

J.C. : C'est le moins qu'on puisse dire.

F.M. : Comment vous sentez-vous ces derniers temps ?

Il s'agite beaucoup sur sa chaise, il est incapable de rester calme. Il détourne sans cesse le regard. Chacun de ses gestes trahit l'évitement. Il ne me répond pas.

F.M. : Je peux être franche avec vous ?

J.C. : Je vous en prie.

F.M. : Nous avons presque épuisé les moyens qui vous ont été alloués pour ces séances de thérapie. La dernière fois que nous nous sommes vus, vous êtes arrivé en retard et, la semaine dernière, vous n'êtes pas venu. Je ne suis pas sûre que vous soyez vraiment impliqué dans ce processus.

J.C. : Tout va bien. Je me sens mieux, c'est-à-dire que je me sens mieux dans ma tête.

F.M. : Ça ne suffit pas, inspecteur Clemo. C'est à moi de décider ce qu'il en est.

J.C. : Je viens de dire que j'allais mieux.

F.M. : Vous voulez savoir ce que j'en pense ?

Il est pris de court. Et il répond avec agacement.

J.C. : Ne s'agit-il pas ici de ce que moi je pense ?

F.M. : Mon évaluation professionnelle de la situation est que vous n'êtes pas venu à la dernière séance parce que parler de ce qui s'est passé est douloureux pour vous. Ce qui est précisément la raison pour laquelle vous avez besoin de cette thérapie.

Il se frotte le front. Des signes de profonde fatigue se lisent sur son visage et dans chacun de ses mouvements. Pas besoin d'être psychothérapeute pour s'en rendre compte.

F.M. : Depuis quand n'avez-vous pas eu une vraie nuit de sommeil ?

J.C. : Je ne m'en souviens pas.

F.M. : Est-ce que vous faites moins d'insomnies depuis que nous avons commencé ces séances ?

Clemo secoue la tête, lentement, résigné.

F.M. : Savez-vous pourquoi ?

Je n'attends pas qu'il me réponde.

F.M. : Parce que vous ne jouez pas le jeu. Et si vous ne jouez pas le jeu, nous ne pouvons pas progresser dans la thérapie et vous aider à améliorer votre vie quotidienne, notamment les insomnies et les crises de panique. Si je fais le point, ce qui ressort de toutes nos séances est que vous avez toujours évité de répondre honnêtement à mes questions. Ce doit être fatigant pour vous, non ? Éluder mes questions doit être épuisant, faire un pas de côté à chaque fois afin de préserver les apparences et avoir l'air solide. Ma question est la suivante : pourquoi vouloir dépenser autant d'énergie à éviter les règles du jeu quand il serait tellement plus facile que vous les acceptiez et que vous soyez d'accord pour vous livrer sans retenue ? Je ne suis pas un charlatan, inspecteur Clemo, j'ai travaillé avec beaucoup de personnes dans la même situation que vous, et j'ai pu les aider.

J.C. : Et selon vous, quelle est cette situation dans laquelle je me trouve ?

F.M. : Vous souffrez d'une grave dépression, qui vous affaiblit, et qui entraîne des insomnies et ces crises de panique qui affectent vos compétences professionnelles. D'après nos discussions, je dirais que plusieurs facteurs entrent en jeu, et ils ont été mis en évidence au moment de l'affaire Benedict Finch.

J.C. : Et quels sont ces facteurs ?

F.M. : C'est à vous de me le dire. Qu'en pensez-vous ?

Il a le visage fermé.

J.C. : Je croyais que c'était votre boulot.

F.M. : Mon travail est de vous venir en aide. Laissez-moi faire. Parlez-moi.

Clemo reste silencieux, parfaitement immobile pendant un moment, puis il se prend la tête dans les mains. Il pleure ; des sanglots déchirants, que j'attendais depuis longtemps. Je saisis l'opportunité.

F.M. : Jouez avec moi.

J.C. : Quoi ?

F.M. : Je vais dire un mot, et je veux que vous me disiez ce que vous ressentez. Non ! Ne discutez pas, faites-le. D'accord ?

Il essaie de retenir ses larmes.

F.M. : Emma.

Il se ressaisit et le silence qui suit semble ne jamais finir. Mais au moment où je pense l'avoir perdu, il parle.

J.C. : Je l'aimais.

F.M. : Je sais que vous l'aimiez.

J.C. : Je l'aimais tellement.

F.M. : L'aimez-vous encore ?

J.C. : Oui.

F.M. : L'avez-vous revue ?

J.C. : Non.

F.M. : Vous manque-t-elle ?

Il me regarde, et ses yeux lancent des éclairs.

J.C. : Elle me manque à chaque instant. Les mois que nous n'avons pas passés ensemble me manquent, le futur que je pensais que nous partagerions me manque car, sans elle, le futur n'a pas de sens, et m'ennuie. Putain !

C'est la réponse franche, sincère que j'attendais. Je retiens ma respiration et j'attends, car il a besoin de se ressaisir à nouveau avant de continuer. J'avance prudemment.

F.M. : Je vais évoquer un autre nom.

Il me regarde avec, dans ses yeux gonflés et fatigués, une expression de défaite. Il joue le jeu. Il a l'impression d'avoir perdu mais ce n'est pas le cas.

F.M. : Joanna May.

J.C. : J'aurais dû comprendre quand je l'ai interrogée. Je ne me pardonnerai jamais. Jamais.

F.M. : Vous n'êtes pas responsable de ce que Joanna May a fait subir à cet enfant.

J.C. : J'aurais pu y mettre fin plus tôt et tout aurait été différent ; je lui aurais au moins épargné la nuit dans la forêt.

F.M. : Vous n'êtes pas responsable.

J.C. : Mais je suis responsable d'avoir pris la mauvaise décision en poursuivant Nicky Forbes. C'est moi qui suis à l'origine de cette décision.

F.M. : Si j'ai bien compris, ça s'est fait en accord avec l'inspecteur principal Fraser.

J.C. : C'est moi qui ne voulais pas lâcher le morceau. Je pensais que c'était elle, la coupable. Je l'ai poursuivie. C'était une mauvaise décision. Je me suis ridiculisé ; c'est humiliant.

F.M. : Je vais vous donner un autre nom. C'est très bien.

Il tressaille comme s'il savait ce que j'allais dire.

F.M. : Benedict Finch.

J.C. : J'aurais dû être là pour lui. Dans la forêt. À la fin. C'est moi qui aurais dû être là.

F.M. : Pourquoi est-ce si important pour vous ?

J.C. : Parce que c'était de lui qu'il s'agissait dans toute cette affaire. Je savais qu'il souffrait. Et j'ai raté l'occasion de lui épargner ça, d'autant plus que j'ai raté la possibilité d'être là avec lui, à la fin.

F.M. : Pensez-vous que, si vous aviez été là, vous auriez pu l'aider ?

J.C. : Je voulais être avec lui et le réconforter, le consoler.

Ses mots me touchent beaucoup. Ce sont des mots humbles, émouvants. Je dois faire un effort pour ne pas le montrer.

F.M. : Est-ce là la raison pour laquelle vous ne dormez pas, inspecteur Clemo ?

J.C. : Toute cette affaire m'empêche de dormir. Ça m'obsède. Mon esprit repasse en boucle toute l'histoire. Sans jamais me laisser de répit. J'ai commis des erreurs. J'ai brisé une famille et j'ai laissé s'éteindre l'étincelle dans le regard de cet enfant.

F.M. : Êtes-vous en contact avec la famille ?

J.C. : Je les ai vus une fois depuis.

F.M. : Que s'est-il passé ?

Il se met de nouveau à pleurer mais, cette fois, ce ne sont que quelques larmes qui glissent le long de ses joues et qui mouillent le tissu de sa chemise. Il ne répond pas.

F.M. : Me croirez-vous si je vous dis qu'il est possible de tourner la page et de continuer à avancer ? Il ne s'agit évidemment pas d'oublier, mais juste d'aller de l'avant et de faire en sorte que cette partie de votre vie devienne gérable.

J.C. : Je ne le mérite pas.

F.M. : Bien sûr que si. Il n'y a pas de raison pour que ce soit la fin de votre carrière, inspecteur Clemo. Cette affaire, et tout ce qui s'est passé y ayant trait, représente un moment très important de votre vie, évidemment, il n'y a pas à discuter, mais il n'y a pas de raison pour que ce soit définitif et que vous ne puissiez pas vous relever. Ne vous infligez pas une chose pareille. Essayez plutôt de vivre avec, de dépasser cette épreuve et, peut-être même, d'en tirer des leçons. Benedict et sa famille vont devoir faire la même chose. Pensez-y comme un chemin sur lequel vous avancez et non pas un endroit où vous êtes enlisé. Vous pouvez vous en sortir convenablement, et honorablement. Et c'est alors qu'il vous sera possible de tourner la page. Et si vous me faites confiance, je pourrais vous aider à franchir cette étape.

Honnêtement, en cet instant, je ne suis pas du tout certaine que l'inspecteur Clemo ait envie de s'en sortir.

F.M. : Jim ? Vous me ferez confiance ?

Le temps est suspendu ; j'attends sa réponse. C'est un homme bon. Je veux qu'il guérisse. Finalement, il souffle lentement, posément mais, même quand il ouvre la bouche pour parler, je ne sais toujours pas si c'est le début ou la fin de sa tentative de guérison.

J.C. : J'essaierai.

RACHEL

Nous ne pourrons peut-être jamais tourner la page, mais nous devons penser au futur. Il le faut.

Désormais, notre famille se retrouve souvent, pour procurer à Ben un environnement où il se sente en sécurité. Nous voulons le consoler, le protéger, lui permettre de tenir bon. Katrina est solide comme un roc, Nicola aussi. Elle est allée retrouver sa famille après le retour de Ben ; ils l'ont accueillie à bras ouverts et j'ai fait la même chose. Nous avons lentement réappris à nous connaître, à reconfigurer notre relation, sans plus aucun mensonge, maintenant que nous savons toutes les deux qui nous sommes. Nous sommes désormais plus indulgentes l'une envers l'autre, et c'est un soulagement.

John ne va pas très bien. Le choc et la tristesse se lisent sur ses traits défaits ; et, depuis qu'il s'est remis de sa commotion cérébrale il est, le plus souvent, apathique. On n'a jamais retrouvé son agresseur. John se sent coupable car il continue à penser que s'ils ne nous avaient pas quittés Ben et moi, rien de tout ce qui s'est passé ne serait arrivé. Il a peut-être raison, mais il n'est pas à blâmer.

Il est papa pour la deuxième fois, ce qui lui rend le sourire. Katrina a accouché d'une petite fille, qui s'appelle Chloé, un magnifique bébé potelé qui, lors de la fête organisée pour ses six mois, souriait à tout le monde et gigotait dans tous les sens.

Chloé est un ravissement pour nous tous et surtout pour Ben. Quand il est avec elle, il lui tend une main pour qu'elle s'empare d'un doigt qu'elle serre dans son petit poing. Il lui apporte des jouets et fait le pitre pour l'amuser, il dépose des baisers sur son petit ventre rond qui provoquent des rires stridents. C'est une grande joie pour nous tous.

Je ne vois plus Laura. Notre amitié n'a pas résisté à ce qui s'est passé. Il est des choses trop difficiles à supporter pour les autres. Je le déplore, mais sans trop y penser car je consacre tout mon temps à Ben et à ma famille.

Ruth et Ben sont toujours aussi proches. Elle a su ce qui s'était passé une fois qu'il a été de retour. Nous ne pouvions pas ne pas le lui dire et elle était suffisamment lucide pour avoir le droit de savoir. Et quand nous lui rendons visite, si Ben lui fait des câlins, se blottit contre elle plus qu'il ne le faisait auparavant, soit elle ne s'en rend pas compte, soit elle préfère ne pas le souligner. Son histoire familiale lui a appris à supporter la tristesse.

Nous sommes récemment allés la chercher pour l'emmener voir Ben jouer du violon lors d'un récital à l'école.

Tout seul, sur le devant de la scène, face au public, Ben s'est redressé, et a posé son violon sous son menton. Étonnamment, il n'avait pas l'air d'avoir le trac; quant à moi, j'étais pétrifiée à sa place et je retenais ma respiration. Ruth a tenu sa tête bien droite – depuis quelque temps, elle s'affaisse vers l'avant – et a observé Ben avec attention, comme si elle était membre d'un jury pour un concours de haut niveau.

Au début, il a joué de manière inégale, avec des accélérations ici et là, et j'ai paniqué car le morceau était assez court et je savais qu'il pouvait faire mieux ; mais, au milieu, il a trouvé le bon rythme, et arrivé au passage le plus difficile, son jeu était exceptionnel et il a terminé sur une très belle note.

Le public, peu nombreux, est resté silencieux pendant tout le temps où il a joué, car la justesse et la sincérité de son interprétation étaient fascinantes. Il a été chaleureusement applaudi.

Mais ce qui m'a le plus importé a été la réaction de Ruth. Elle a eu les larmes aux yeux et a serré, avec toute la force dont elle était encore capable, ma main dans les siennes en disant :

— Il a un vrai sens de la musique, ma chérie. Il y avait quelques erreurs, il doit travailler et acquérir une discipline, mais il est doué.

Et mon cœur a bondi dans ma poitrine car, quand je suis capable d'arrêter de broyer du noir, c'est ce que j'espère. En dépit de ses problèmes, cela signifie que Ben peut réapprendre à vivre et qu'il est en mesure de trouver des choses qui le feront avancer : la musique, un tableau au Bristol Museum, la relation qu'il a avec sa petite sœur, ou tout autre chose qu'il aime, et qui peuvent parfois effacer la noirceur et contribuer à ce que la vie mérite d'être vécue.

Quels sont nos projets pour l'avenir ?

Nous voulons effacer Joanna May de nos vies, anéantir ce qu'elle a essayé de nous laisser en soumettant Ben à une telle épreuve et en déchirant notre famille.

Nous avons une tactique pour nous atteler à cette tâche.

Cette tactique est l'attente.

En attendant, nous montrons à Ben que nous sommes là pour lui. Nous attendons, pour lui prouver qu'il mérite toute notre attention, peu importe ce qu'il s'est passé et ce qu'elle a pu lui dire. Nous attendons qu'il comprenne que nous l'aimons, tous autant que nous sommes et qu'il peut faire confiance à chacun de nous. Nous attendons qu'il comprenne que nous avons fait tout ce que nous pouvions pour le retrouver.

Nous espérons, qu'avec le temps, il guérira. Le temps, pour nous, est devenu un allié précieux.

Nous avons attendu un an et, pendant tout ce temps, j'ai pu repenser à ce qui s'était passé avant que Ben ait été enlevé. Et j'ai pu observer comment notre famille s'était rassemblée autour de lui depuis qu'il était de retour, telles des ailes de papillons, protectrices.

Je comprends maintenant que ce que je considérais avant l'enlèvement de Ben comme des priorités n'en étaient pas. Je m'étais trop inquiétée du divorce, j'avais laissé la vie m'échapper et je n'avais pas pris mes responsabilités.

Quand John nous a quittés, il m'a manqué, notre complicité m'a manqué, bien sûr. Mais je ne sais pas si ne plus être aimée par lui m'a manqué. Car je ne sais pas si nous nous aimions profondément ou si notre relation n'avait été qu'une histoire de rencontre de deux âmes perdues qui avaient eu besoin de se rapprocher pour trouver du réconfort.

Je comprends maintenant qu'à ce moment-là, ce qui m'avait le plus affecté était que les conventions avaient été trahies; car, d'une certaine manière, je pensais que la vie que nous avions m'était due, que je la méritais et que je ne méritais pas que John m'humilie en me quittant pour une autre femme.

Mais personne ne mérite jamais rien. Nous vivons tous avec l'illusion de mériter ce qui nous arrive.

Ce que je sais, maintenant, c'est qu'après le divorce, j'aurais dû tout simplement être reconnaissante de ce que j'avais. J'aurais dû me réjouir de ma vie telle qu'elle était, avec ses imperfections, ses moments de tristesse, et tout le reste, et non pas examiner à la loupe tous les défauts inhérents au divorce. Ces défauts étaient largement considérés comme tels en raison du regard, critique, tranchant de la société et de ses conventions, et j'avais appris à m'y conformer, en suivant le troupeau.

Je n'avais pas encore appris à me servir de mon intelligence ou à faire confiance à mon instinct.

J'y vois plus clair, désormais, et je ne commettrai plus jamais cette erreur.

C'est cette nouvelle manière de voir les choses qui me permet de m'en sortir et de composer avec la triste histoire de mes parents, celle que Nicky m'avait cachée et que l'inspecteur Clemo l'avait obligée à me dévoiler. J'essaie de n'accuser personne.

Au lieu de quoi, chaque jour, je prends la mesure des petits bonheurs qui échoient à ma famille, aussi imparfaite et abîmée soit-elle, une famille pleine d'amour, et c'est suffisant, c'est tout ce dont nous avons besoin et ce dont Ben doit se rendre compte.

Mais, au-delà de ces moments rationnels, j'ai peur, nous avons tous peur. Nous vivons avec les effets à court terme de l'enlèvement de Ben mais nous redoutons les effets à plus long terme. Peut-être que notre plus grande frayeur est que Joanna May se mette un jour à parler et que Ben soit de nouveau brisé par ce qu'il entendra.

C'est la raison pour laquelle je vous raconte toute cette histoire maintenant car je veux pouvoir en finir. Je veux récupérer un peu de la force dont elle nous a privés, je veux essayer de débarrasser ma famille, et mon fils, de son emprise. Je veux que nous soyons comme des grains de sable qui glissent entre ses doigts pour disparaître au milieu des autres, impossibles à distinguer pour qui que ce soit et impossibles, pour elle, à retrouver. Je ne veux pas qu'elle, ou vous, ou n'importe qui, puisse de nouveau nous posséder. Je veux que ma famille soit anonyme et respectée.

Il me reste une dernière chose à vous dire parce que cette information vous intéressera peut-être. Le policier est venu nous voir : l'inspecteur Clemo. Nous avions pensé que ce serait bien pour Ben qu'un représentant de la police vienne le voir et lui raconte tout ce qui avait été mis en œuvre pour le retrouver. Je pensais que Clemo nous devait cela.

Il est venu à la maison et nous nous sommes assis tous ensemble dans la cuisine ; pendant tout le temps que Clemo a parlé, Ben a gardé les yeux baissés et, quand l'inspecteur a eu fini, il est sorti de la pièce sans un mot pour monter dans sa chambre et jouer avec ses Lego. C'est ce qu'il fait quand il ne veut pas parler de certaines choses. Il construit des trucs incroyables. Je ne sais pas si Ben a écouté ou compris ce que Clemo racontait ou pas. Clemo et moi sommes restés seuls tous les deux autour de la table. Pas un seul instant Ben ne nous avait regardés dans les yeux.

J'ai ensuite vu Clemo partir et retourner à sa voiture, j'ai vu sa tête retomber dans ses mains et ses épaules secouées de sanglots mais je n'ai eu aucune compassion pour lui, car toutes mes émotions devaient être dédiées à Ben et à sa guérison. Je me suis donc détournée de la fenêtre et je suis montée à l'étage. Je me suis assise à côté de Ben pendant qu'il construisait quelque chose avec ses Lego. Je n'ai rien dit ; j'espérais juste que ma présence le rassure. J'ai attendu qu'il ait fini pour qu'il m'explique ce qu'il avait fait, comment l'utiliser, et qu'il ait ainsi la possibilité de me montrer qu'il était très créatif.

Clemo m'a envoyé un e-mail très peu de temps après, à partir de son adresse électronique personnelle. C'était l'extrait d'un poème de W.B. Yeats.

À l'enfant qui danse dans le vent
de W. B. Yeats
Et personne ne t'a-t-il dit
Que l'œil qui ose et qui aime
Devrait être plus averti,
Ni instruite du désespoir
De l'éphémère qui brûle ?
J'aurais pu te l'apprendre, moi,
Mais tu es jeune, et nous parlons
Deux langues bien différentes[1].

1. W.B. Yeats *To a child dancing in the wind/ Two years later*, traduit de l'anglais par Yves Bonnefoy, éd. Gallimard, 1993.

Vous n'auriez pas pu empêcher ce qui s'est passé, m'a écrit Clemo. *Vous ne pouviez rien faire de plus. Si vous aviez cherché à le mettre en garde contre des dangers aussi extrêmes, vous l'auriez privé de son enfance. Personne ne pouvait prédire ce qui s'est passé. Je sais combien vous l'aimez. Je l'ai vu. Et j'espère qu'il m'a cru quand je le lui ai dit.*

J'ai pensé que c'était un gentil message, bien qu'il soit triste et m'ait fait de la peine.

Mais j'ai aussi soupçonné Clemo de chercher à se rassurer autant qu'il voulait me rassurer. Et je me suis demandé s'il n'était pas dépressif.

Je voulais répondre, mais je ne savais pas comment l'aider. Je voulais le réconforter, mais je ne trouvais pas les mots.

Une seule tâche requiert toute mon attention. Je dois être patiente car j'espère que mon fils me reviendra, et que son esprit tout autant que son corps seront de nouveau bien là. J'essaie donc de sortir du tunnel et j'attends.

Et j'espère pouvoir y arriver en toute discrétion.

Et je n'en dirai pas plus.

REMERCIEMENTS

Je suis extrêmement reconnaissante à toutes les personnes suivantes :

Emma Beswetherick, ma brillante éditrice, dont l'enthousiasme, le soutien, les conseils et les remarques ont enrichi ce livre au-delà de toute mesure. Merci.

Je remercie Caroline Kirkpatrick et tous ceux qui, chez Little Brown, ont accompli des merveilles avec mon livre.

Merci infiniment à Nelle Andrew, mon formidable agent au grand cœur, qui a cru en cette histoire en n'ayant lu que le premier jet inachevé de mon manuscrit et qui m'a apporté une aide considérable afin de l'améliorer. Sans oublier Rachel Mills, Alexandra Cliff et Marilia Savvides à l'agence Peter, Fraser & Dunlop.

Abbie Rose, qui a été là tout au long de l'écriture de mon livre pour m'encourager. Merci beaucoup de m'avoir lue et relue maintes fois et de m'avoir prodigué, sans compter, de nombreux conseils. Merci de l'amitié qui m'a accompagnée pendant cette aventure.

Philippa Lowthorpe. Merci pour ces interminables promenades avec le chien, merci de m'avoir encouragée, de m'avoir appris à raconter une histoire, et de toutes ces choses sans lesquelles je n'aurais pas réussi.

Mes deux policiers à la retraite. Merci d'avoir gentiment pris le temps de boire des cafés avec moi et de nos longues conversations à propos de tout ce qui a trait à la police et aux procédures policières évoquées dans mon roman. Ce fut inestimable. Si des erreurs apparaissent dans le livre, elles sont uniquement de mon fait !

Mes parents, Jonathan et Cilla Paget. Merci pour tous les livres qui, dans mon enfance, envahissaient la maison, et que vous m'avez vivement encouragée à lire.

Jules Macmillan. Merci pour tous les spaghettis à la carbonara, et pour toutes les suggestions qui ont servi à nourrir l'intrigue, merci d'être le plus grand admirateur de Jim Clemo et d'avoir cru en mon livre de bout en bout.

Rose, Max et Louis Macmillan. Vous avez été formidables : sans votre soutien, je n'aurais pas été capable de réussir. Merci encore. Et, surtout, merci de m'avoir fait sourire tous les jours.

BIBLIOGRAPHIE

Les sites Internet et les articles suivants ont été de précieuses sources bibliographiques pour l'écriture de ce roman :

www.rcmp.pg.ca et notamment un article qu'il est possible de télécharger : Dalley, Marlene L and Ruscoe, Jenna, « The Abduction of Children by Strangers in Canada : Nature and Scope », National Children Service, Police montée canadienne, décembre 2003.

L'ensemble des rapports NISMART (National Incidence Studies of Missing, Abducted, Runaway and Thrownaway Children) et plus particulièrement NISMART-2, qu'il est aussi possible de télécharger, sur www.ojjdp.gov/publications, le site Internet de l'Office of Juvenile Justice and Delinquency Prevention (OJJDP) aux États-Unis.

www.missingkids.com, le site Internet du National Center for Missing and Exploited Children aux États-Unis, et plus particulièrement l'article « When Your Child is Missing : A Family Survival Guide », *Missing Kids USA Parental Guide*, US Department of Justice, OJJDP Report. Il est possible de télécharger cet article sur le site www.ojjdp.gov/childabduction/publications.htlm

Findlay, Preston and Lowery Jr, Robert G (EDS), *Missing and Abducted Children : A Law-Enforcement Guide to Case Investigation and Program Management,* Fourth Edition, National Center for Missing and Exploited Children, OJJDP Report, 2011. Il est possible de télécharger ce rapport sur le site www.missingkids.com/en-US/publications/NC74.pdf

Le site Internet anglais dédié aux enfants et jeunes gens disparus www.missingkids.co.uk, le CEOP (UK National Crime Agency's Child Exploitation and Online Protection Center).

www.ceop.police.uk et notamment une étude publiée sous le titre « Taken : A study of child abduction in the UK » par Geoff Newiss et Mary-Ann Traynor.

Boudreaux MC, Lord D, Dutra RL, « Child Abduction : Aged-based Analyses of Offender, Victim, and Offense Characteristics in 550 Cases of Alleged Child Disappearance », *J Forensic Sci, 44 (3).*

Achevé d'imprimer par Druckerei C.H.Beck
à Nördlingen (Allemagne)
en avril 2016
pour le compte de France Loisirs,
Paris

N° d'éditeur : 85007
Dépôt légal : juin 2015
Imprimé en Allemagne

Composition :
Soft Office – 5 rue Irène Joliot-Curie – 38320 Eybens